JN112373

最新 AI・5G・IC業界大研究

南龍太［著］

はじめに

２０２０年は日本を含む多くの国で次世代通信サービス「５Ｇ」が本格的に始まった。近年、活用の場が広がる「ＡＩ」（人工知能）の普及をさらに加速させる起爆剤として期待されている。

「ＩｏＴ、ＡＩ、５Ｇの普及で加速するデータ社会。これを実現する半導体用途の拡(ひろ)がりと技術革新への要求」（東京エレクトロン「中期経営計画」より抜粋）。半導体製造装置を手掛ける日本最大手のこの短文に、本書執筆の動機付けと意義が凝縮されている。すなわち、ＡＩ、５Ｇの普及が社会を便利に大きく変えていき、それを支えるにはＩＣをはじめとする半導体が欠かせない。

本書は8章で構成される。大まかに、前半はＡＩ・５Ｇについて、中盤はＩＣについて、最後はそれらに関係の深い個別企業や海外情勢について、割り振っている。

Ｃｈａｐｔｅｒ1はまず、ＡＩや5Ｇをめぐる最近の動向を見ていく。ＡＩの成長性や、５Ｇとそれに連動して広がるＩｏＴの市場規模、それらを推し進める第４次産業革命のただ中にある現代と、その発展の先にある「ソサエティ５・０」といった概念を確認する。

次にＣｈａｐｔｅｒ2では、ＡＩの基礎知識や歴史を中心に紹介する。ＡＩの概念は半世紀以上前に登場していたものの、上げ潮と退潮を繰り返し、今は第３次ブームにあるということに触れつつ、その時々で盛り上がりを見せた技術やテーマを振り返る。また、各国が取り組みを強化して日本でも20年から本格的に始まった５Ｇは、従来の４Ｇに比べて「超高速」や「超低遅延」が売りであること、初代の１Ｇからおよそ10年ごとに世代交代を繰り返していること、早くも10年先を見据えた６Ｇの商機を睨(にら)む動きも出始めていることを概説した。

Ｃｈａｐｔｅｒ3はＡＩや5Ｇの隆盛に伴って伸びる市場を業界横断的に、そして主要産業ごとに紹介した。特に、ＩｏＴ（モノのインターネット）の普及に欠かせないセンサーの市場や、ＶＲやＡＲなどの「ＸＲ」、フィンテックなどの「ｘＴｅｃｈ（クロステック）」といった、幅広い業種で伸長するであろう分野を展望するとともに、スマートフォンなどはもちろん、大きな商機が見込まれる自動車や医療などの産業規模を探る。章末では、高まる半導体の需要動向も見ていく。

次からの3つの章は、ＩＣをはじめとする半導体について詳述する。Ｃｈａｐｔｅｒ４は冒頭で、ＩＣを含む電子情報産業がほぼ一貫して成長してきていること、その世界生産額は近く3兆ドルの大台を突破することに触れ、その中身を掘り下げていく。ＡＩ、５Ｇの導入加速を踏まえ、半導体産業は世界規模で堅調な一方、半導体を手掛ける日本企業は長く苦戦が続いている実態を記した。また、電子機器などの高性能化、小型化に欠かせない半導体の微細化は「ムーアの法則」と呼ばれる経験則に沿って実現してきた経緯などを紐解く。

Ｃｈａｐｔｅｒ５は、日本の半導体メーカーの盛衰について概観した。１９８０年代に半導体産業の頂点に立ったものの、90年代に凋落（ちょうらく）し、その後低迷が続いている苦境の背景を分析した。

Ｃｈａｐｔｅｒ６は、半導体の種類として、ダイオードなどのディスクリートや光半導体といった非ＩＣ、ロジックやメモリなどに分かれるＩＣについて、細目ごとに基礎知識を集約した。後半は、基本材料となるシリコンの加工からＩＣパッケージが出来上がるまでの製造工程について、図解を交えて詳説した。

Ｃｈａｐｔｅｒ７は、ＩＣを扱うメーカーを中心に、ＡＩや５Ｇの分野における各社の特徴的な取り組みなども踏まえて業績や展望とともに詳（つまび）らかにする。東芝やソニー、インテルやサムスン電子、ファブレスやファウンドリーなどを取り上げた。

最後、Ｃｈａｐｔｅｒ８は米国や中国をはじめ５Ｇ、ＡＩ、ＩＣの分野で世界をリードする主要プレーヤーの情勢を展望する。

この「はじめに」を書き出してみたのは２０１９年の暮れだった。ＡＩや未来について語る有識者らの対談を紹介して筆をおく心積もりで、以下の文章を認（したた）めていた。

ＡＩをめぐる識者らの対談録のうち、ディープラーニング（深層学習）に詳しいＡＩの権威、松尾豊東京大学大学院教授と経営共創基盤の塩野誠マネージングディレクターの会話は、最後に次のようなやり取りで締め括られる。

松尾　人工知能がどこまで発展するのかという部分もありますし、本当に面白い社会になりましたよね。
塩野　とくに今後10年は激動の時代になりそうです。
松尾　どこにいたら安全とかありませんからね、きっと。どんな職業についたら安心とかもないと思います。
（松尾豊、塩野誠『東大准教授に教わる「人工知能って、そんなことまでできるんですか？」』２０１４年、ｐ２７２、中経出版）

この松尾氏の言葉はどのように感じられるだろうか。「面白くも不透明」な未来に不安を感じるだろうか。
ＡＩを題材にした別の著名人の対談でも、同じように10年について語られたシーンがある。羽生善治九段とノーベル医学生理学賞受賞者の山中伸弥京都大教授の２人の掛け合いである。

羽生　科学の最前線も、どんどん変わっているんですね。
山中　それはもう10年前とはまったく違います。教科書に書いてあることも、どんどん変わっていくと思います。これだけ技術が進んで、ＡＩもバイオテクノロジーも少し前までＳＦだったものがどんどんできるようになってきています。だから、これから10年先に人類と世界がどうなっているか読めませんね。
羽生　確かに未来のことが想像できない、見えないところはあるんですけど、ちょっと考えてみると、昔だって未来はずっと見えていなかったように思います。「見えていない」という点では、１００年前も１０

００年前も今も同じです。よく「不透明な時代」と言われますが、歴史を振り返ってみて、不透明じゃなかった時代があったのか。

（山中伸弥、羽生善治『人間の未来　AIの未来』2018年、pp217-218、講談社）

新型コロナウイルスの感染拡大により人やモノの移動が滞り、生産をストップする工場も相当数ある。本書を書き終えようとした時にその影響がいよいよ深刻化したため、感染拡大による各国、各社へのマイナス影響を十分に反映できていない。本書に記載の需要予測などが、刊行後の実態とそぐわない箇所が出てくるとすれば、本意ではない。そうした事情を酌んでいただき、ご海容願えれば幸いである。

皮肉なことに、こうした非常時にこそ、オンラインによる診療や学習の試みといったＡＩ、５Ｇの活用機会が広がっている。そして「ＧＡＦＡ（ガーファ）」をはじめとしたＩＴ大手、通信会社などがこの受難を乗り越えるべく人智を結集している。感染拡大が収束し、世の中が落ち着きを取り戻した暁には、働き方、学校教育のあり方、余暇の過ごし方、医療や交通、大切な誰かと過ごす時間、人生観、さまざまなことが大きく変化するはずだ。その時、ＡＩ、５Ｇ、そしてＩＣ・半導体は、あらためてその役割の大きさが再認識され、また本領を発揮するだろう。

このような非常時にも、遠隔地から沈着冷静、適切に指導してくださった編集者の末澤寧史氏、そして産学社の担当者各位に深謝申し上げる。そして支えてくれた家族にありがとうと伝えたい。

２０２０年６月

南　龍太

CONTENTS

AI・5G・IC業界大研究

CONTENTS

カバーデザイン 内山絵美（(有)釣巻デザイン室）
本文レイアウト (株)ティーケー出版印刷

Chapter 1

AI・5G産業の最新動向

1

シンギュラリティへ向かう時代

――新たな産業革命と2030年の日本

▼ここかしこ、至る所にAI

「人・産業・地域・政府全てにAI」。

2019年、政府が定めた「AI戦略　2019」の副題である。進化してきた社会の現在地を表し、またこの先当面の方向性、目標を示してもいる。

AI（Artificial Intelligence: 人工知能）が本領を発揮するには、それを支えるIT（Information Technology: 情報技術）があってこそである。その技術の中核は花盛りの第5世代移動通信システム「5G」であり、ハード面で支えるのは、目に見えないほど小さなICチップの数々、半導体である。

AIがさらに進化した先、人間の能力を上回った世界には何があるのか。第一線の研究者や技術者の間でも、楽観論と悲観論とが入り交じる。どうなるかは果たしてその時が来てみないと分からないだろう。

現代はそのAIが「全てに」、遺漏なく行き渡っていく過渡期にある。親和性の高い情報通信や電機、自動車といった業界から、一見関係の薄そうな業態にまで幅広く浸透していく。例えば、ほとんどの企業にいる営業に携わる人員に対し、スマートフォンやタブレット端末が配備されれば、それもAIの活用につながる。営業の成果はビッグデータとして客層の分析、商品やサービスの戦略立案、ＳＮＳ（Social Networking Service）などを通じたターゲティング広告にも使われることになる。

そう考えていけば、ＡＩは個人商店や美容院などへと、一段と普及が見込まれる。程度の差こそあれ、ＡＩは一歩一歩、着実に私たちの生活の一部となっている。企業にはこうした変化の波が、「デジタルトランスフォーメーション＊」（ＤＸ：Digital Transformation）として浸透していく。

AI・IoT活用の分類

分類軸	分類の項目
活用産業	・「消費者向け」、「農業、林業」、「漁業」、「鉱業、採石業、砂利採取業」、「建設業」、「製造業」、「電気・ガス・熱供給・水道業」、「情報通信業」、「運輸業、郵便業」、「卸売業、小売業」、「金融業、保険業」、「不動産業、物品賃貸業」、「学術研究、専門･技術サービス業」、「宿泊業、飲食サービス業」、「生活関連サービス業、娯楽業」、「教育、学習支援業」、「医療、福祉」
活用分野	・「医療･福祉」、「教育」、「交通」、「防犯」、「防災」、「農林漁業」、「産業」、「観光」、「環境」、「インフラ」
活用目的・活用効果	・「コスト削減（業務効率化、人手不足対応など）」 ・「付加価値の創出（利用者へのきめ細かなサービスの提供など）」
データの収集と活用場所	・「サイバー空間で収集＆サイバー空間で活用」 ・「サイバー空間で収集＆リアル空間で活用」 ・「リアル空間で収集＆サイバー空間で活用」 ・「リアル空間で収集＆リアル空間で活用」
活用データ	・「ログ」、「テキスト」、「音声」、「画像」、「動画」
活用技術（AIサービス）	・「識別（言語解析、画像認識、音声認識、動画認識）」 ・「予測（数値予測、マッチング、意図予測、ニーズ予測）」 ・「実効（表現生成、デザイン、行動最適化、作業の自動化）」
活用技術（IoTサービス）	・「センシング（計測、把握）」、「ネットワーキング（接続、収集）」、「アナリシス（分析、評価）」、「フィードバック（指示、制御）」
活用レイヤー	・「デバイス」、「エッジサーバ」、「ネットワーク」、「クラウドサーバ」

出典:情報通信総合研究所「我が国のICTの現状に関する調査研究」、一部加工

＊デジタルトランスフォーメーション
企業などがデータやデジタル技術を活用し、事業環境の激しい変化に即応していくこと。経済産業省の定義に倣えば、顧客や社会のニーズを踏まえ、製品やサービス、ビジネスモデルの変革を通じ、業務や組織、企業文化を変革して競争上の優位性を確立すること。

世界的大手の会計事務所「アーンスト・アンド・ヤング」グループのEY総合研究所の公表資料によると、AI関連産業の市場規模は15年の3兆745０億円から30年に86兆９６２０億円まで拡大すると見込まれる。特に伸びるのは運輸分野や製造分野で、それぞれ30兆４８９７億円、12兆１７５２億円まで拡大すると予想される。

▼2045年にシンギュラリティ

日本国内に限ってもAIの市場は有望とみられている。幅広いテーマの市場調査を手掛ける富士キメラ総研（東京）が19年6月に公表した調査結果によると、AIビジネスの市場は、30年度に17年度の5・4倍、2兆１２８６億円まで伸びると予測される。業種別では、既に導入が進んでいる「金融業」で18年の１４４６億円から４５２９億円に、「組立製造業」で７５７億円から２６１６億円に、「医療／介護業」で１７４億円から１０９３億円にそれぞれ拡大するとの予想が示された。

AIによって業務が効率化され、人手が省ける分、失われる雇用機会もあるとして、不安視する向きもある。AIが発展していくと、人間から職を奪い、人間を職場から放逐するのだろうか。そこは発想を変えれば、余暇が生まれると好意的に捉える見方もできよう。ただ、職がなければ食べていけない、暮らせないという問題は残る。そこで国が全ての人に生活を保障する最低限のお金を支給する「ベーシックインカム」（Basic Income）も検討される機会が増えてきた。

AI分野の第一人者、未来学者でグーグルの技術部門のディレクターにも就任したレイ・カーツワイル（Ray Kurzweil）氏は、AIの進歩は止まらず、やがて人間の知性を超えると見込む。そのタイミングは「シンギュラリティ」（Singularity：技術的特異点）とされ、以降は人類の生活が劇的に変わるとされる。その技術的特異点は２０４５年に訪れると予想している。その時、知能は10億倍になっているとされる。

氏によれば、シンギュラリティは「変化があまりにも過激であるためにこの先どうなるかまったく予

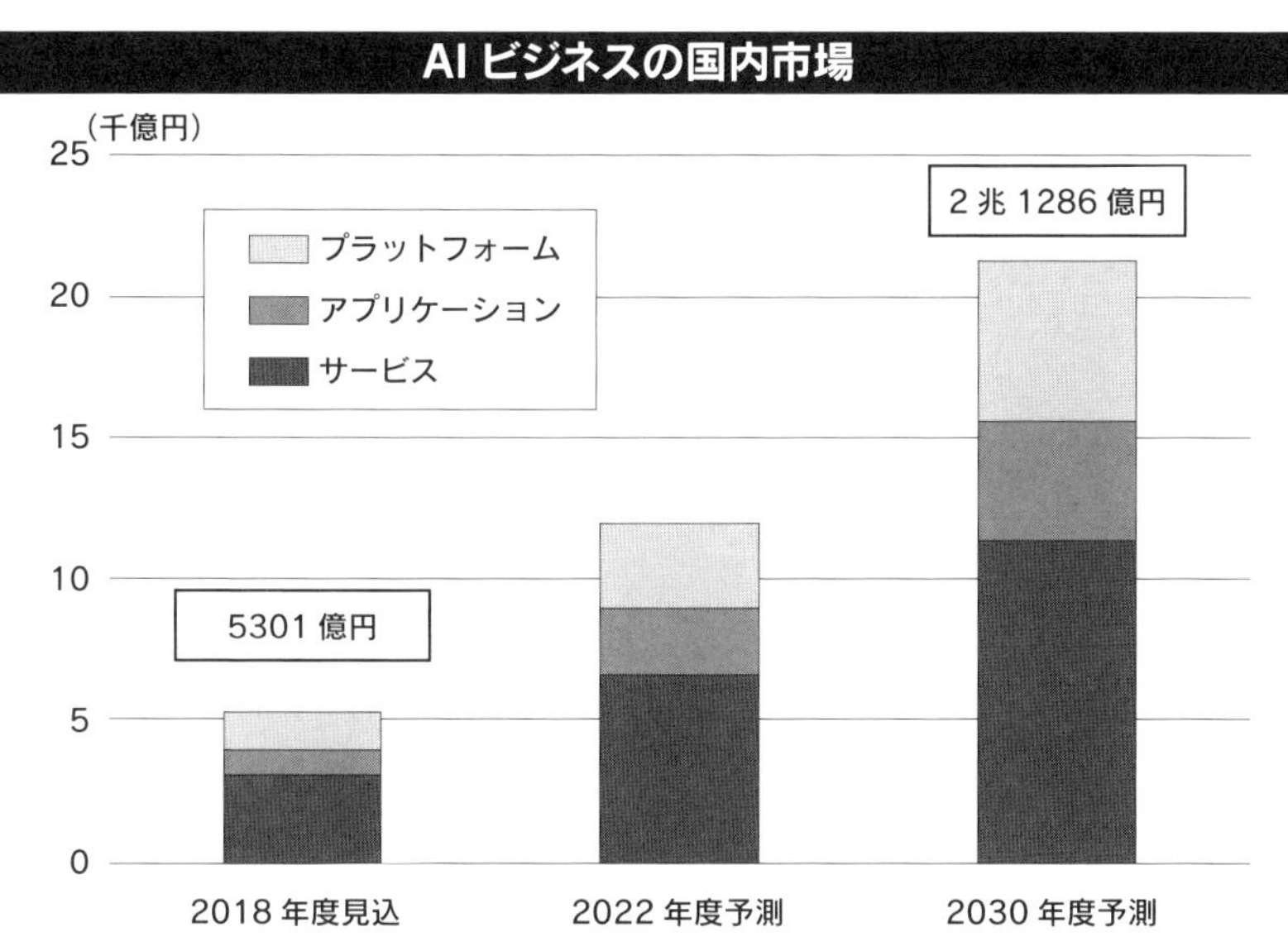

出典：富士キメラ総研「本格的な導入が進む国内のAI（人工知能）ビジネス市場を調査」

測不可能になる」時点で、シンギュラリティを超えた後の人類は「もっとユーモラスになり、より素晴らしい音楽や、アートや、文学を生み出すことができるようになり、どんな新しい知識でも十分理解することができるようになる」（ノーム・チョムスキーほか、吉成由美子『インタビュー・編』『人類の未来—AI、経済、民主主義』2017年、pp100-101、NHK出版）。

シンギュラリティという言葉自体は数学者でSF作家のヴァーナー・ヴィンジ（Vernor Vinge）氏が1990年代に使っていた。それを著書『The Singularity is Near』で2000年代以降に広く知らしめたのがカーツワイル氏で、45年より前、29年には「コンピュータがすべての分野において人間がすることを超えるようになる」（前掲、p93）と指摘している。

2

第4次産業革命とソサエティ5・0

——関連の需要は右肩上がり

▼革命のうねり

第4次産業革命、ソサエティ5・0、そしてシンギュラリティ——。今、時代は大きな変革を目撃している。

過去の歴史を振り返る時、例えば「英国で産業革命が起きた」「日本で近代産業が花開いた」「大正デモクラシーだった」と、ある大きな出来事が考証される。それに比べ、私たちが今まさに生きている現代がどんな時代なのか、変革のうねりのただ中にいながら、それを見定め、定義付けるのは容易ではない。どこが歴史の転換点だったか、どうしてトレンドが変わったのかを見極めるのは至難の業（わざ）だが、同時に重要なことでもある。一方、その躍動、激動する時代に生きている巡り合わせを幸運と捉え、謳歌（おうか）することもできるだろう。

現代は次なる産業革命が始まりつつある。私たちは今、新たな革命の目撃者でもある。それは「第4次産業革命」と呼ばれる。ドイツ政府が2011年、ITによる製造業の変革の青写真を、「インダストリー（Industrie）4・0」として提唱した。時宜に適った提言に、世界中の政治家や経済界のリーダーは刺激を受け、続けとばかりにAI、IoT（Internet of Things: モノのインターネット）による製造業の

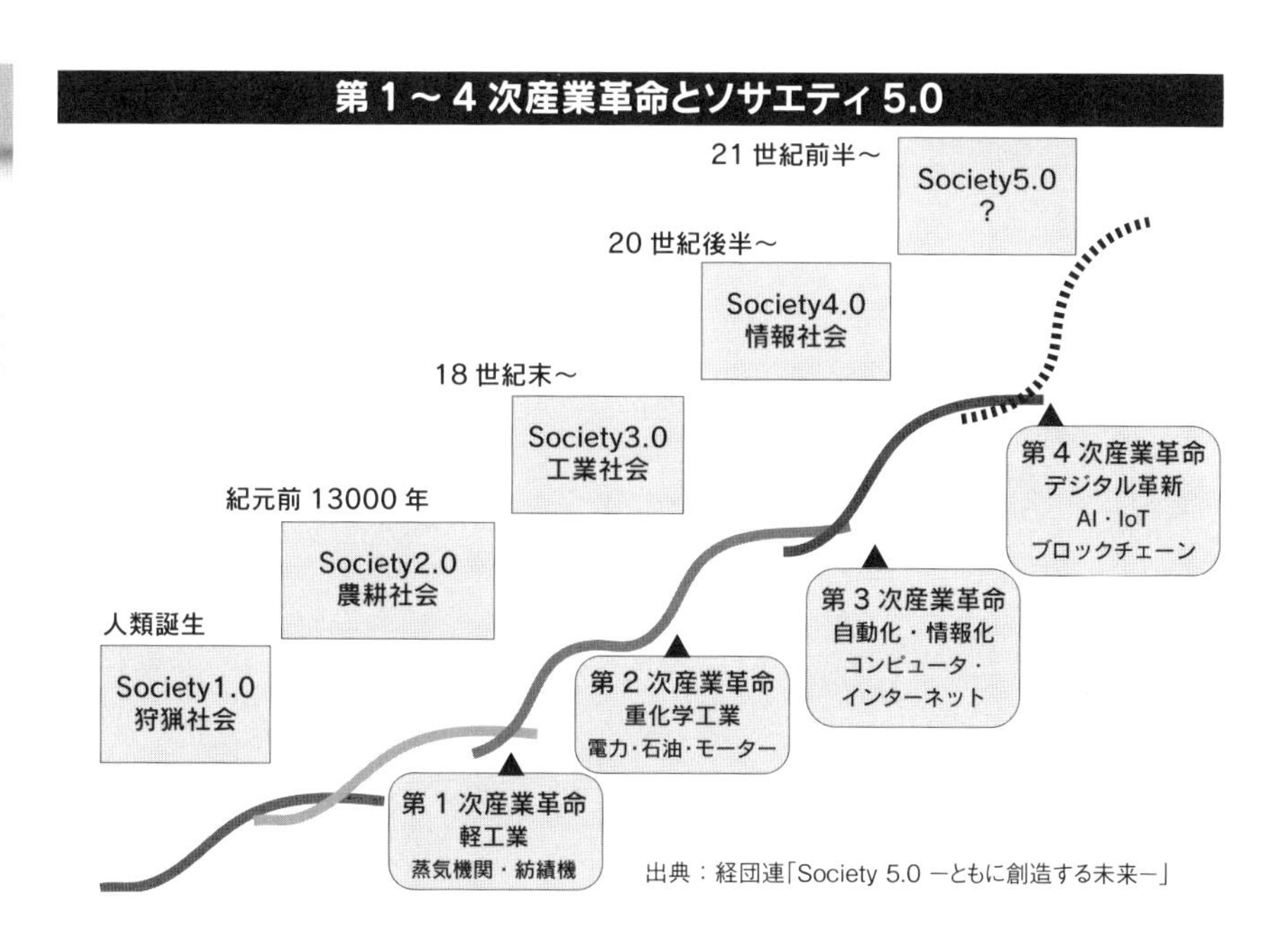

改革を進めると豪語している。

日本としてはドイツのインダストリー4・0の理念を含むスローガン、将来の理想像として「ソサエティ5・0」を16年に打ち出した。来るべき日本の高度に情報化した未来の社会である。

そして、各国が切磋琢磨し、目指す先には「シンギュラリティ」の世界が待ち受けるとも言われる。

▼鎬(しのぎ)を削る各国

内閣府やドイツ政府などの定義にのっとると、第1次産業革命は18世紀末以降に英国で起こった水力や蒸気機関による工場の機械化であり、第2次産業革命は20世紀初頭の分業に基づく電力を用いた大量生産、第3次産業革命は1970年代初頭からの電子工学や情報技術を用いた一層のオートメーション化とされ、段階を経て進んだ。

第1次革命が起きてから第2次までが100余年、第2次から第3次は約70年と間隔が空いている。対して第4次産業革命は、第3次が起きてから40年ほどと比較的短い。電子工学、情報産業がもたらした

第４次産業革命をめぐる各国の動き

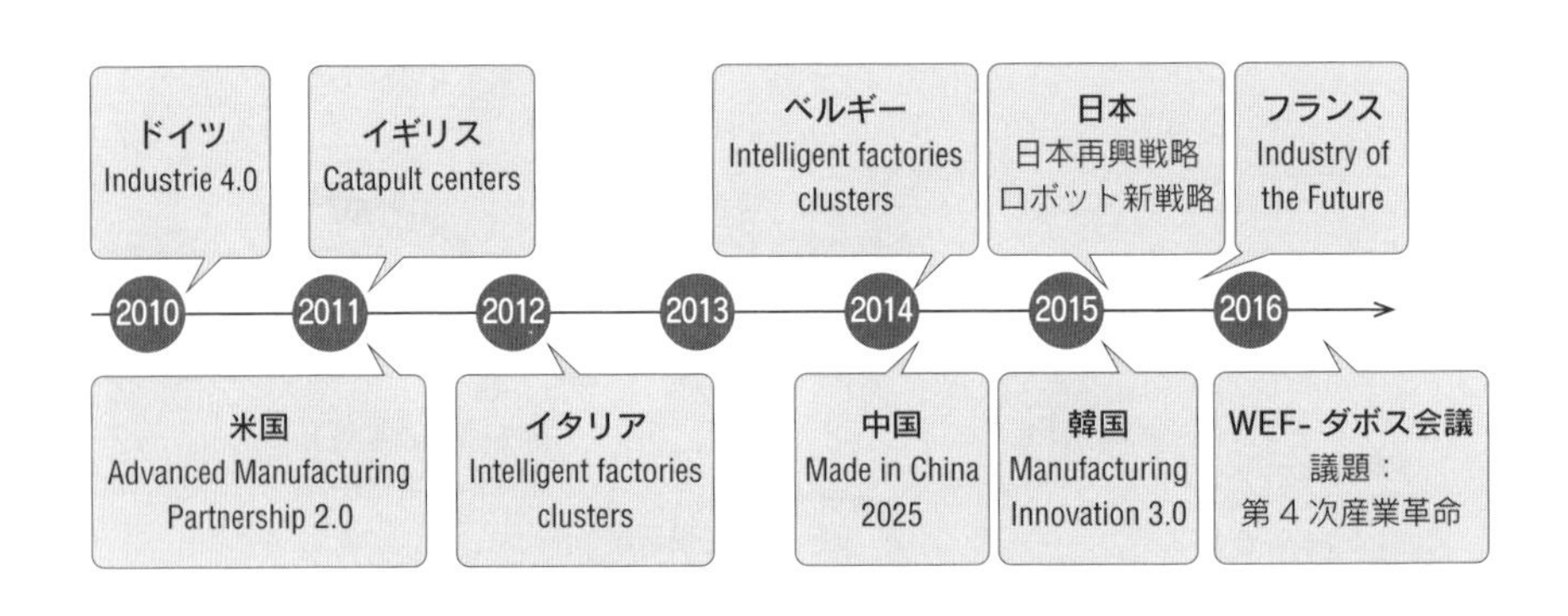

出典：総務省「第4次産業革命における産業構造分析とIoT･AI等の進展に係る現状及び課題に関する調査研究」

社会構造の変革、その急速ぶりを物語ってもいる。

先鞭を付けたドイツに続き、第４次産業革命を率先すると呼び声の高い米国では２０１２年に、ゼネラル・エレクトリック（ＧＥ）が「インダストリアル・インターネット」（Industrial Internet）との表現で産業の高度化を掲げ、グーグルなどＩＴ大手も商機を探る。

中国は15年に、国務院の通達として「中国製造２０２５」（Made in China 2025）を公布し、国家主導で産業の高度化を推し進める。他にも韓国が「Manufacturing Innovation 3.0」、フランスが「Industry of the Future」などと各国が対抗的な戦略を打ち出している。

日本では経済産業省が17年3月、「コネクテッドインダストリー」（Connected Industry）を打ち出した。自動走行・モビリティサービス、ものづくり・ロボティクス、バイオ・素材、プラント・インフラ保安、スマートライフを重点5分野と位置付け、データやＩＴを介して機械や企業や人がつながり（コネクテッド）、高度に効率化された社会を目指すもの

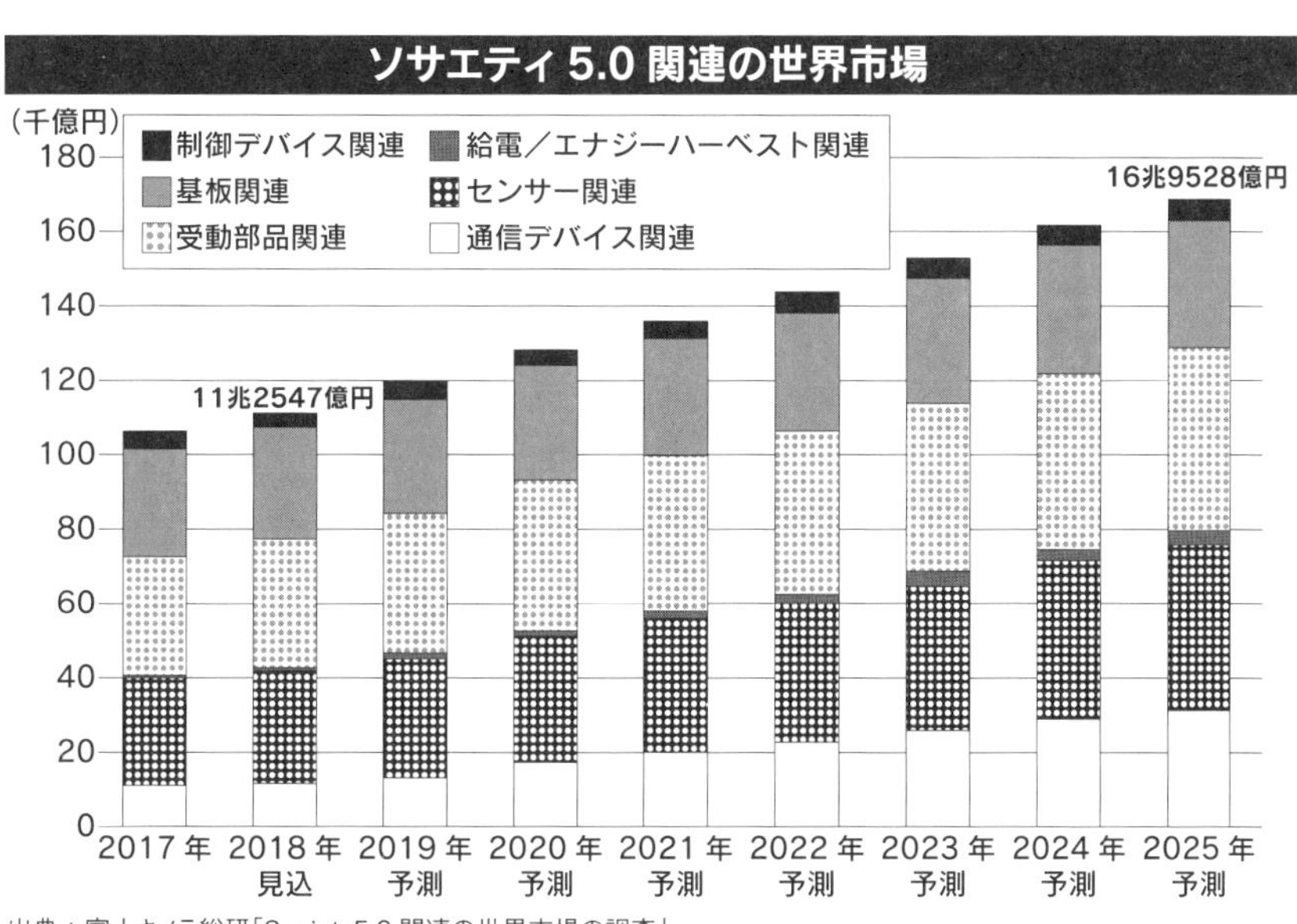

出典：富士キメラ総研「Society5.0関連の世界市場の調査」

である。少子高齢化という大きな社会課題の解決が急務との共通認識に立ち、官民を挙げてこの政策に注力し、「ソサエティ５・０」につなげていくとの方針が示されている。

▼2050年、未来社会の姿

「超スマート社会」と表現されるソサエティ５・０は、２０５０年ごろの社会の「あるべき姿」とされ、30年をめどに具体化するのが目標となっている。ビッグデータを活用したＡＩやロボットが、従来人間が担ってきた作業を支援したり、肩代わりしたりする。

ここでいう作業は単純作業にとどまらず、複雑な計算や論理的思考を必要とする業務も含まれる。その未来の社会では、人間は厳しい仕事や苦手な作業から解放され、「誰もが快適で活力に満ちた質の高い生活を送ることができる」との展望が示されている。

富士キメラ総研が19年5月に公表したソサエティ５・０に関連する調査によると、25年の世界市場は17年に比べ、58・９％増の16兆９５２８億円に上ると予想される。「センサー関連」や「通信デバイス関連」といった類別でも大きな伸びが見込まれ、全てにおいて半導体は欠かせない。

ソサエティ5・0やインダストリー4・0を進めていくと、幅広い分野で半導体の需要が高まる。自動車や医療、産業機器や工場のオートメーション化、ロボット向けなど幅広い業種で引き合いが強まっていく。家庭内のあらゆる家電、ドアや照明などもインターネットでつながり、仮想空間が作り上げられていく。街も日々スマート化していく。

グーグルはAIの進化に重要なディープラーニング（深層学習、41ページ参照）に特化した半導体プロセッサー、TPU（Tensor Processing Unit）を開発した。半導体がAIの進化を支えていることを示す格好の例である。

AIは、日常生活や事業環境が「十年一昔」で様変わりするほどの破壊力を持ち、もたらされる変化は、「ムーアの法則」（97ページ参照）同様、まさに指数関数的、等比級数的な早さで訪れる。

3 花盛りの5G

――各国の目線の先は早くも6Gへ

▼共通キーワード

ＡＩや５Ｇは、組織や国が違っても同じように重視される共通のキーワードとなった。到来が期されるシンギュラリティへと続く道のりで、５Ｇが目下最重要視されるインフラである。同様に重要なＩｏＴや、そのＩｏＴの一形態と位置付けられるＣＰＳ(Cyber Physical System: サイバーフィジカルシステム)も、５Ｇなくしては覚束(おぼつか)ない。ＩｏＴは電波障害に弱く、強靭なインフラ整備が急がれる。それを果たすために欠かせないのが、今世界中で動き出している５Ｇである。５ＧはＡＩやＩｏＴを支え、互いに密接に連関し合い、今後大きく伸長する市場である。

さらにフィンテックに代表される、情報通信技術を駆使したブロックチェーン*などの製品やサービスを通じたビジネスの新領域「ｘＴｅｃｈ(クロステック)」や、カーシェアリングなど「ＭａａＳ(マース)」(Mobility as a Service: 移動のサービス化)や「ＲａａＳ(ラース)」(Robotics as a Service: サービスとしてのロボット、67ページ参照)といった「ｘａａＳ(ザース)」の実現にも、５Ｇは欠かせない。

＊ブロックチェーン
ネットワークでつながった利用者同士が、取引したデータを互いに管理し合う仕組みで「分散型取引台帳」とも呼ばれる。応用分野は金融を中心に広がりを見せている。

主要国・地域の5G推進団体

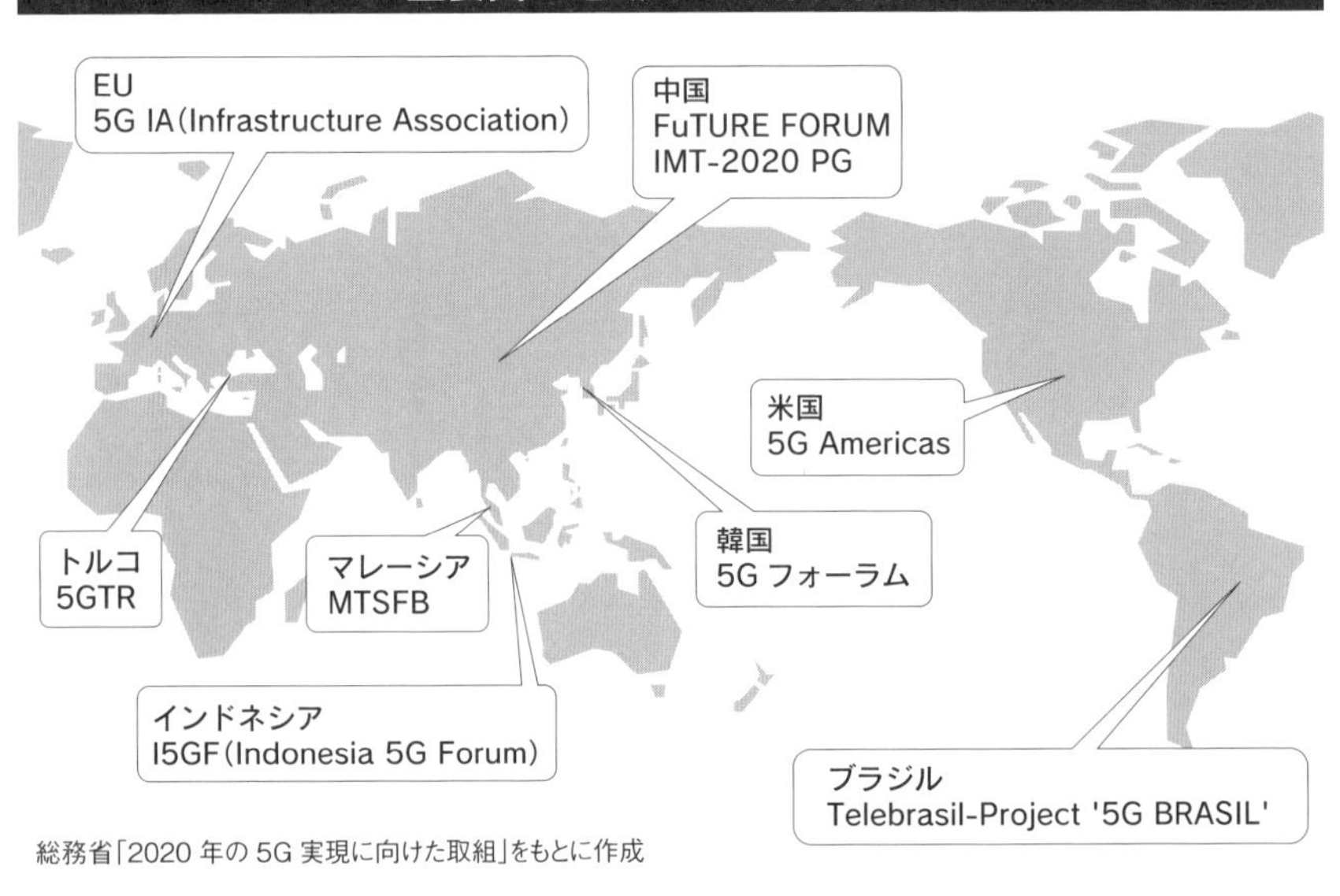

総務省「2020年の5G実現に向けた取組」をもとに作成

来るべき社会を見据えると、センシング技術をはじめ５Ｇは不可欠であり、その源泉となる産業のコメ、半導体は今後さらなる大量採用が見込まれる。ＩｏＴはどの程度の市場性があるのか、５Ｇで何が変わるのか。

▼2030年、市場は168兆円に

５Ｇは米韓で先行して２０１９年に始まり、20年に日本でも本格的に導入が進むことから、注目度が高まっている。19年に落ち込んだＩＣの需要を、再び一気に押し上げる起爆剤になるとして、業界内外の期待は高い。

一方、世界的に市場の大きい５Ｇをめぐって米国や中国、日本、韓国が主導権を握ろうと争いを繰り広げている。機先を制すべく、米中が早くも５Ｇの次を見据えて「６Ｇ」の実現に向けた戦略をめぐり、火花を散らしている。報道では既に「７Ｇ」まで取り沙汰されるなど過熱気味で、５Ｇがまだ緒に就いたばかりというのに、言葉やイメージが先走っている感がある。

5G市場の世界需要額見通し

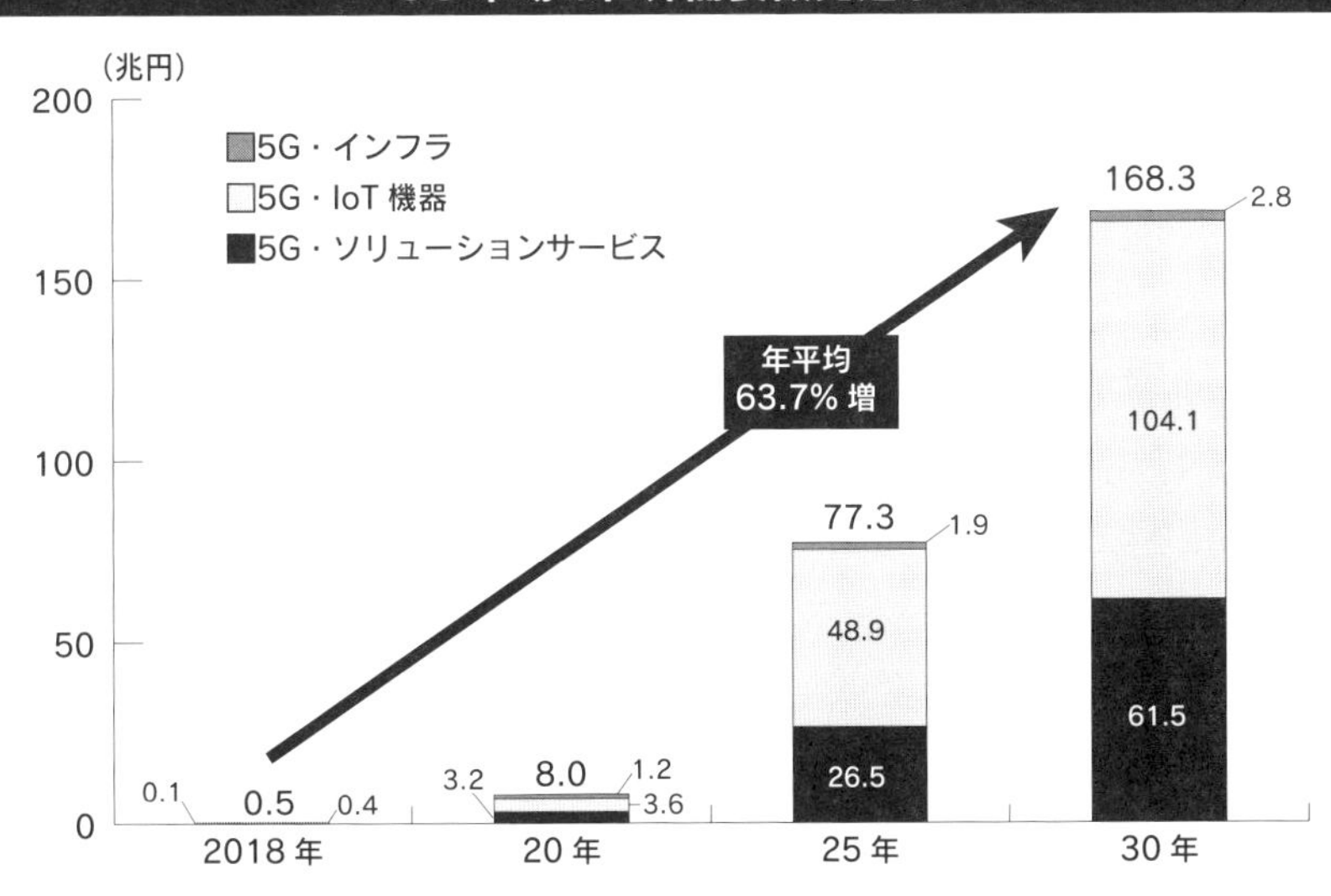

出典 :JEITA「5G の世界需要額見通しを発表」

欧州や東南アジアでも各国が競うように、５Ｇ推進団体を立ち上げている。世界需要は右肩上がりの伸びが見込まれ、電子情報産業の業界団体、一般社団法人の電子情報技術産業協会（ＪＥＩＴＡ：Japan Electronics and Information Technology Industries Association）は20年に８兆円、25年に77兆円、30年に１６８兆円まで拡大すると予測している。特に、「５Ｇ・ＩｏＴ機器」は20年の３・６兆円から30年に１０４・１兆円まで大きく伸びると見込まれる。

別の角度、５Ｇの普及に伴ってＩｏＴが各市場に波及する新たな経済効果としては、マッキンゼー・グローバル・インスティテュート（ＭＧＩ）の予測がある。波及効果の合計は上のグラフが示す通り、25年に最大で11・１兆ドル（当時の換算レートで約１３３６兆円）に及ぶとされた。途方もない額である。

日本国内のＩｏＴ関連市場も成長が見込まれる。野村総合研究所の予測で、日本のＩｏＴの市場は、18年の４兆円強から24年に７兆５０００億円ほどに

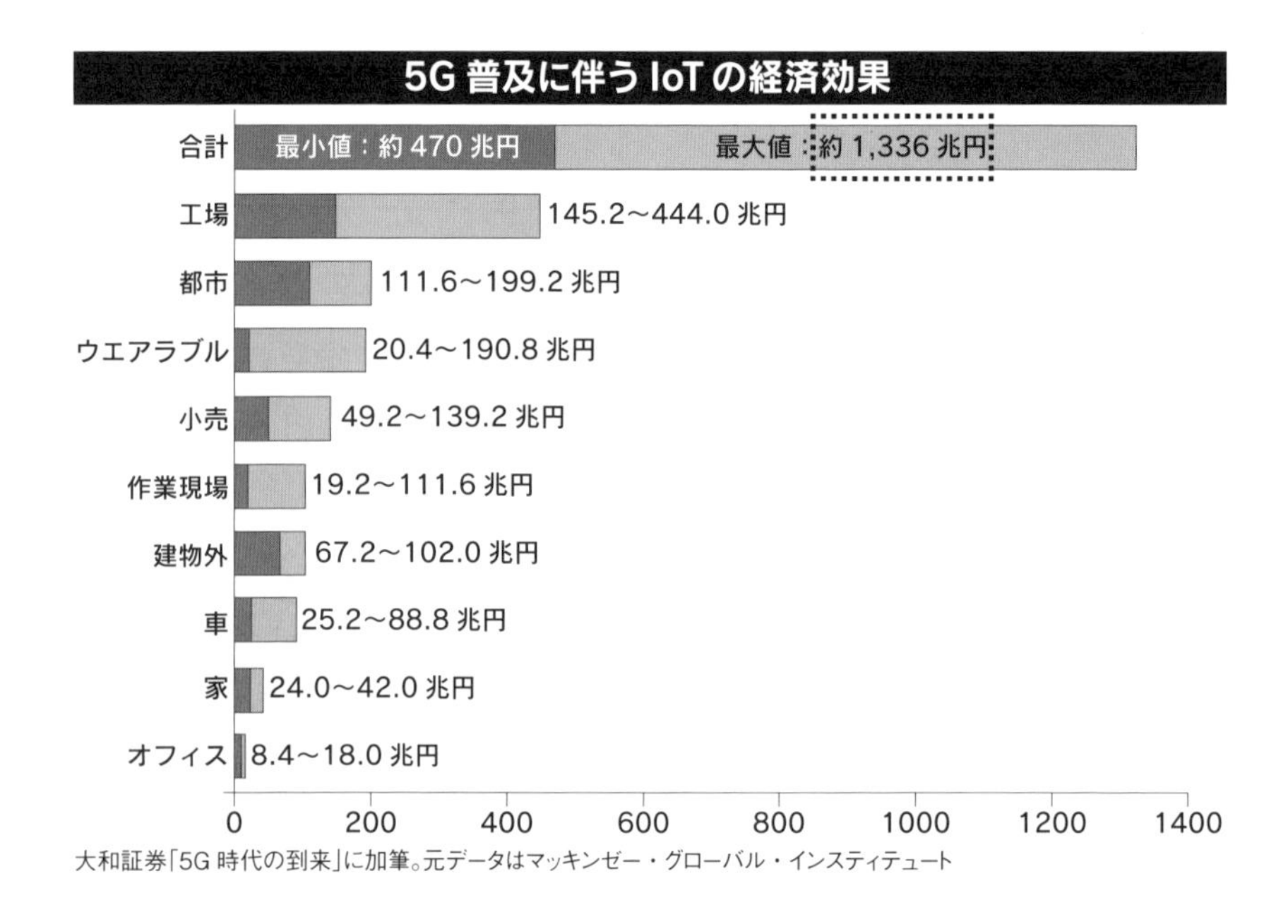

大和証券「5G 時代の到来」に加筆。元データはマッキンゼー・グローバル・インスティテュート

拡大する。特に「家電・ホーム」は3兆4400億円と割合が大きく、「産業機器・工場設備」も今後大きく伸びゆくとみられる（野村総合研究所「『5G』によって加速するデジタル変革のなか、何を守り、何を捨てるのか?」、2018年）。

4 AI、敵か味方か
——二元論を超えて共進の道を

▼AIは仕事を奪うのか

　ＡＩが活躍の場を広げることは、裏返せば人間による労働の削減、省人化につながる。その影響予測として有名なのは、野村総合研究所が２０１５年に示した、日本の将来の労働に関するレポートである。英オックスフォード大学の教授陣との共同研究で、「日本の労働人口の49%が人工知能やロボット等で代替可能に」というややショッキングなタイトルは各方面に波紋を広げた。49%という数字は、同じく研究対象だった米国の47%、英国の35%に比べても高い。

　職種別では、検針員や電車運転士、レジ係はＡＩやロボットによって代替される可能性が高い職業とされた一方、「芸術、歴史学・考古学、哲学・神学など抽象的な概念を整理・創出するための知識が要求される職業、他者との協調や、他者の理解、説得、ネゴシエーション、サービス志向性が求められる職業」は代替が比較的難しいとされた。

　各国が高度に情報化、デジタル化、機械化された社会の実現を目指し、奔走している。その進化は止まらず、事実、可能なものから次々と労働がＡＩ、ロボット、機械に取って代わられている。

　過去の日本を振り返っても、駅に自動改札機が導

AIやロボットによって代替される職業

AIやロボットによる代替可能性が高い職業	
受付係	スーパー店員
駅務員	製パン工
学校事務員	惣菜製造工
銀行窓口係	宝くじ販売人
クリーニング取次店員	タクシー運転者
経理事務員	電車運転士
検収・検品係員	めっき工
自動車組立工	郵便外務員
自動車塗装工	レジ係
新聞配達員	路線バス運転者　など

代替可能性が低い職業	
犬訓練士	歯科医師
映画監督	社会学研究者
学芸員	獣医師
学校カウンセラー	小児科医
ケアマネージャー	心理学研究者
ゲームクリエーター	人類学者
国際協力専門家	声楽家
産業カウンセラー	俳優
産婦人科医	保育士　など

野村総合研究所「日本の労働人口の 49%が人工知能やロボット等で代替可能に」をもとに作成。50音順、並びは代替可能性確率とは無関係。職業名は労働政策研究・研修機構「職務構造に関する研究」に対応

入され、ＪＲ東日本の「Ｓｕｉｃａ（スイカ）」やＪＲ西日本の「ＩＣＯＣＡ（イコカ）」など非接触式ＩＣカードも普及し、切符をもぎる駅員がいる駅は、全国的に見掛けなくなった。

全国にある地方気象台では、明治時代から１００年以上続けられてきた天気の目視観測が、機械による自動観測へ次々と切り替わっている。

為替や株価といった膨大且つ細かな、しかも刻々と変わるデータを扱う金融市場、その数値の上下動を書き伝えてきた証券担当記者の仕事も、ＡＩに取って代わられつつある。ＡＩが機械的に数値を拾って記事に当てはめていった方が正確という実績も出てきた。

駅員も気象台職員も記者も、代替、削減された作業にそれまで割いていた時間や労力を、他の作業に振り向けられる。その意味では業務の効率化につながり、歓迎すべき面もあるだろう。

仕事はこのように、大抵は少しずつじわじわとＡＩや機械に置き換わっていく。17年の厚生労働省の委託調査「ＩｏＴ・ビッグデータ・ＡＩ等が雇用・労

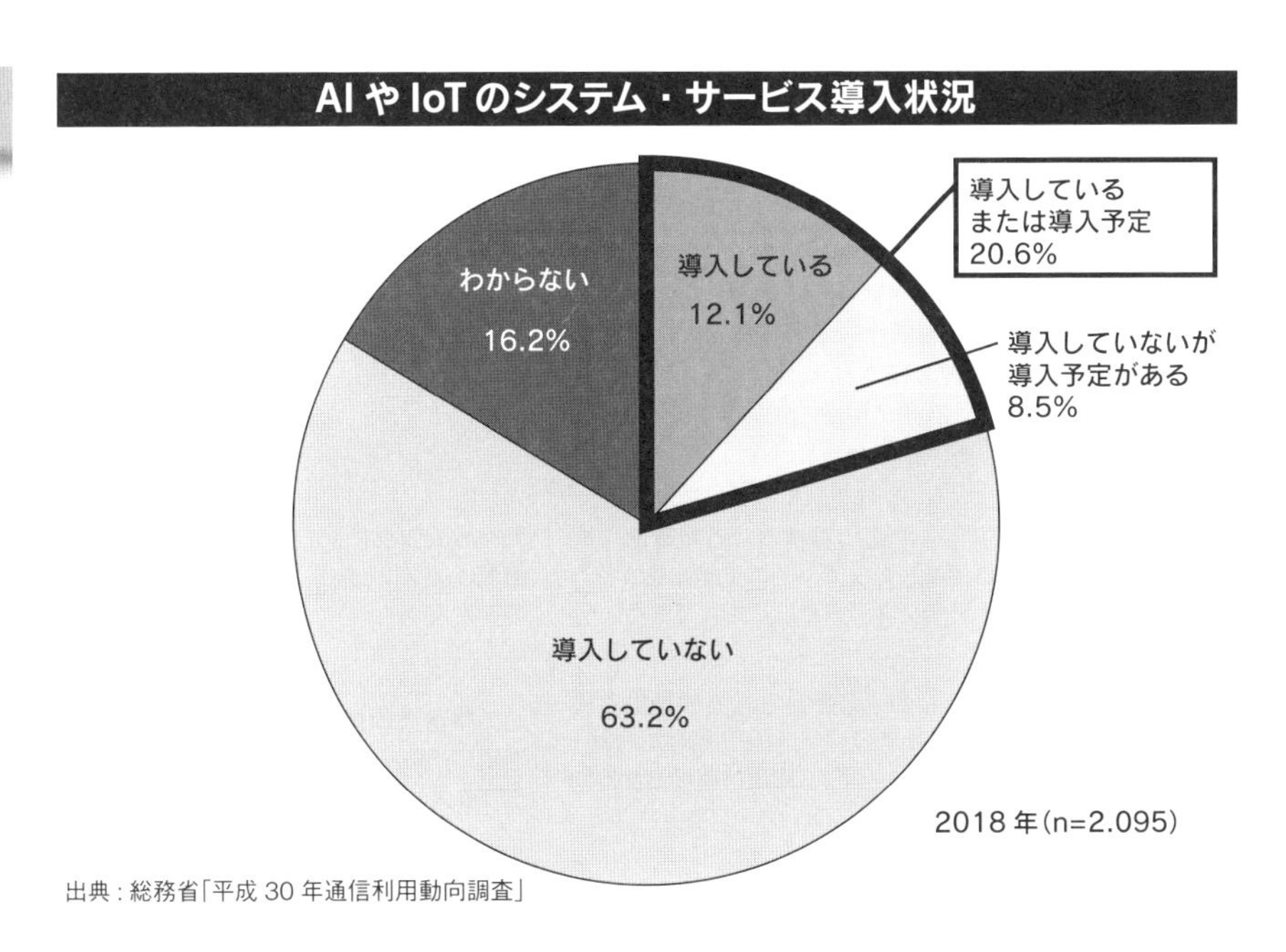

出典：総務省「平成30年通信利用動向調査」

働に与える影響に関する報告書」も、「個々の従業員への影響については、AI等は担当業務の全部を代替するものではなく、業務の遂行を支援するものないし業務の一部を代替するものと考えられている」と総括している。タイピストなど、いきなり業務全てが失われたような例はむしろ少数派と言えよう。

▼足りないAI人材

AIが高度に発展し続ける中、それを操れる人材の育成、確保が急務となっている。上図の、総務省が19年に公表した調査によると、AIやIoTのシステムを「導入済み」または「導入予定」の企業は合わせて2割程度で、6割強は「導入していない」との結果だった。導入していない理由を複数回答で尋ねると、「使いこなす人材がいない」が4割弱で最多だった。

また、経産省は19年の委託調査で、国内のIT人材が18年現在で既に約22万人足りておらず、30年には45万人の不足との試算を弾き出した。45万人の内訳はやや複雑で、IT人材をIT関連の保守運用を

AI人材の定義		
	エキスパートレベル	ミドルレベル
AI研究者	AIを実現する数理モデル（以下、AIモデル）の研究を行う人材。AIに関連する分野で博士号を有するなど、学術的な素養を備えた上で研究に従事する、AIに関する学術論文を執筆・発表した実績がある人材などを想定	—
AI開発者	AIモデルやその背景となる技術的な概念を理解した上で、そのモデルをソフトウェアやシステムとして実装できる人材	既存のAIライブラリなどを活用してAIを搭載したソフトウェアやシステムを開発できる人材
AI事業企画	AIモデルやその背景となる技術的な概念を理解した上で、AIを活用した製品・サービスを企画し、市場に売り出せる人材	AIの特徴や課題を理解した上で、AIを活用した製品・サービスを企画し、売り出せる人材

情報処理推進機構「IT人材白書2019」をもとに作成

手掛ける「従来型ＩＴ人材」と、ＡＩやビッグデータなどの新興ビジネスを担う「先端ＩＴ人材」とに大別している。30年に、従来型ＩＴ人材は10万人の余剰が発生する一方、先端ＩＴ人材は55万人不足し、その差し引きで45万人の不足との見立てである。

日本は世界で見ても、ＡＩ分野をはじめとした人手不足感が強い。１９８０年代から官民共同のＡＩ研究所立ち上げに力を入れ、アマゾン・コムなどＩＴ大手の研究拠点誘致に成功してきたドイツなどの欧米、そして中国と比べ、人材の育成や確保が遅れがちとされる。

昨今のＡＩブームを受け、人手不足が一段と強まる中、日本企業は人材獲得策を相次いで打ち出している。ソニーはいわゆるＡＩ人材の年収を１１００万円以上にする制度を設け、ＡＩの研究開発に当たる「Ｓｏｎｙ　ＡＩ」を発足させた。東芝は東京大学と共同の「東芝版ＡＩ技術者教育プログラム」を通じてグループ内のＡＩ技術者を19年秋の約７５０人から22年度までに２０００人まで増やす計画で、ＬＩＮＥも21年中にＡＩ人材を２００人まで倍増させると20年3月に発表した。このほか、ＮＥＣはＡＩ人材の育成を目指す「ＮＥＣアカデミーｆｏｒＡＩ」を通じて社員の即戦力を培う。

ただ、高いＡＩ人材の需要を背景に、外資が優秀な技術者を引き抜く動きもあり、日本の企業に技術者が根付かない傾向が見られる。日本全体の産業力低下を危惧する声が強く、産官学連携による解決策が急がれてもいる。

なお、経産省が所管する情報処理推進機構の「ＩＴ人材白書」は、ＡＩ人材を「ＡＩに携わる人材」として右図のように定義している。

▼AIの倫理、ロボットの原則

「倫理や社会制度の議論がもう一度必要になる」。

日本のＡＩ研究の第一人者、東京大学大学院工学系研究科教授で日本ディープラーニング協会理事長を務める松尾豊氏は、ＡＩの進化とともに変わりゆく社会を踏まえ、そう訴えている（松尾豊「人工知能の概要とディープラーニングの意義」より抜粋）。

ＡＩは生活を、社会を便利に変えてゆく半面、使い方を誤れば不幸な結果を招く。分かりやすい例を挙げれば、ツイートなどの対話を通じて学習していくマイクロソフトのＡＩ「Ｔａｙ（テイ）」は、悪意あるツイートに基づいてヘイトスピーチ（憎悪表現）を覚え、差別的な発言を繰り返し、ホロコースト（ユダヤ人大量虐殺）はなかったと「認識」するようになった。期待とは裏腹にテイは炎上した。

挑戦がなければ進歩もないため、テイの試みは否定される面ばかりではない。しかし、満を持してのお披露目だっただけに、投入後まもなく人類を敵に回すような発言を連発した結果は、ＡＩ脅威論を徒（いたず）らに煽ってしまった。

テイの事例で言えば、ＡＩ開発者の失策でもあったし、悪意的なツイートでテイを悪く調教した利用者の問題でもある。

仮に、ＡＩを脅威と捉えるならば、ＡＩの労働に伴う失業の恐れはより差し迫った課題と言える。一方、テイの失敗に見られたような人類に対して攻撃的になり得るＡＩのリスクは、より長期的に腰を据えて考えるべき、倫理的問題である。「ＡＩとは何か。

AI社会原則	
人間中心の原則	AIは人間の能力や創造性を拡張　等
教育・リテラシーの原則	必要な教育機会の提供　等
プライバシー確保の原則	パーソナルデータの適正流通・利用　等
セキュリティ確保の原則	リスク管理のための取り組みやAIの利用における持続可能性　等
公正競争確保の原則	AIに関する資源の集中による不公正な競争の防止　等
公平性、説明責任、透明性（FAT）の原則	AI利用における公平性、透明性のある意思決定、説明責任確保　等
イノベーションの原則	人材・研究両面での国際化・多様化と産学官民連携の推進　等

出典:内閣府「人間中心のAI社会原則」

知能とは、心とは何か」「ロボットとは何か」という哲学的な問いも含め、全人類的に考えねばならないだろう。

この問いは、AIが、ロボットが敵か味方かという視点も絡んだ古くて新しい問いであり、AIの概念が生まれた揺籃期（ようらんき）からずっと問われてきた。

それ以来、AIは「スター・ウォーズの『C-3PO』のような『友』として、ときに『ターミネーター』のような『敵』として」（NVIDIAウェブサイト「人工知能、機械学習、ディープラーニングの違いとは」より抜粋）さまざまに、想像力豊かに描かれてきた。こと、AIの学習、育成が環境に大きく依存するような場合には、負の方向に陥ったテイのように、スター・ウォーズのダークサイド（暗黒面）にも、はたまた正義感にあふれたライトサイド（光明面）にも、周囲の人間何如（いかん）で進み得る。

04年公開の米映画『アイ，ロボット』のように、人の役に立っていたはずのロボットが、開発者の意図を超えて人間に謀叛（むほん）を起こすような未来も想起される。

この映画は、1950年の古典的なロボットSFの名著『われはロボット』にインスパイアされている。その著者、アイザック・アシモフ（Isaac Asimov）は「人間を傷つけてはならない。傷つくのを看過してはならない」といった「ロボット工学三原則」を公表した。すなわち、「人間への安全性、命令への服従、自己防衛」を示し、いわば人間優位の立場を取りながら、自身を守るべきとの原則が示された。

この大原則は脈々と引き継がれ、AIが隆盛を誇る現代、悪用の恐れが以前より高まっていることも踏まえ、三原則の重要性が再認識されている。政府が「AIをより良い形で社会実装し共有するため」として2019年に定めた7項目から成る「人間中心のAI社会原則」も、筆頭は「人間中心の原則」であり、ロボット三原則は息づいている。

▼リテラシーが問われる時代

AI人材の不足も背景に、20年度からプログラミング教育が小学校の必修科目となった。子どもたちは技術の習得と同時に、学んだことを善用する心構えも身に付けねばなるまい。

筆者が学生だった00年代半ばまでは、コンピューターの利用に関する情報リテラシーの有用性が盛んに叫ばれていたが、まだツイッターも駆け出しの頃で、炎上は稀だった。当時のリテラシーでは対応できないような新たな事象や概念が、今の時代は次々と登場している。

今を生きるデジタルネイティブの子どもたちは、覚えるべきこと、警戒すべきことが多い。「失敗は成功のもと」と言える程度の失敗ならいいが、ネット社会は「デジタルタトゥー」や「リベンジポルノ」といった取り消しの難しい、深い心の傷を負いかねない事態に発展しやすい闇を抱える。

例えばメッセージングアプリで、友達の輪に加わったのはいいとして、グループにメッセージが来たらすぐに返さないといけないような暗黙のルールがあるという。いつしか自分が除け者にされて裏グループが作られたり、匿名の誹謗中傷があったりといった問題が後を絶たない。ネットが今ほど発達していなかった時代に比べ、子ども同士がつながりやすくなった半面、いじめは起こりやすく、また陰湿化しやすくもある。

——ともあれ、ＡＩに長けたＩＴ人材は大量に不足する見通しである。専門的でなくとも、ＡＩが日常で関わる場面、装置、機器は今後、増加の一途を辿るだろう。

大学レベルでは20年度から、大学生と高専生が文系か理系かを問わず、日常や将来的に職場で使えるＡＩの素養を身に付けるべく、数理やデータサイエンスをはじめとするＡＩの関連知識を学ぶことになる。東大や京都大学などでつくる「数理・データサイエンス教育強化拠点コンソーシアム」がそのカリキュラムをまとめて公表した。導入、基礎、心得、選択と段階を設け、初学者向けの導入ではデータやＡＩが利活用される場面や最新動向を学び、心得としては「データ・ＡＩを扱う上での留意事項」などの項目を定めた。

Chapter 2

AI・5G産業の基礎知識

1 ＡＩは第３次ブーム
——登場は半世紀以上前

▼ＡＩの誕生

ニュースでその言葉を耳にしない日がないほど、ＡＩを応用した商品やサービス、その研究、開発が盛んとなっている。２０１０年代、コンピューターが人類屈指の棋士やクイズ王を負かしたといった話題が相次いだ。そのためか、ＡＩはつい最近になって登場した概念とも思われがちだが、その歴史は古い。

多くの日本人に馴染みのある分かりやすい例として、「ＡＩＢＯ」がある。１９９９年にソニーが発売した犬型ロボットで、ボールとじゃれたり、人の声や拍手に反応したりする仕草が可愛いと人気を呼び、累計販売数15万台超のヒット商品となり、一世を風靡した。ＡＩＢＯの由来はＡＩであり、Ｅｙｅ＋Ｒｏｂｏｔであり、相棒だという。２０１８年には新作のａｉｂｏも売り出された。

そのＡＩという言葉が最初に使われたのは、半世紀以上前の１９５６年まで遡る。米ニューハンプシャー州にあるダートマス大学で開かれた通称「ダートマス会議」で、ＡＩに関する調査プロジェクトが提案された。学習や知能の仕組みを解き明かし、機械での再現を目指す試みだった。

ＡＩの名付け親で後にスタンフォード大学のＡＩ

AIの代表的研究テーマ

名　　称	概　　要
推論・探索	推論は、人間の思考過程を記号で表現し実行すること。探索は、問題をコンピューターに適した形で記述し、考えられる可能性を総当たりで検討したり、階層別に検索したりして正解を提示すること
エキスパートシステム	取り込んだ専門分野の知識をもとに推論することで、その分野の専門家のように振る舞うプログラムのこと
機械学習	コンピューターが数値やテキストなど大量のデータからルールや知識を自ら学習する（見つけ出す）技術のこと
ディープラーニング	ニューラルネットワークを用いた機械学習の手法の1つ

総務省「ICTの進化が雇用と働き方に及ぼす影響に関する調査研究」（2016年）より抜粋、加筆

研究所を立ち上げたジョン・マッカーシー（John McCarthy）が呼び掛け、「人工知能の父」と呼ばれるマービン・ミンスキー（Marvin Minsky）らが会議に参加した。この場で、数学の定理をコンピューターで自動的に証明することに成功し、史上初の人工知能プログラムとなった。

提案の中で具体的に、「コンピューターへの言語のプログラム方法」や「神経細胞（ニューロン）網」（Neuron Nets）、「自己改善」（Self-Improvement）など7つが研究課題として挙げられた。自然言語処理やニューラルネットワーク（NN：Neural Network）といった、AIの主要な今日的テーマの基礎が、この時整理して定められたと言っていい。

韓国のプロ棋士、李世乭（イセドル）九段（当時）に勝ったグーグルのアルファ碁や、米国の人気クイズ番組「Jeopardy!（ジョパディ）」（「危険」の意）で優勝したIBMの「Watson（ワトソン）」も、根は古典的なディープラーニングやエキスパートシステム（38ページ参照）を応用して設計されている。各用語は次節で見ていく。

なお、ＡＩの概念そのものは47年に英国のアラン・チューリング（Alan Turing）が提唱していたとされる。

半世紀以上も前に登場し、今や一部の領域では人間を脅かす存在として警戒すらされているＡＩだが、歩んできた道は平坦ではなかった。総務省の２０１９年版情報通信白書から引用すれば、「いわゆるＡＩは期待と失望を繰り返しつつも関連の研究が進んでいた中で、近時目覚ましい研究成果を出すようになってきた」。

ＡＩのブームはこれまで3回あった。日本の高名なＡＩ研究者の1人で、長く京都大学大学院情報学研究科教授を務めた西田豊明氏は、第1～3のブームをそれぞれ、黎明（れいめい）期、確立期、繁栄期と位置付けている。

▼第1次ブームと第2次ブーム

１９５６年のダートマス会議で華々しくＡＩという言葉が登場して以降、60年代を中心にＡＩは第１次ブームを迎える。

先述のように、コンピューターを用いて定理が証明され、「推論と探索*」が可能となり、「特定の問題に対して解を提示できるようになったことがブームの要因」（総務省「平成28年版　情報通信白書」）となった。ビジネスなどに活用できるとの期待が一気に高まり、米国を中心に政府や企業がＡＩの研究開発に巨額の資金を投じていくこととなり、研究者の間でも楽観論が広がっていった。

しかし、この「特定の問題」という限られた条件がネックとなり、ＡＩ礼賛の機運は急速に萎んでいくこととなる。特定の問題が解けるというのはすなわち、決められたルール内、ゲーム上といった特定の状況下でしか問題が解けないということの裏返しだった。

複雑怪奇、予測困難な人間界、自然界の諸課題を解決しようとするには、答えを導き出す算法「アルゴリズム」が当時

＊推論と探索
推論は、既得の知識やルールに基づいて新しい結論を導くこと。探索は、目的、ゴールに至るまでのパターンを、場合分けしながら探し出すプロセスのこと。

AIの歴史			
AI草創期	1940年代	45	世界初のコンピューター「ENIAC」登場
		47	チューリング、AIの概念提唱
		50	アシモフ、著書『われはロボット』でロボット三原則提唱
	50年代	56	ダートマス会議でAIの言葉が登場
第1次ブーム		58	ニューラルネットワークの基礎となる「パーセプトロン」開発
	60年代	64（～66）	対話型AI「ELIZA」開発
冬の時代	70年代	72（～74）	医療診断のエキスパートシステム「Mycin」開発
第2次ブーム	80年代	82	日本で「第5世代コンピュータプロジェクト」開始
		86	日本人工知能学会設立
冬の時代	90年代	97	「Deep Blue」がチェスチャンピオンに勝利
		99	ソニー「AIBO」発売
	2000年代	05	カーツワイル、『The Singularity is Near』刊行
第3次ブーム		06	深層学習の研究・応用が加速
	10年代	11	IBM「Watson」がクイズ王に勝利
			アップル、アイフォーンに「Siri」登場
		12	深層学習が画像認識コンテストで記録的優勝
			グーグル、AIによるネコ認識の成果公表
		16	グーグル「アルファ碁」がプロ棋士に勝利

各種資料をもとに作成

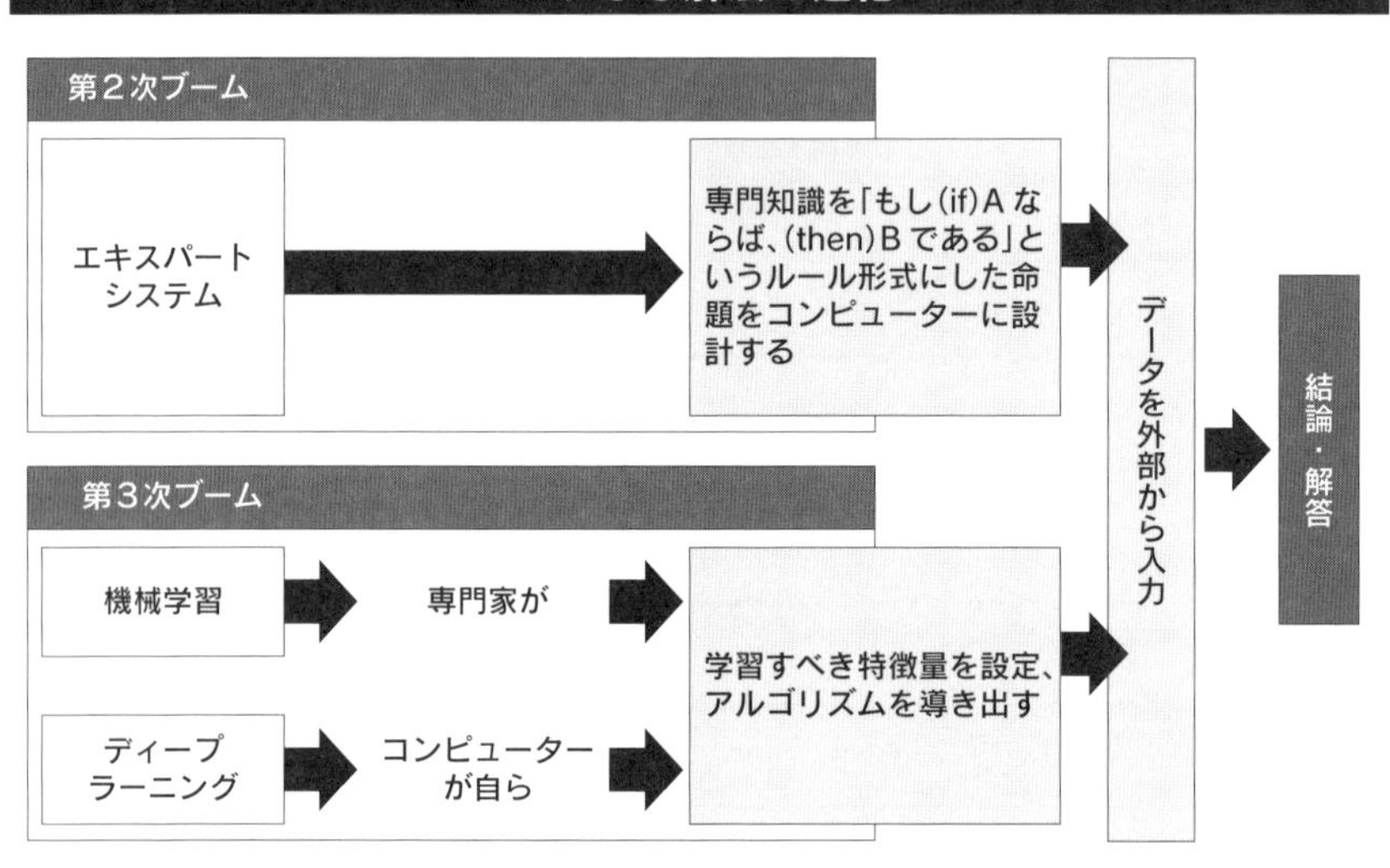

各種資料をもとに作成

はまだ、十分な性能を持ち合わせていなかったことが、当時のブーム終息の要因として挙げられる。期待とは裏腹に失望感が広がり、米政府はＡＩが非実用的との見方を示し、予算も打ち切ってしまった。

見放されたＡＩは、80年代に再び活気を取り戻すことになる。第1次ブームを支えたのが「探索と推論」とするならば、第2次ブームを象徴するのは「知識表現」であり、復権を担ったのは「エキスパートシステム」だった。専門家の見識を蓄積し、より深い推論に基づいて問題解決に当たるシステムで、難解且つ膨大な知識を要する広範な知識をプログラムした。医療や法律、金融などの専門分野ごとに、造詣の深い専門家のようなエキスパートシステムを複数取り揃えることで、「特定の問い」を超えて幅広い問題にも答えられるように改良された。

実際には、エキスパートシステムは第1次ブームだった60年代に登場していた。その走りはエドワード・ファイゲンバウム（Edward Feigenbaum）氏が開発した「Ｄｅｎｄｒａｌ（デンドラル）」、さらにそこから派生し、72年に開発された専門医の知見に従って細菌感染の診断を下す「Ｍｙｃｉｎ（マイシン）」が知られている。医療という人の生死に関する事柄上、法的責任の所在や倫理観がネックとなって実用化は見送られたものの、80年代にマイシンの手法を発展させた法律や会計など各種エキスパートシステムが全盛を迎えた。

しかし、ＡＩは再び壁にぶつかる。知識を人間の手を介してインプットするため、その作業量が膨大でコストがかかったり、判断の材料となる知識に食い違いが見られたりといった問題が指摘され始めた。精度や使い勝手が向上したとは言え、エキスパートシステムもまた、第1次ブームの時と同様、やはり限られた状況でのみ有効なＡＩと見做された。

その後世紀が変わり、２０００年代になってもなお、ＡＩは思った成果を上げられずにいた。ただ、冬の時代と呼ばれたこの間に、今の第3のブームが花開く土壌は耕され、萌芽となる技術は培われていた。すなわち、１９９０年代から２０００年代前半にかけて起きたＩＴバブルにより世界的に広まったインターネットとそこで交わされる多種多様な情報が、ＡＩを大きく進化させていく起爆剤となっていった。

▼3度目の正直

2回目のブームのエキスパートシステムの難点を、16年版情報通信白書は「当時はコンピューターが必要な情報を自ら収集して蓄積することはできなかった」と指摘している。裏を返せば、現行の第3次ブームは、その難点を克服しつつあると言っていい。

それを成し得たのが、１９９０年代以降に広まった機械学習、そして２０００年代から現在花盛りのディープラーニングである。3回目のブームはこのディープラーニングが牽引していると言っても過言ではない。

過去2度のブームは、ＡＩに対する社会の期待値が高過ぎたとの分析もあった。現行のブームは、シンギュラリティやポストヒューマンといった、やはり高い社会の期待、要求に応え、3度目の正直となるか。

次節では昨今のＡＩを取り巻く主な技術を見ていく。

2 AIの仕組み

——4つの技術レベルと4段階の進化

▼AIの定義

前節でＡＩの始まりや繰り返すブームと退潮を見てきたが、そもそもＡＩ、人工知能とは何だろうか。その概念は幅広く、一線の研究者の間でも定義はさまざまで一定しない。

ＡＩとは何かについて、マッカーシーの考えによれば、「知的な機械、特に、知的なコンピュータープログラムを作る科学と技術」（日本人工知能学会訳）とされ、日本ディープラーニング協会の正答例に倣えば、「専門家の間でも共有されている定義は未だにない」（一般社団法人日本ディープラーニング協会監修『深層学習教科書ディープラーニングＧ（ジェネラリスト）検定公式テキスト』２０１８年、ｐ15、翔泳社）。ＡＩ用半導体に強みを持つＮＶＩＤＩＡ（エヌビディア）（１９６ページ参照）は、「人工知能は未来のテクノロジーだ」、「人工知能はサイエンス・フィクションだ」、「人工知能は既に私たちの日常生活の一部だ」といった説明は全て事実であり、「単にＡＩのどの面を指して言っているか」の違いだと指摘する。

ＡＩと似た概念で「人工頭脳」が使われていた時代もあった（Ａ・トフラー、徳岡孝夫監訳『第三の波』、１９８２年、ｐ１９２、中央公論社）。さらにその正体を追究しようとすると、「それでは知能とは

AI技術の4レベル			
	主な技術		代表例
レベル1	単純制御	あらかじめ決められた設定に従って機器などをコントロール、アウトプットは単純	AI搭載型と称した冷蔵庫やエアコン
レベル2	推論・探索／ルールベースAI	あらかじめルールや知識がプログラムされているが、アウトプットは外部環境に応じた推論に基づき多彩に変化	掃除ロボット、簡易なチャットボット、エキスパートシステム
レベル3	機械学習	大量のサンプルデータに基づいてルールや知識を分析、学習して最適な結論・解答を自ら導き出す。ルール・知識を定義付ける特徴量は人間が設定	検索エンジン、自動翻訳
レベル4	ディープラーニング	自らルールなどを学習し、結論・解答を導き出す	自動運転、画像認識、音声認識、アルファ碁

各種資料をもとに作成

何か」「思考とは何か」という哲学的な問いにしばしば直面することになる。

　aiboや人型の「Pepper（ペッパー）」のように、人の言葉や動きに反応するロボットにＡＩが使われているのは理解されやすい。一方、趣を異にするＡＩを前面に押し出した家電などの製品やサービスがあふれている世である。水とお米の配分によって炊け具合を自動調整する炊飯器や、人の有無などによって風量や風向が切り替わるエアコンもＡＩ搭載型と呼ばれる。

　ＡＩの性能や特徴をめぐっては、その技術水準、できることとできないことに基づき、上図の通り4つのレベルに分けられている。その境界は必ずしも厳密でないが、大まかに「単純制御→推論・探索→機械学習→ディープラーニング」と段階的に高度になっていく。近年のＡＩブームを支えるのはレベル3以上の機械学習である。ディープラーニング(Deep Learning: 深層学習) もマシンラーニング(Machine Learning: 機械学習) の一種で、それぞれＤＬ、ＭＬと略されることもある。字面では一見

AIと機械学習の包含関係

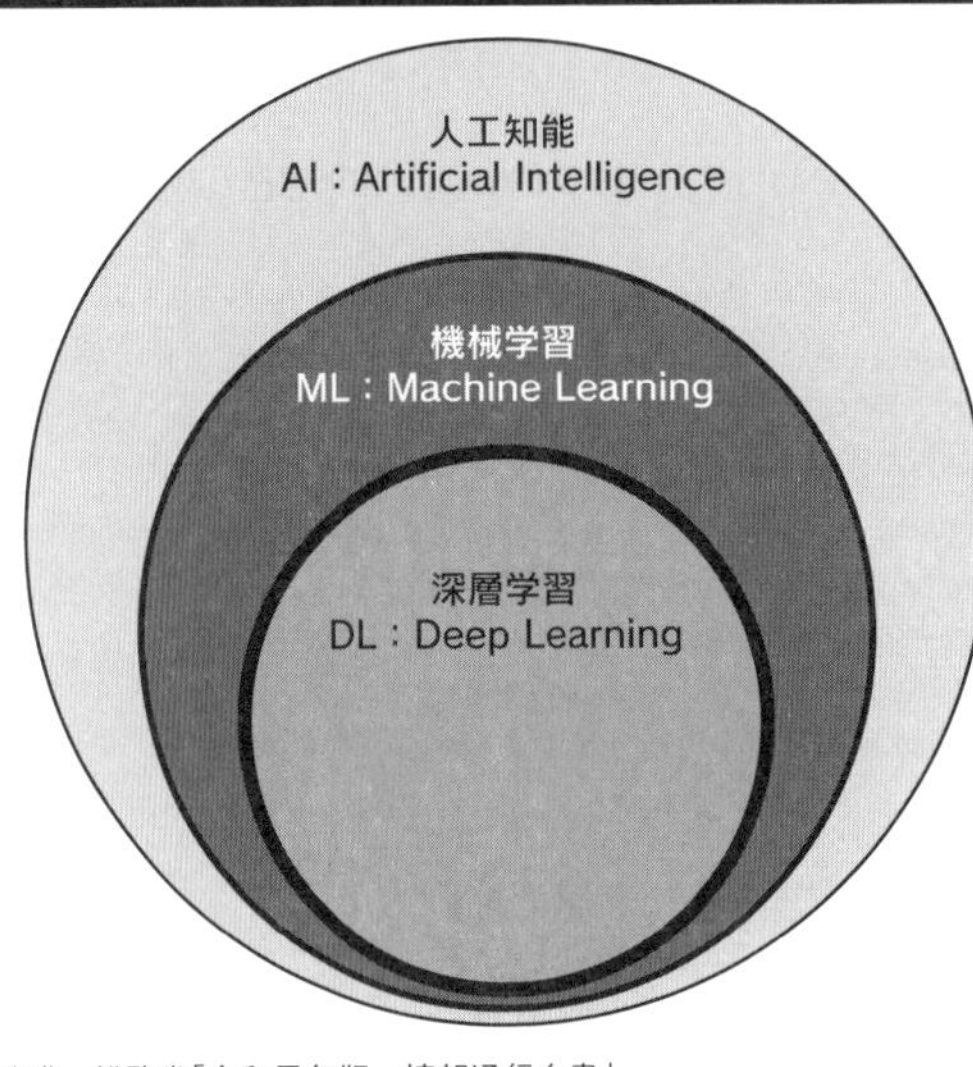

- 人間の思考プロセスと同じような形で動作するプログラム全般
- あるいは、人間が知的と感じる情報処理・技術全般

- AIのうち、人間の「学習」に相当する仕組みをコンピューター等で実現するもの
- 入力されたデータからパターン／ルールを発見し、新たなデータに当てはめることで、その新たなデータに関する識別や予測等が可能

- 機械学習のうち、多数の層からなるニューラルネットワークを用いるもの
- パターン／ルールを発見する上で何に着目するか（「特徴量」）を自ら抽出することが可能

出典：総務省「令和元年版　情報通信白書」

取っつきにくい印象があるものの、包含関係を示せば、図の通りシンプルである。

　ＡＩが普及するにつれ、社会は高度化し、ＡＩを応用したシステムが「人間の身体または脳と連携」し、究極的に「人間とＡＩネットワークが共存」する社会が到来する――。総務省が２０１６年に立ち上げた「ＡＩネットワーク社会推進会議」は先々をそう見通す。ＡＩ普及に伴う社会の進展も４段階に分けられ、「ＡＩシステムが他のＡＩシステムと連携せずにインターネットなどを介して単独で機能」する第１段階から、「複数のＡＩシステム同士のネットワークが形成され、相互に連携」する第２段階、「ＡＩネットワークが人間の体や脳と連携し、人間の潜在能力が拡張」する第３段階を経て、「人間とＡＩネットワークが共存」する第４段階へと進むとされる。

▼ＡＩのレベル１～４

　ＡＩのレベル１は、あらかじめ決められたルールに従って機器や装置を動かしたり止めたりするＡＩ

で、その技術レベルは「単純制御」などと概括される。AIと付く電気機器が増える中、例えば、前ページに記したAI搭載型と謳う炊飯器やエアコンが一例である。

レベル2は、事前に人間がプログラムした条件に従い、外部環境に応じた最適な解を導き出す。AI第1次ブームの探索・推論に基づいた技術の延長線上にあり、古典的なAIとも称される。同時に、第2次ブームで盛んとなった、膨大な知識を蓄えた「エキスパートシステム」もレベル2に該当し、現代では「ルールベースAI」とも呼ばれる。例えば、「商品Aを好む人は、商品Bも好む」という傾向、前提を踏まえ、「もしAを検索したら、Bを薦める」(if A, then B) といったルールを多数設定することで、好適な推論を導き出す。通販サイトなどで経験したことがある人も多いのではないだろうか。

初期に開発された代表格は38ページで前述のマイシンである。細菌の診断に必要な500ほどのルール、知識を備え、「熱があったか否か」、「咳は出るか」、「△型ウイルスの検査結果は陽性か」、「細菌の形は棒状か」といった症状や検査結果を入力していくと、自動的に、疑われる病名が導き出される仕組みだった。60%を超す正答率を誇り、感染症専門医の約80%には届かないものの、高い正確さは当時AIへの期待感が再び高まるきっかけとなった。

デンドラル、マイシンから発展してきたエキスパートシステムは、IBMのワトソンへとつながり、広くビジネスに応用されている。「Aと聞かれたら、Bと答える」といった原初的なチャットボットはレベル2に分類される。

ロボット掃除機もレベル2に当たると言え、部屋の形状や障害物、ゴミの多い所と少ない所といった外部環境を踏まえ、効率的に室内を動き回って吸い取っていく。

レベル3以上はいずれも機械学習で、今のAIブームを支える技術である。レベル3では、コンピューターが大量のサンプルデータを自ら分析して学んだパターンやルールを、新たなデータに適用し、アウトプットとして最適な判断や識別、予測を実行する。自ら学習する機能を持たないレベル2以下との決定的な違いである。ビッグデータと相性が良い。

膨大なデータに基づいて解析し、上位に表示させるページを変動させるアルゴリズムを活用した検索エンジンなどに、レベル３の技術が使われている。ただ、どの点に着目してパターンなどを学習すべきか、データのどこが結果に影響しているのかという「特徴量」については、人間があらかじめ教える必要がある。

その点を改善し、人間が介在せずに着眼点、特徴量そのものさえ自ら学習するのがレベル４のディープラーニングで、機械学習の真骨頂とも言える。応用分野は自動車の自動運転をはじめ、画像認識や音声認識、トレンド分析や業務効率化など多岐にわたる。その技術を端的に言えば、「自らルールなどを学習し、結論・解答を導き出す」ということだが、内実は相当に深い。

▼各レベルのAIを巧みに組み合わせ

なお、レベル１でエアコンなどを例示したが、仮に今後エアコンにカメラやマイクロフォン、サーモグラフィーなどのセンサーが組み込まれ、送風先の利用者の顔を認識したり、声で操作できたり、距離や人数、体温を検知したりして送風を自動調節するようになれば、それはレベル３、レベル４の技術を採用した製品と呼べるだろう。さらに言えば、当初のワトソンはレベル２のエキスパートシステムの延長線上にあったが、今や画像、音声の認識をこなす幅広いサービスを取り揃え、その技術水準はレベル２を大きく超えている。境界は厳格でないと述べたのはそうした意味合いにおいてである。

さらにエアコンの技術が進めば、ＩｏＴでつながったネット上から利用者に関する情報を探り当て、寒がりか暑がりかまで的確に把握するようになるかもしれない。ＡＩは多分にそうした可能性を秘めている。

3 さまざまな機械学習とAI

——強いAIと弱いAI

▼ディープラーニングとニューラルネットワーク

遡ること8年前、2012年はディープラーニング、AIが知れ渡る画期的な年となった。6月にグーグルの研究者が、ユーチューブの動画にあったネコの画像を使い、コンピューターが自らネコの特徴を割り出し、ネコとはどのようなものかを認識するようになったとする、通称「キャットペーパー」と呼ばれる論文を発表、「コンピューターが動物を識別できるようになった」と話題をさらった。使用した画像は実に1000万枚に及んだとされる。

また、同年10月にはカナダ・トロント大学のチームが、写っているものを判別する画像認識ソフトの世界コンテストで、誤答率16%台と驚異的な低さを示し、20%超だった2位以下を大きく引き離して優勝した。これを実現したのは、チームを率いたジェフリー・ヒントン（Geoffrey Hinton）教授が中心となって開発したディープラーニングで、決め手はニューラルネットワークだった。年を追うごとに精度が高まり、誤答率は15年に5%を切り、一般的な人間よりもエラーが少なくなった。

ニューロン（Neuron：神経細胞）のネットワークが張り巡らされている人間の脳をモデルとしたニューラルネットワークの原型の理念は、AIの言

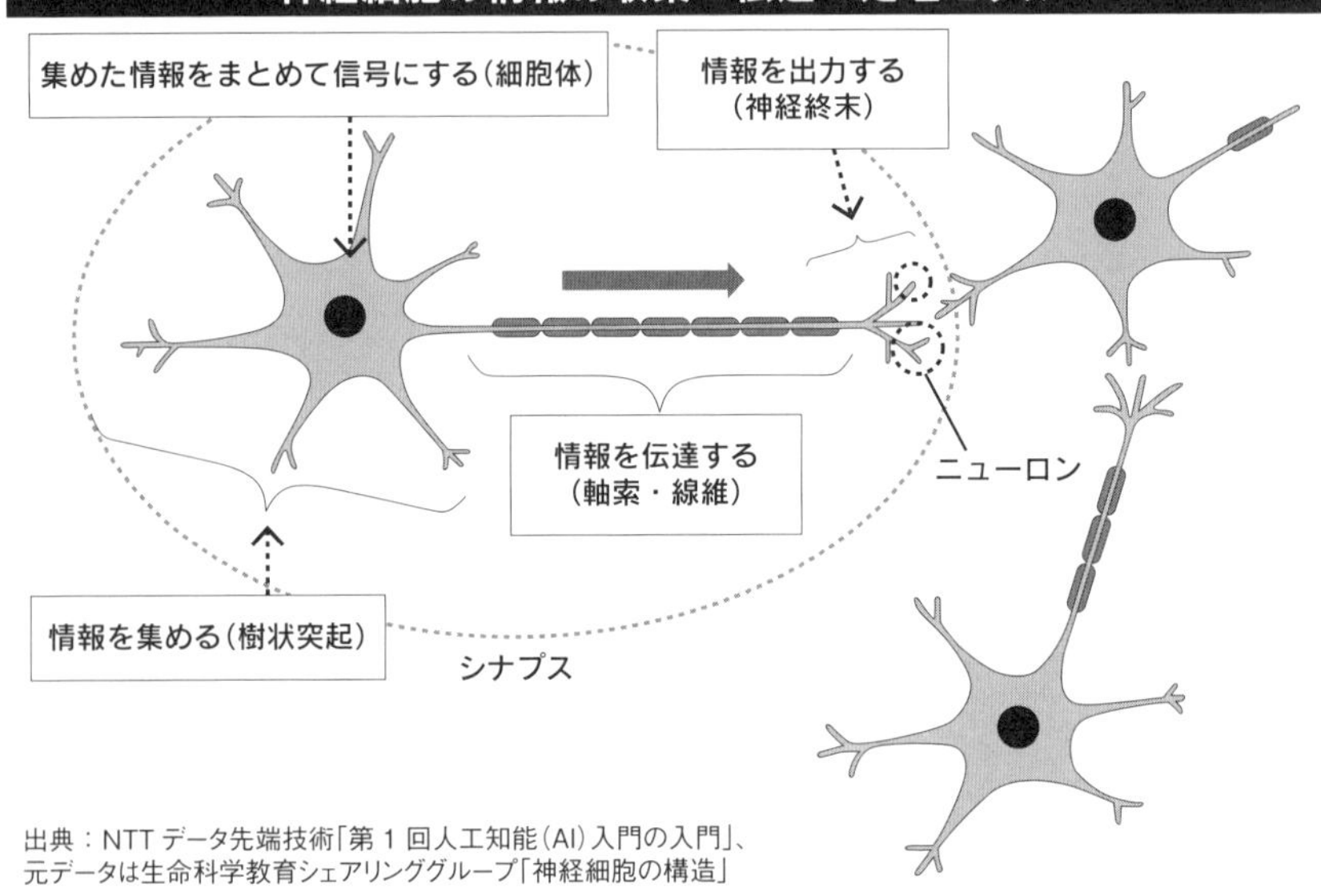

出典：NTT データ先端技術「第 1 回人工知能(AI)入門の入門」、
元データは生命科学教育シェアリンググループ「神経細胞の構造」

葉が出てきた当初、ダートマス会議でも神経細胞網（35ページ参照）として主要テーマとして掲げられていた。

その数年後、入力と出力の2層から成る「パーセプトロン」（perceptron）も考案され、ディープラーニングの考え方の基礎が築かれた。ただ、極めて複雑な仕組みだったため、当時のコンピューターの能力では実現が困難だった。

その後、脳の仕組みを詳らかにするリバースエンジニアリング＊も織り交ぜながら、改良に次ぐ改良が成されてきた。

脳の神経細胞を模したノード（結節点）が幾重にも層を成しているニューラルネットワークのうち、入力層と出力層に挟まれた中間層＝隠れ層が2層以上組み込まれた構造が、かつて「深層ニューラルネットワーク（Deep Neural Network）」と呼ばれた。現在の多層ニューラルネットワーク、すなわち

＊リバースエンジニアリング
完成品の機器やソフトウェアを分解したり、解析したりして動作原理や構造を明らかにすること。人間の思考を応用した AI 技術の高度化の文脈で「脳のリバースエンジニアリング」がしばしば登場する。

深層学習の仕組み

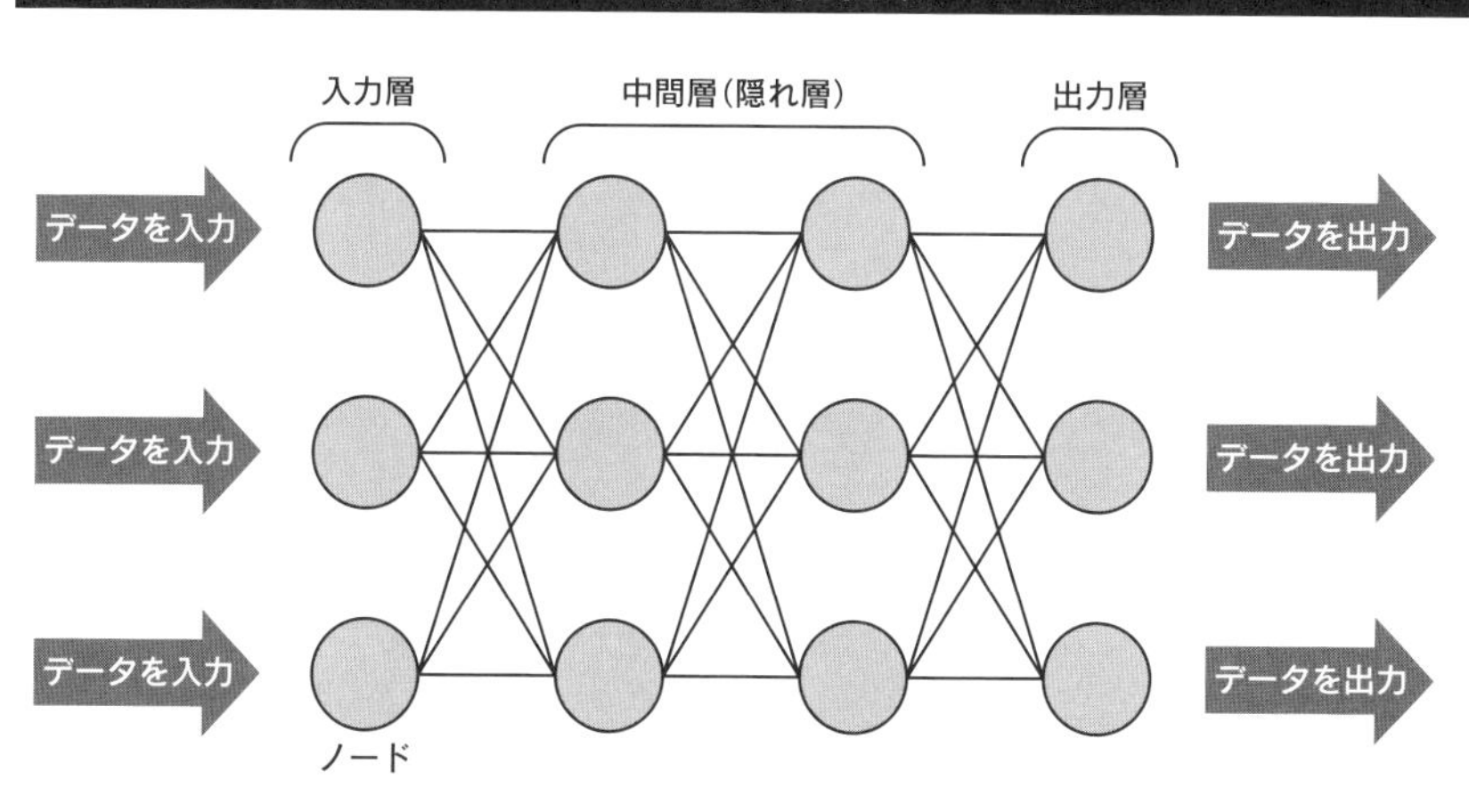

●人間の神経細胞（ニューロン）のように、各ノードが層をなして接続されるものがニューラルネットワーク
●ニューラルネットワークのうち、中間層（隠れ層）が複数の層となっているものを用いるものが深層学習

出典：総務省「令和元年版　情報通信白書」

ディープラーニングである。

普通の機械学習との大きな違いは、パターンやルールを見つけ出すために着目すべき「特徴量」（44ページ参照）をコンピューターが自律的に抽出するかどうかである。

例えば、リンゴとバナナの画像をコンピューターに識別させる場合を考えてみる。ディープラーニングによらない機械学習は、特徴量として「赤や黄の色に着目する」というデータをあらかじめインプットしておくことにより、コンピューターはリンゴとバナナの画像を選り分けられるようになる。

一方のディープラーニングは、人間を介さず、コンピューターが自ら特徴量を作り出す、探し当てる。それが、色なのか、形なのか、何を根拠に判断、識別したのか、その入力から出力までの過程は通常、ブラックボックスになっていて、アルゴリズムを理解することは難しい。ちょうどアルファ碁が李九段との対局で見せた手が、解説者すら理解の及ばぬ戦法で、AIのアルファ碁にだけは見えた勝ち筋だったのと似ている。ただ、その過程を明らかにしようとするXAI（Explainable AI：説明可能なAI）などの研究もまた、近年加速度的に進んできている。

リンゴとバナナといった見分けがつきやすい物はもとより、グーグルの「キャットペーパー」の成果のようにネコをイヌやオオカミなど他の動物と区別できるコンピューターの技術革新は、目を見張るものがある。

この画像認識技術は今やスマートフォンで撮影した写真やフェイスブックに投稿された写真に写っている人物が誰か、高い精度で特定できるようになっている。一方、その人物が誰かという個人の特定ではなく、「赤ちゃん」などのより抽象的なカテゴリの自動分類には、まだ若干の精度向上の余地がある。

▼教師ありか、なしか

機械学習はまた手法別に「教師あり学習」「教師なし学習」「強化学習」の3つに大きく分かれる。

教師あり学習は、あらかじめ問題と正答がセットになった学習用の膨大なデータを、人間がコンピューターにインプットして教え込み、未知の問題に際しても正解に辿り着くためのパターンやルール、特徴を見つけ出す学習法である。不正解となった場合には、コンピューターが自動的に変数を微調整しながら、正解率を高めていく仕組みとなる。

一方、教師なし学習は、正解があらかじめ与えられない状態で、コンピューターが正解につながるルールや特徴を自ら発見していく。キャットペーパーは教師なし学習に当たる。

さらに「強化学習」は、コンピューターが試行錯誤を繰り返すことで学習用のデータが蓄積され、最適な戦略を選ぶようになる学習法である。障害物をよけながら走る車両のプログラムを組んだコンピューターを想定した場合、ある基準より「長い距離を走れた」「時間がかからなかった」「障害物に当たらなかった」といった動作に対して「報酬」を与えるように設定し、コンピューターが報酬の最大化を目指す試行錯誤の末に、車両はスムーズに走行できるようになる。

学習法に基づく機械学習の分類

機械学習

教師あり学習	●正解のラベルを付けた学習用データにより学習
教師なし学習	●正解のラベルを付けない学習用データにより学習
強化学習	●一定の環境の中で試行錯誤を行い、報酬を与えることにより学習

出典：総務省「令和元年版　情報通信白書」

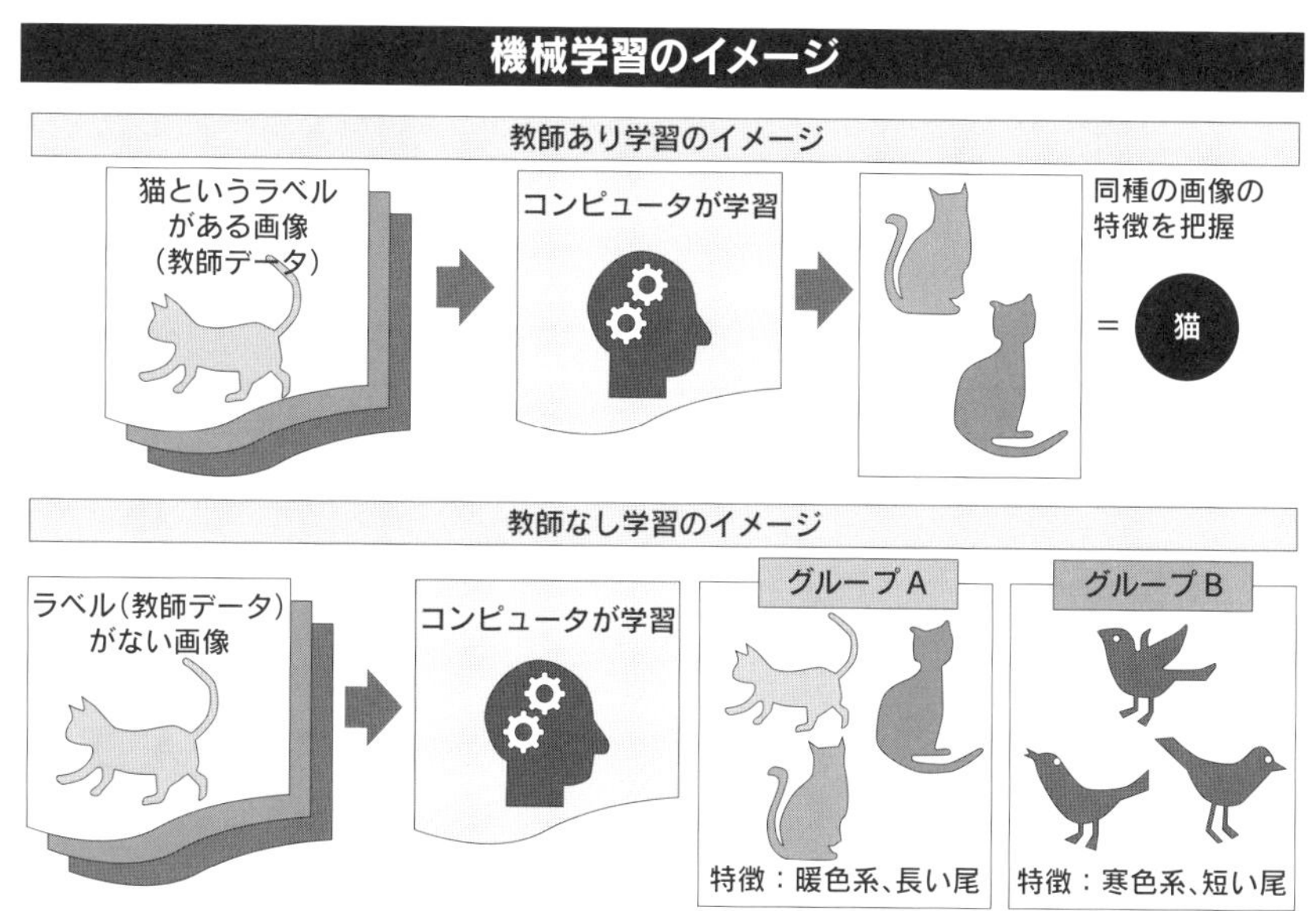

出典：総務省「ICT スキル総合習得教材　3-5: 人工知能と機械学習」

4

デジタル社会を支える5G

――ＩｏＴ、ビッグデータに不可欠なインフラ

▼5G対応型スマホも続々

本章で見てきたＡＩの隆替（りゅうたい）、そのブームの背景には、毎度ＩＴの技術革新があったと言える。

最初のダートマス会議、そして対話型システムの「ＥＬＩＺＡ（イライザ）」の開発はその20年ほど前、世界最初のコンピューター「ＥＮＩＡＣ（エニアック）」（95ページ参照）なくしては実現しなかったであろうし、１９８０年のブームには、「ムーアの法則」（97ページ参照）に沿って年々飛躍的に性能が向上し続けていた半導体が大きく寄与してきた。

今次のＡＩブームを支えているのは、ビッグデータで、その収集を可能にしたのは２０００年代後半から爆発的に普及したアップルのｉＰｈｏｎｅ（アイフォーン）をはじめとするスマートフォン、そしてその高機能化と低価格化の貢献が大きい。

その進化やＩｏＴの社会への浸透はとどまるところを知らず、身の回りにあるますます多くのものがビッグデータに紐付けられ、ＡＩが自動で篩（ふるい）に掛けてカテゴリ分けし、顧客層や購買行動の分析に基づく商品開発や経営戦略に生かされる。ひいては社会が、世界がより豊かになっていく。一連の循環は次ページに図示した通りである。

その流れを加速させ、より堅固なものにするため

AI・IoTとデータの活用

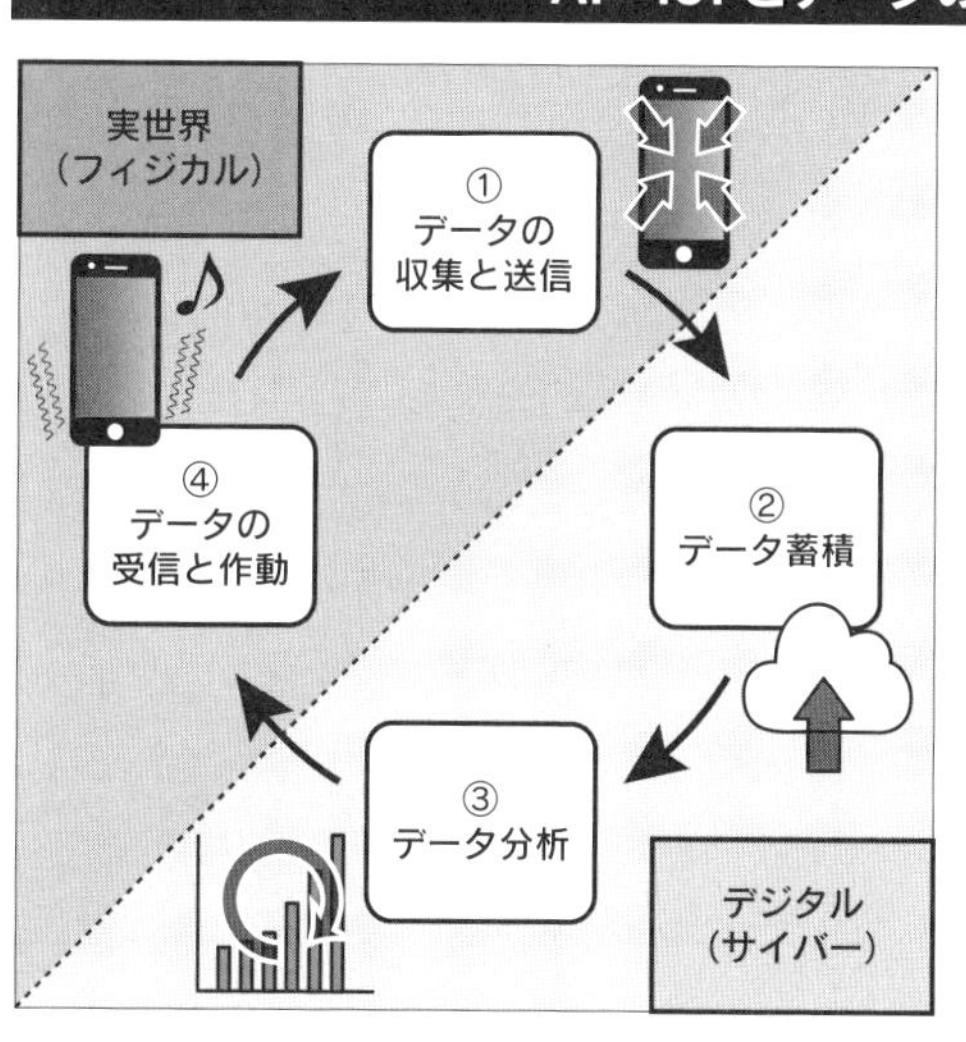

ICT・データ利活用の段階	注目されている製品・技術・サービス
①データの収集	IoT機器［センサー］
②データの蓄積	クラウド［仮想化・分散技術］
③データの分析	AI（人工知能）・機械学習
④分析・データに基づく作動	IoT機器［アクチュエーター・ロボット］

出典：総務省「ICTスキル総合習得教材　1-1:IoTとデータ利活用の全体像」

に次世代移動通信システム「5G」が果たす役割は絶対的に大きい。日本でも20年に5G対応のスマホが順次発売され、5Gが徐々に普及していくとみられる。

本節ではAI、IoTの普及に欠かせない5Gの基本的な仕組みについて見ていく。

▼IoTの浸透とCPSの実現

現在進行するIoTは、生活やあらゆる産業の仕組みを根底から覆すほどの影響力を持っている。スピーカーに向かって話し掛ければ家にいて料理をしながらでも買い物ができ、外出している時も家の戸締まりを確認したり、離れて暮らす高齢の親族や登下校する子どもの様子を見守ったりすることもできる。冷蔵庫内の食材管理や部屋の温度調節もお手の物である。

そうしたネットにつながる装置を使うたびに、データがオンラインで蓄積され、使用者の傾向、嗜好、ひいては社会の動きがAIによって紡ぎ出される。積もり積もったビッグデータに基づき、現実世界を反映した「仮想世界」がデジタル空間につくり出される。瓜二つの現実と仮想の在りようは「デジタルツイン」（Digital Twin）と呼ばれる。そんな未来的な社会が訪れつつあるのが現代であり、その精度が高められていくことにより、最終的にソサエティ5・0が実現する。

こうしたイメージや理想像は先行して存在するものの、実現するにはまだ道半ばである。

IoT、CPSは電波障害に弱く、より本格的な実用段階に入るには、強靱なインフラ、高度なネット環境の整備が急務とされる。

▼5Gの3つのキーワード

IoT、AIの普及に向け、各国が5Gの推進に官民を挙げて取り組んでいる。19年に米国、韓国で世界に先駆けて始まり、日本でも20年に本格的に導入される。各国政府と通信事業者を中心に取り組みが進み、そのメリットは幅広い分野に及ぶ。IoTやMaaS（66ページ参照）をはじめ、次代の社会インフラの基盤を支えるようになると期待されている。

5Gは第5世代（ジェネレーション）のことで、国内の初代1Gは1979年、民営化前の日本電信電話公社（NTT）がコードレス電話のサービスを開始した時代まで遡る。1Gはアナログ方式でデータをやり取りし、最大通信速度は9・6kbpsだった。bps（bits per second）は1秒当たりに送れるビット数であり、これが現在の4G・LTEの第4世代では1Gbpsと、通信速度は30年余りで約10万倍となった。カーツワイル氏が提唱する、ITの枠をも超えた生産技術の革新や生物的進化が指数関数的に訪れるという「収穫加速の法則」を体現した好例とも言えよう。

およそ10年ごとに代が進み、用途が広がってきた。通信速度が10Gbpsまで一段と向上する5Gでは、「超高速」「超低遅延」「多数同時接続（多接続）」の3つがキーワードとなる。

例えば、2時間の映画のダウンロードに、LTEでは約5分かかっていたが、5Gは3秒と超高速で完了する。そしてタイムラグが気にならなくなる

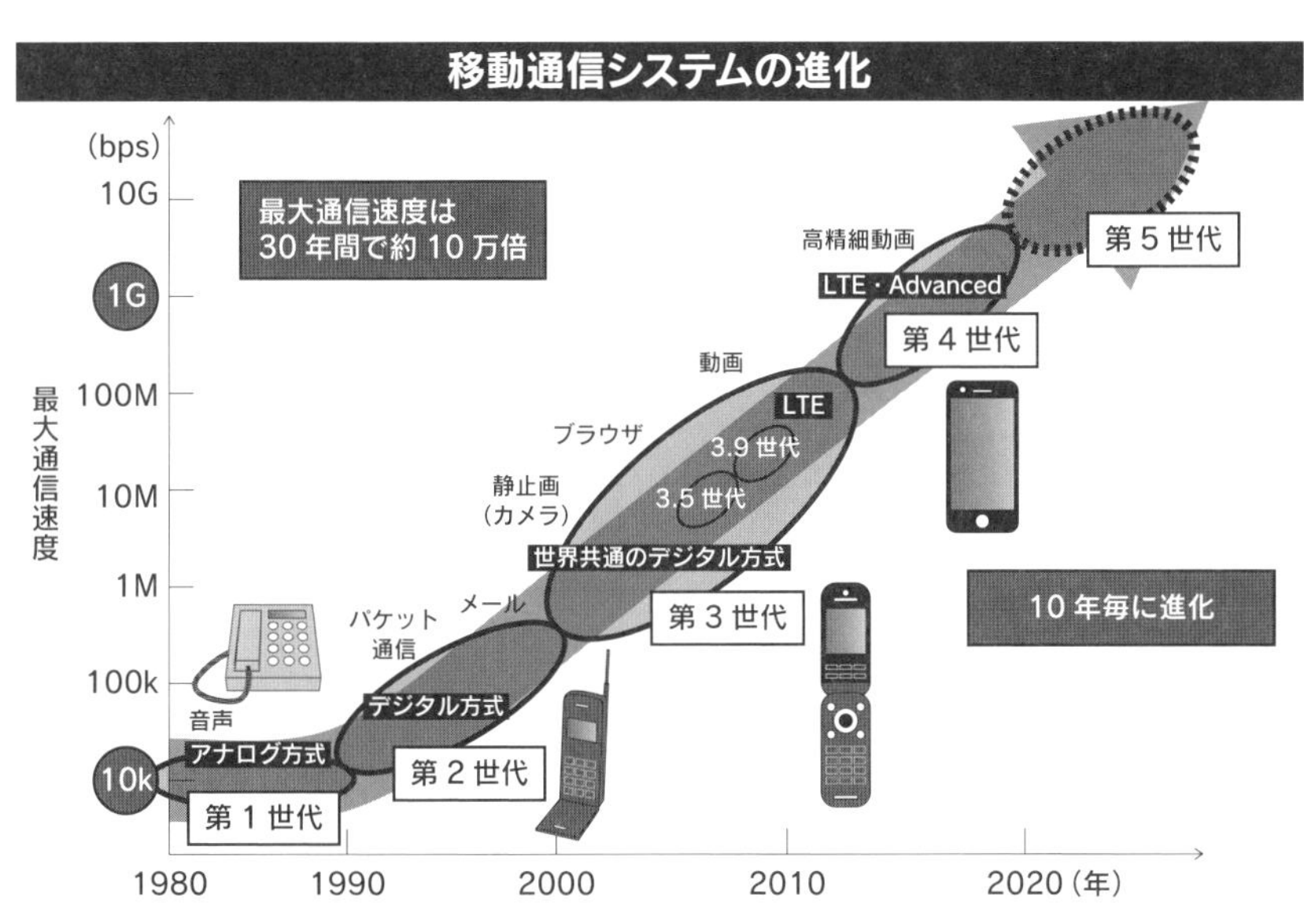

出典：総務省「5G実現に向けた総務省の取組み」

「低遅延」は、自動運転や医療など生命に関わる分野では極めて重要で、裏を返せば、遅延は文字通り命取りになる。さらに、現代の一般家庭の室内ではスマホやＰＣなど数台への接続が限界だったところ、５Ｇならばそうしたモバイル機器に加え、生活家電や衣料品など、同時につなげるのは１００ほどに及ぶようになる。「５Ｇは、全てのモノがインターネットに接続されるＩｏＴ実現に不可欠な基盤技術」（総務省）とされる。

▼ローカル5G

通信事業者が全国展開する５Ｇのサービスに対し、土地や建物といった局所的なエリアでのみ有効な電波の利用サービス「ローカル５Ｇ」もまた始まりつつある。企業や自治体が自前で通信システムを構築する。

用途は限定的だが、市場の成長性は一般の５Ｇよりも高いと見込まれ、ＪＥＩＴＡはローカル５Ｇの２０３０年の需要額について、世界で10兆８０００億円、日本で１兆３３９８億円まで広がっていくと

ローカル5G市場の世界と日本の需要額見通し

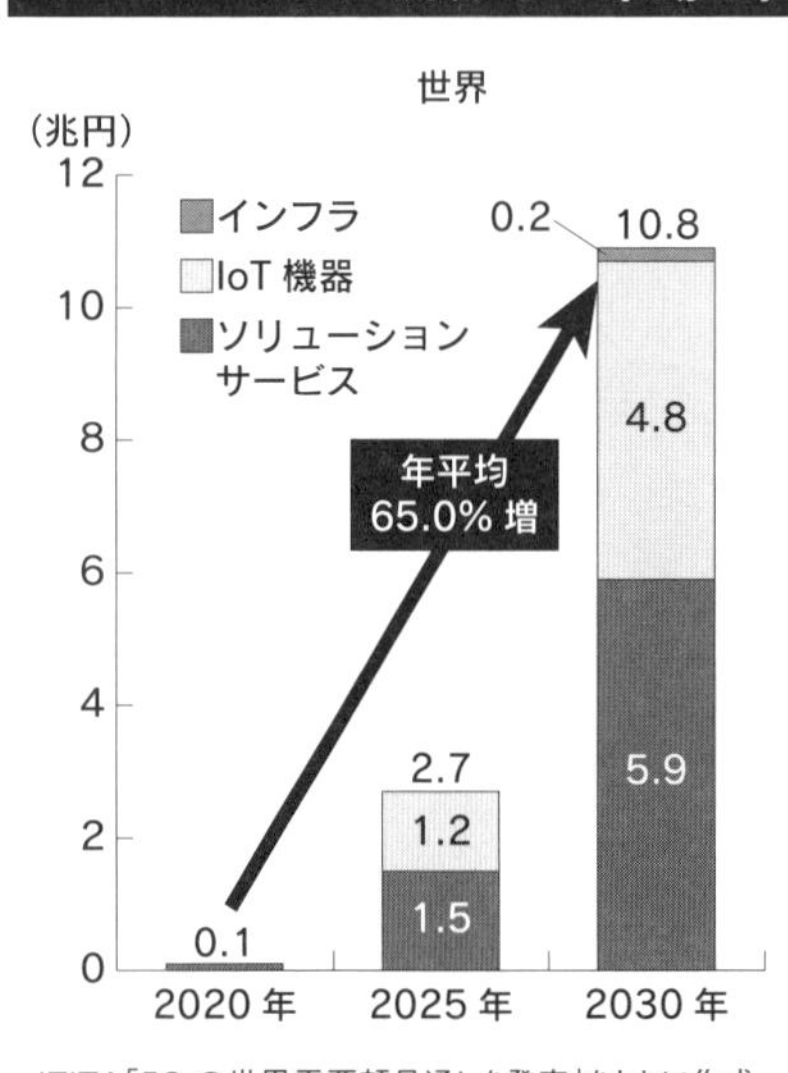

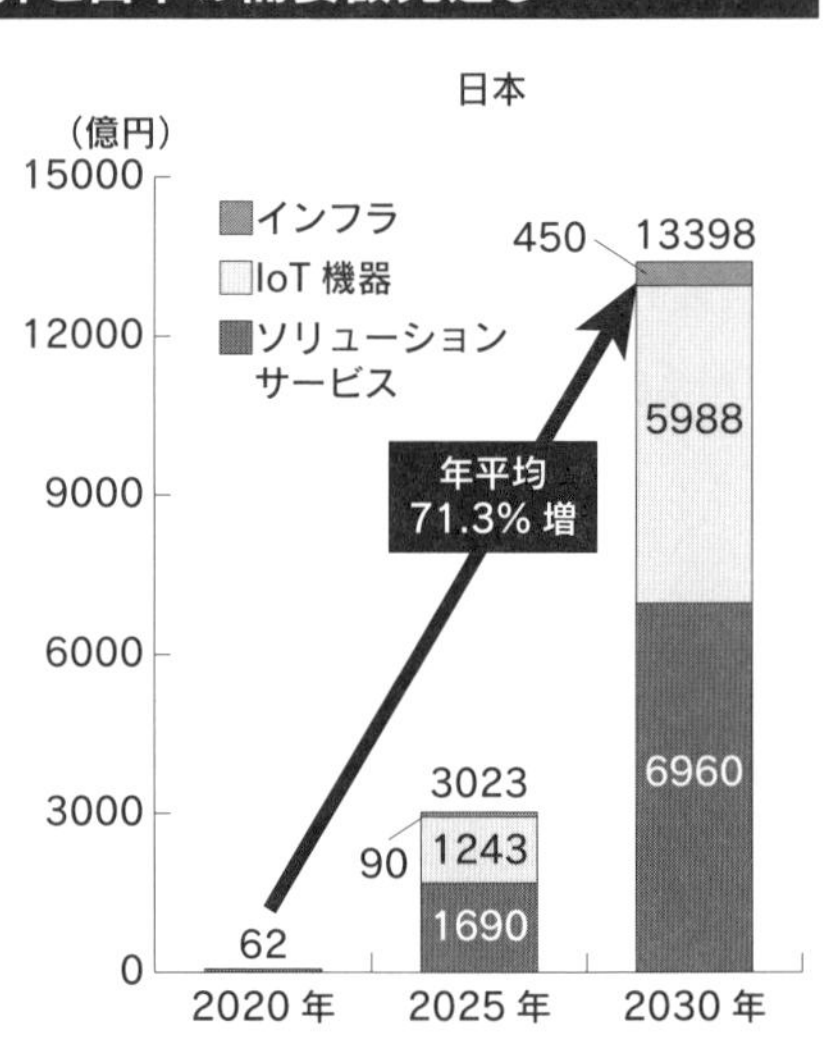

JEITA「5Gの世界需要額見通しを発表」をもとに作成

予測している（上図）。

特に活用が期待できる分野が工場、「スマートファクトリー」であり、より柔軟に生産ラインを変更できるようになるとされる。そのほか、駅や空港、病院といった公共施設、港湾や建設現場などで利用が進むと見込まれている。

日本国内では19年末以降、NTT東日本やNEC、富士通などの企業のほか、東京都もローカル5Gの免許を申請した。

局部的、言い換えればよりニッチな電波需要に応えることができ、業務の効率化を一層推し進め、デジタルトランスフォーメーション（13ページ参照）の起爆剤になるとの期待感も高い。

▼視線の先は早くも6G

前章で早くも第6世代通信「6G」をめぐって米中が機先を制すべく競っていると述べたが、日本もその熾烈な争いに参戦しようと備えている。

その筆頭がNTTドコモで、20年1月に「5Gの高度化と6G」と題したホワイトペーパーを公表した。6Gを「2030年代の産業や社会を支えていく」技術と位置付ける。

掲げたテーマの1つは「空・海・宇宙などへの通信エリアの拡大」という壮大なスケールである。超高速、超低遅延と5Gのキーワードに冠された「超」の文字が6Gではさらに増え、超高信頼通信や超低消費電力のほか、超高速、超低遅延も一段の高度化を目指す。

技術革新の早さを踏まえ、移動通信システムが概ね10年ごとに世代交代していると指摘し、5Gの検討も10年ごろから始めていたという。30年代の6Gを見据えれば、なるほど今から着手して早過ぎることはない。ホワイトペーパーは産学官の議論などを踏まえ、適宜アップデートされていく。

5Gでは米韓が先行した。6G、さらに7Gをめぐり、どういった攻防が繰り広げられるか注目される。

▼IoTとその進化系、IIoT、IoE

IoTという言葉を使い始めたのは1999年、英国の技術者、ケビン・アシュトン（Kevin Ashton）氏が最初だとされる。一方、TRON（The Realtime Operating system Nucleus）と呼ばれるリアルタイム性に優れた計算機システムの技術体系の研究開発などを行った東洋大学情報連携学部の坂村健学部長が、80年代からIoTのコンセプトを提唱してきたとして、2015年にITU（International Telecommunication Union：国際電気通信連合）150周年賞を受賞している。

20世紀当時はネット環境が未発達だったこともあり、IoTの概念が即座に広まることはなかった。時代が下ると、ラップトップ型パソコンの人気に火が付き、アイフォーンの普及も相まって、次第にIoTは市民権を得てきた。特に10年以降に持て囃（はや）されるようになった。

24ページで図示した通り、堅調な伸びが見込まれる市場で、IoTが適用できる領域も次々と広がっていく。そしてIoTはIIoT（Industrial IoT）、やIoMT（Internet of Medical Things）へと概念が拡張し続けている。IIoTはロボットを通じた生産効率の向上など製造現場で採用されるＩｏＴを意味し、ＩｏＭＴは医療機器とヘルスケアのシステムをつなぐＩｏＴを指す。

さらにＩＩｏＴとＩｏＭＴをも包含するより広い概念としてＩｏＥ（Internet of Everything）がある。Ｔ＝シングスではなく、Ｅ＝エブリシングを使っている。インターネットが「全て」に、森羅万象に接続されるイメージである。極端に言えば、動物や植物、山や海などの自然にもつながっていくようなイメージだろう。

ＩｏＴの概念が拡張する中で、今最もホット且つ議論を呼んでいるものの一形態がＩｏＨ（Internet of Human: ヒトのインターネット）である。一例を挙げれば、先進的な北欧スウェーデンではキャッシュレス決済の進展に伴い、ＩＣチップを体内に埋め込み、それを翳して支払う仕組みが普及している。

ＩｏＨが究極的に辿り着く先は、カーツワイル氏の言を借りれば、「大脳皮質の拡張」へと連なっていくだろう。同氏は体内に、脳に埋め込まれた細胞サイズ、ナノレベルの極小ロボットがネットとつながり、欲しい時に瞬時に必要な情報を「ダウンロード」できる未来を描く。

独り善がりな世迷言では決してない。ＪＥＩＴＡでさえ、ソサエティ５・０（19ページ参照）で、人間の生体内に埋め込まれたチップが健康管理を担う未来像を描く。一昔前ならＳＦや夢物語だったようなテクノロジーが今、現実味を持って真剣に議論されている。未来的な社会は夢物語ではなく、既に到来しつつある。

国立研究開発法人の産業技術総合研究所（産総研）には「人間拡張研究センター」（HARC: Human Augmentation Research Center）があり、「スマートワークＩｏＨ研究チーム」などを通じ、ＩＴやロボットを活用した人間の能力の維持、増進、ひいては新たな産業基盤の構築を目指している。

Chapter 3

AI・5G・IC市場

1 垣根を超えるAI・5G
——あらゆる産業が活性化

▼広がるAI活用の場

ＡＩや５Ｇが影響を及ぼす分野は情報通信や電機の産業にとどまらない。ＩＴと相性の良かった家電製品がデジタル家電として一気に広まったように、デジタル衣類、デジタル住宅が今後一般化し、デジタルがありふれた、それが前提の世へと移り変わってゆく。デジタルネイティブの世代が、生まれた時からスマートフォンやタブレットに親しんできたように——。

ＡＩ、５Ｇ、そしてＩｏＴの変革のうねりは、情報通信のほか、自動車や医療、工場の高効率化、金融、小売といった分野への波及効果が特に大きい。その広がりはさまざまに表され、例えば次ページの図のようにまとめられる。

三菱総合研究所は、ＡＩのレベルごとに３段階に分け、最上の「熟練労働者／専門家のレベル」として、「広告最適化」、「商品レコメンド」、「投資アドバイス」、「ＡＩ栽培支援」、「ファッション推薦」などの活用法を挙げている。

また、ＮＴＴ系シンクタンクの情報通信総合研究所（東京）は、ＩｏＴやＡＩの活用に関し、「データを収集する空間」と「集めたデータを活用する空間」をサイバーかリアルかの４象限に分けて事例を分類

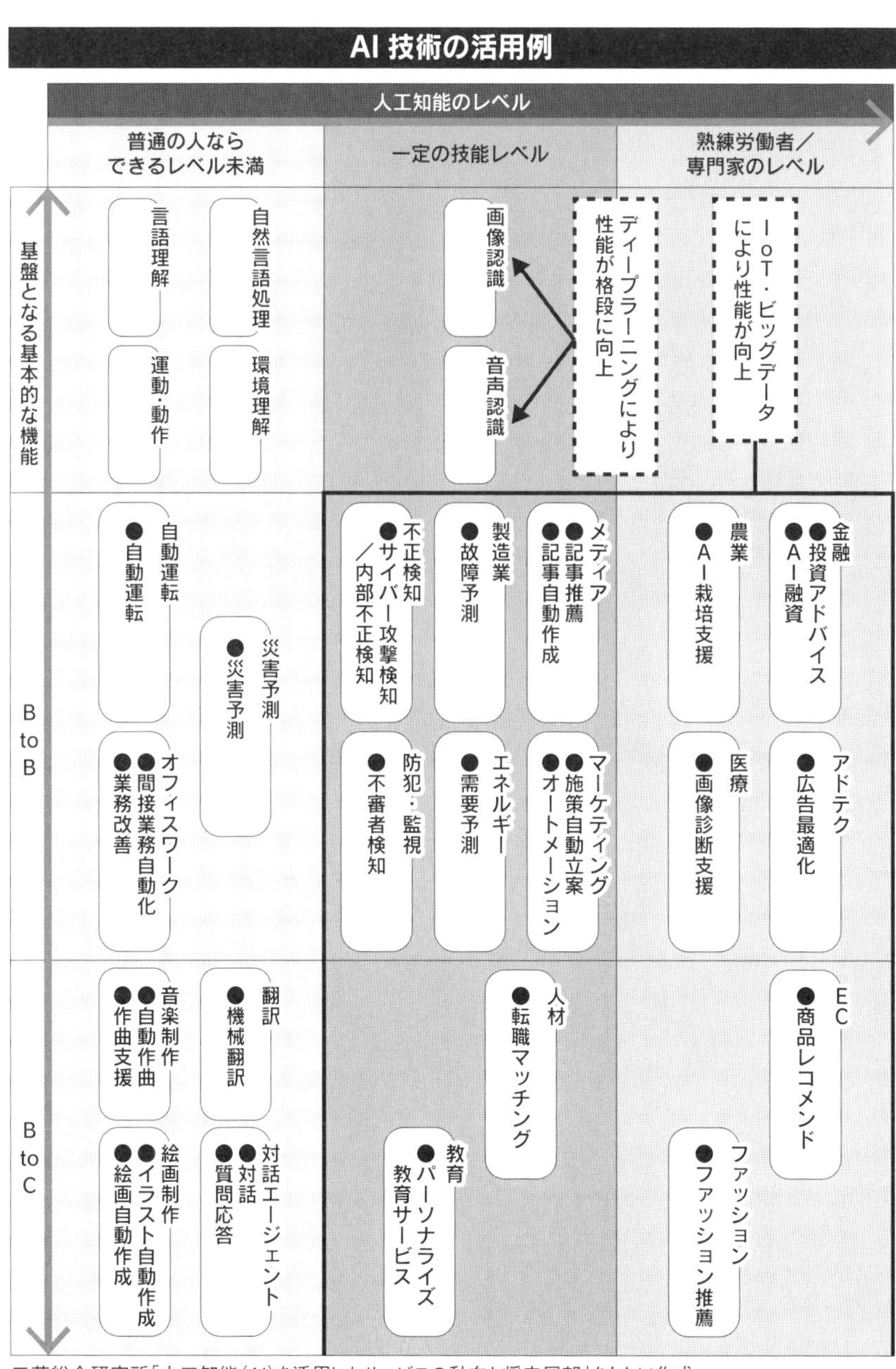

三菱総合研究所「人工知能（AI）を活用したサービスの動向と将来展望」をもとに作成

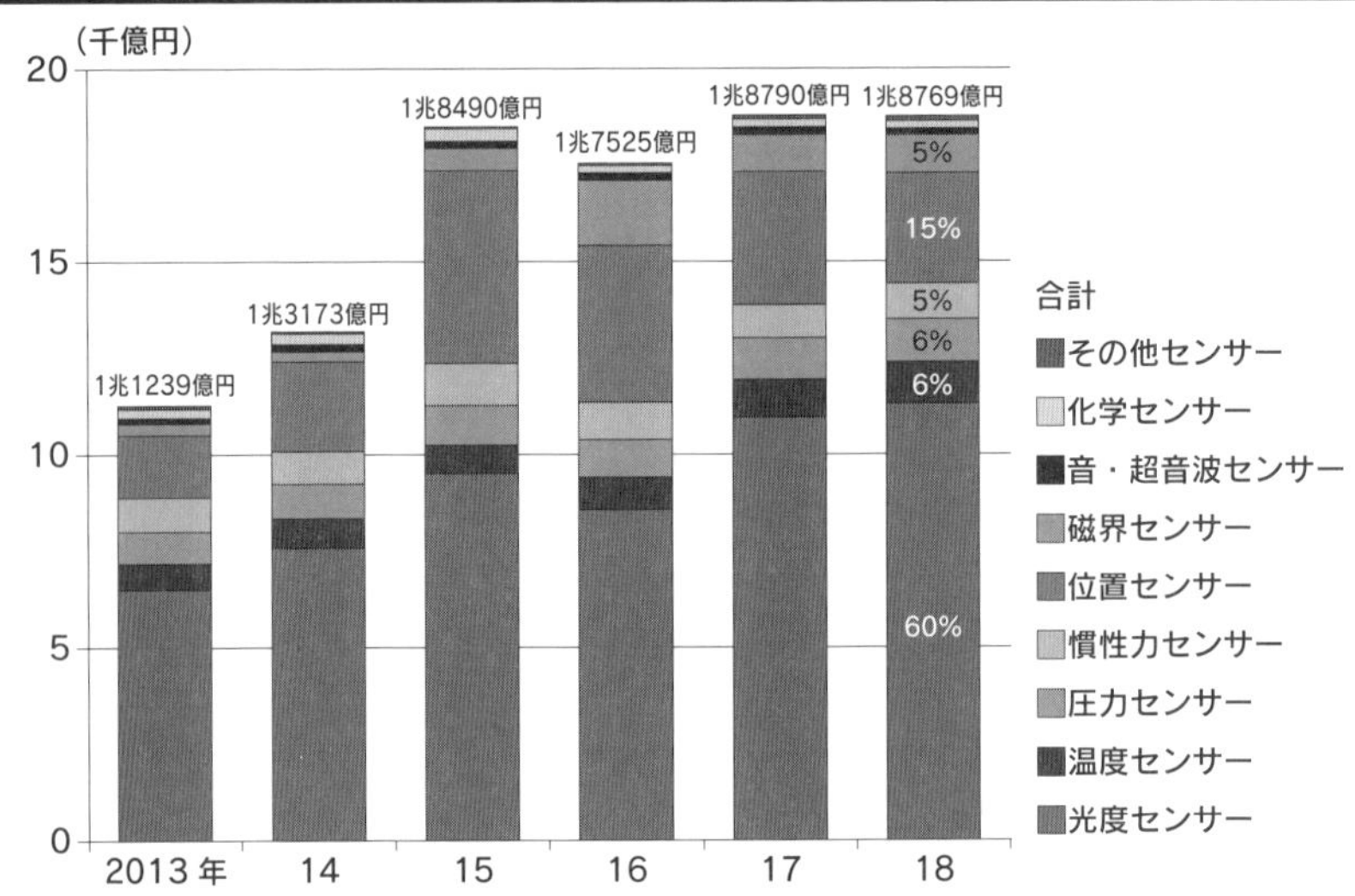

JEITA「センサ・グローバル状況調査」をもとに作成

する。

本章では、AIや5Gの進展に伴って成長が見込まれるさまざまな市場の現状と将来性を紹介していく。まずはさらなるデジタル社会の実現に欠かせないセンサーの市場規模を、続いて業界横断的に活用の幅が広がっているXR(63ページ参照)、xTech(65ページ参照)の市場を順次解説する。その後、主要産業の市場ごとに俯瞰(ふかん)し、章末ではそれらの産業の支えとなる、ICを中心とした半導体の市場に触れる。

▼センサー――トレンドはMEMS

光、温度、圧力、慣性力――。多種多様な用途のセンサーは来るIoT社会に欠かせない。「トリリオン・センサー」なる取り組みも米国から始まった。年1兆(trillion)個を超すセンサーのネットワークを世界中に張り巡らせ、社会問題を解決しようとする試みで、23年の実現を目指している。2013年に第1回「トリリオン・センサー・サミット」が開かれ、その後も継続的に課題や協力テーマを話し

MEMSの世界市場

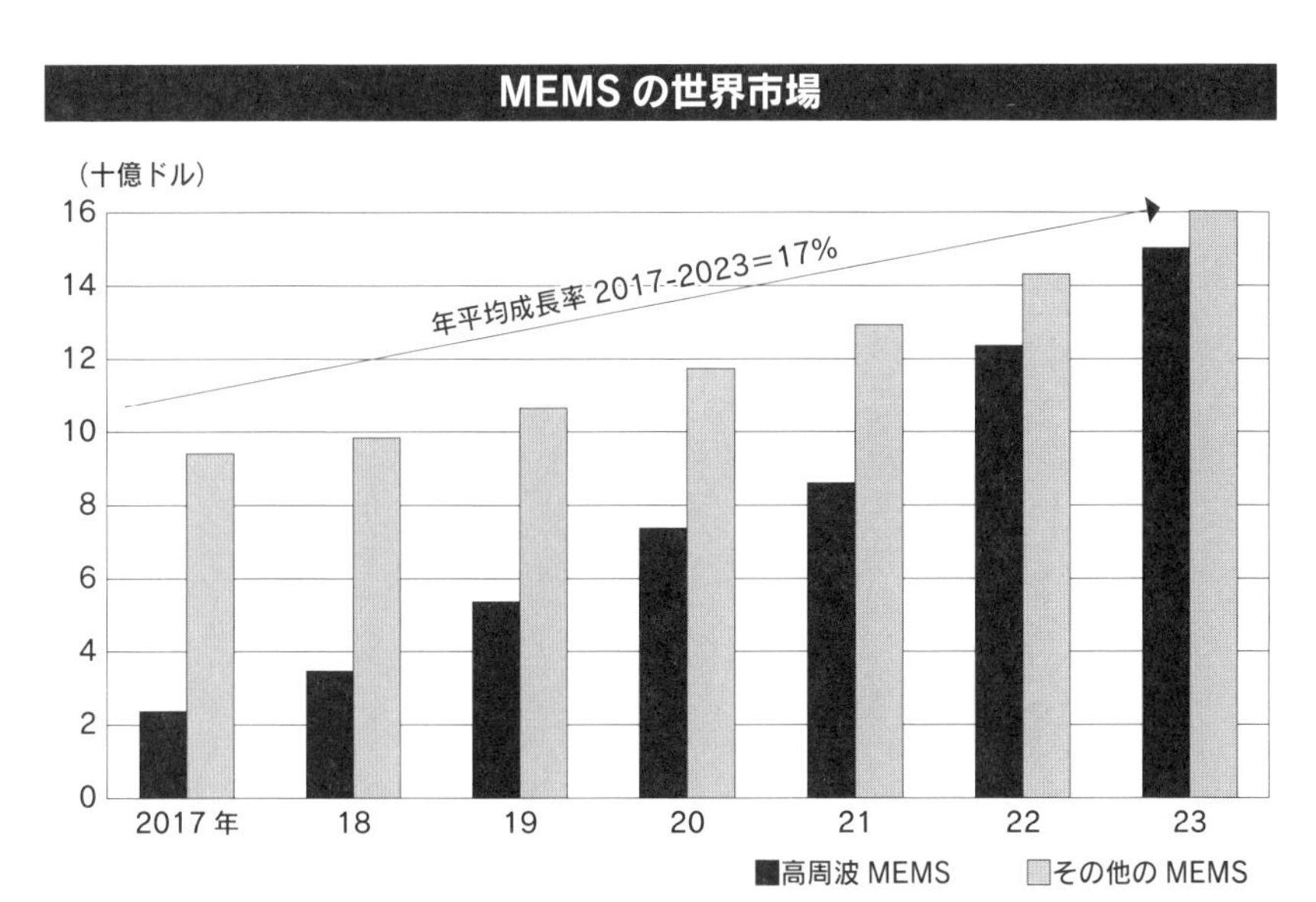

「Status of the MEMS Industry report, Yole Développement, May 2018」をもとに作成

合っている。

この間、着実にセンサーの市場は広がってきた。JEITAが継続的に実施している調査によると、09年に7901億円だった世界の出荷額は、18年に1兆8769億円と約2・4倍になった。用途別では、「スマートフォン・通信機器用」が54％で最も多く、次いで「自動車・交通用」が16％、「汎用」が8％、「FA・産業用」が6％と続いた。

この調査ではMEMS（メムス）*の割合も調べ、18年に全出荷額の約7％に当たる1401億円がMEMSのセンサーかモジュールだった。

フランスの市場調査会社、ヨール・デベロップメント（Yole Développement）によると、MEMSの市場は23年末までに、18年の2倍以上の310億ドルまで伸びると見込まれる。特に、高周波（RF：Radio Frequency）の「R

＊ MEMS
微小電気機械システム（Micro Electro Mechanical Systems）の略称。シリコン基板や有機材料の上に微細な機械要素をまとめて組み込んだセンサーやアクチュエーターなどのデバイス、またはその製造技術を指す。しばしば比較されるLSIは2次元配線で入出力は電気信号のみだが、MEMSは3次元配線で入出力は電気信号に加えてエネルギーや機械変位や光信号など多様。

F―MEMS」が高い伸びを示す。

また同社が19年6月に公表したデータでは、MEMSを手掛けるメーカー上位30社の売上高が103億ドルとなり、市場全体116億ドルの約9割を占めた。トップは2年連続でブロードコム、次いでボッシュだった。日本勢は9位にインベンセンスなどを含むTDKグループ、10位にパナソニックのほか、30位までにデンソーや村田製作所、アルプスアルパイン、オムロン、ソニーなどが名を連ねた。

富士キメラ総研もセンサー市場をさまざまな角度から調査している。19年3月に発表した世界市場予測は、18年度の6兆1772億円から22年度に7兆7009億円まで増えるとした。類別では、「光・電磁波センサー」と、温度や湿度の「熱的・時間空間雰囲気センサー」の比率が高かった。

同時に示した、「無線ICタグ」などと呼ばれるRFIDの市場は「(IDの)低価格化によって、主に流通・小売向けが急速に増加し、伸長している」と分析した。市場は18年度の2100億円から、22年度には2倍近い4090億円まで増えると予測される。

RFIDは無線による非接触の情報通信技術で、そのシステムは電子情報が入ったタグと、タグを読み書きする「リーダ・ライタ」から成る。既にアパレル業界で普及しているほか、ドラッグストアやスーパー、コンビニなどで順次導入が進むと見込まれる。

2 賑わうXの市場
――XR／xTech／XaaS

▼XR市場

5G、センサーの普及に伴って活気付くと見込まれるのが、VR（Virtual Reality：仮想現実）や、スマホのゲームアプリ「Pokémon GO」で一躍有名となったAR（Augmented Reality：拡張現実）といった市場である。

VRはゲームのキャラクターになりきって闘ったり、空を飛んだりしている気分を味わえ、その世界にのめり込んでいる「没入感」を演出する。それにはプレーヤーが頭に装着するHMD（Head Mounted Display：ヘッドマウントディスプレイ）と、動きに遅れることなく映像や音を流す技術が不可欠である。そのためにも「超低遅延」を実現する5Gの普及に期待が高まっている。

米調査会社IDCによると、VRとARのハードウェアやソフトウェア、関連サービスの市場は、世界で2018年の89億ドルから19年に168億5000万ドル、23年に1606億5000万ドルと見込まれ、年平均で8割近く伸びていく。日本でも、19年に17億8000万ドル、23年に34億2000万ドルまで、年平均2割強のペースで成長していくと予想される。「流通・サービス」や「消費者」のセクターが主要な市場となる。

VR・ARの市場見通し

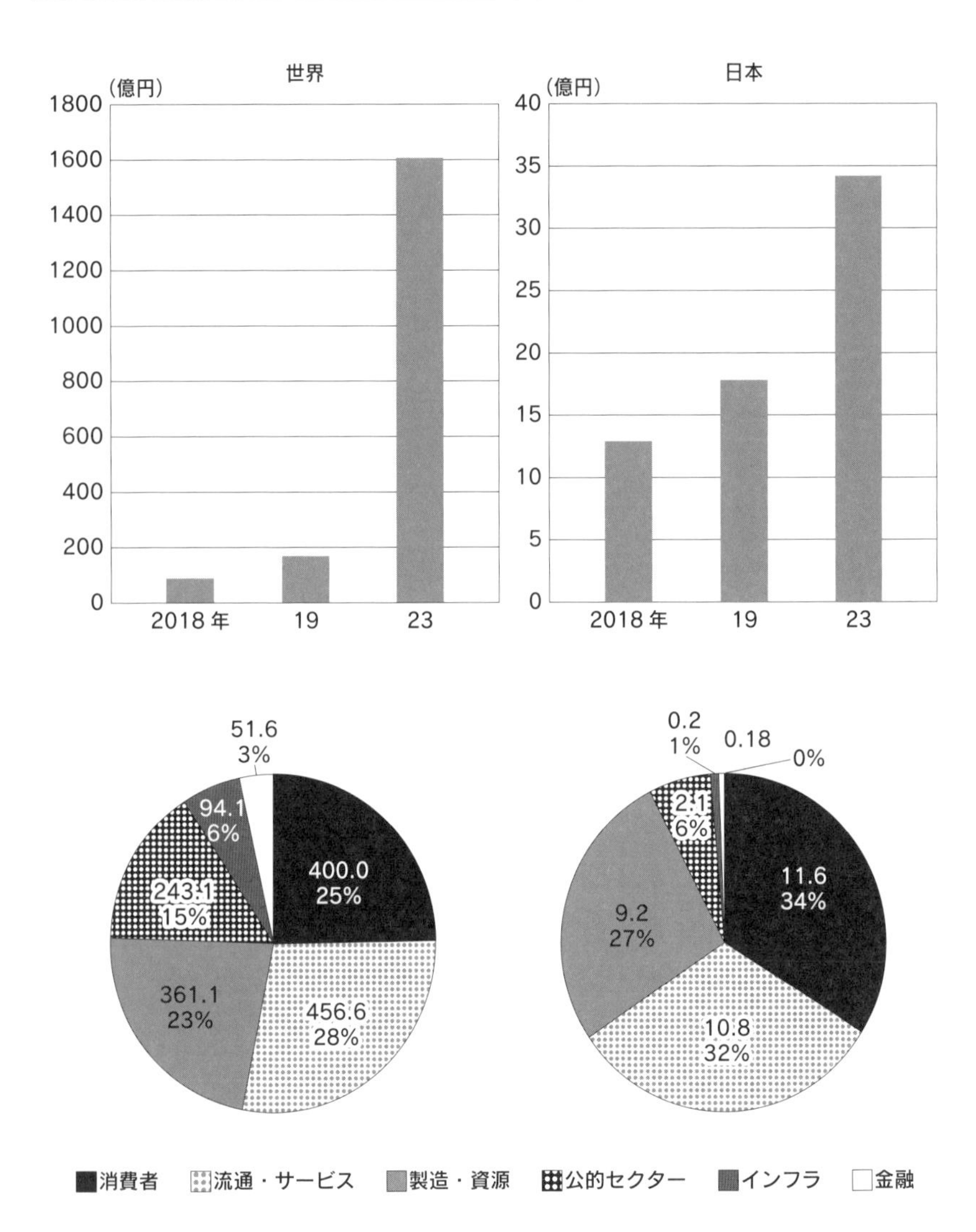

IDC「世界のAR(Augmented Reality、拡張現実)／VR(Virtual Reality、仮想現実)のハードウェア、ソフトウェアおよび関連サービスの2023年までの市場予測」をもとに作成。19年と23年は予測。
円グラフは23年のセクター別推定比率

xTechの各市場

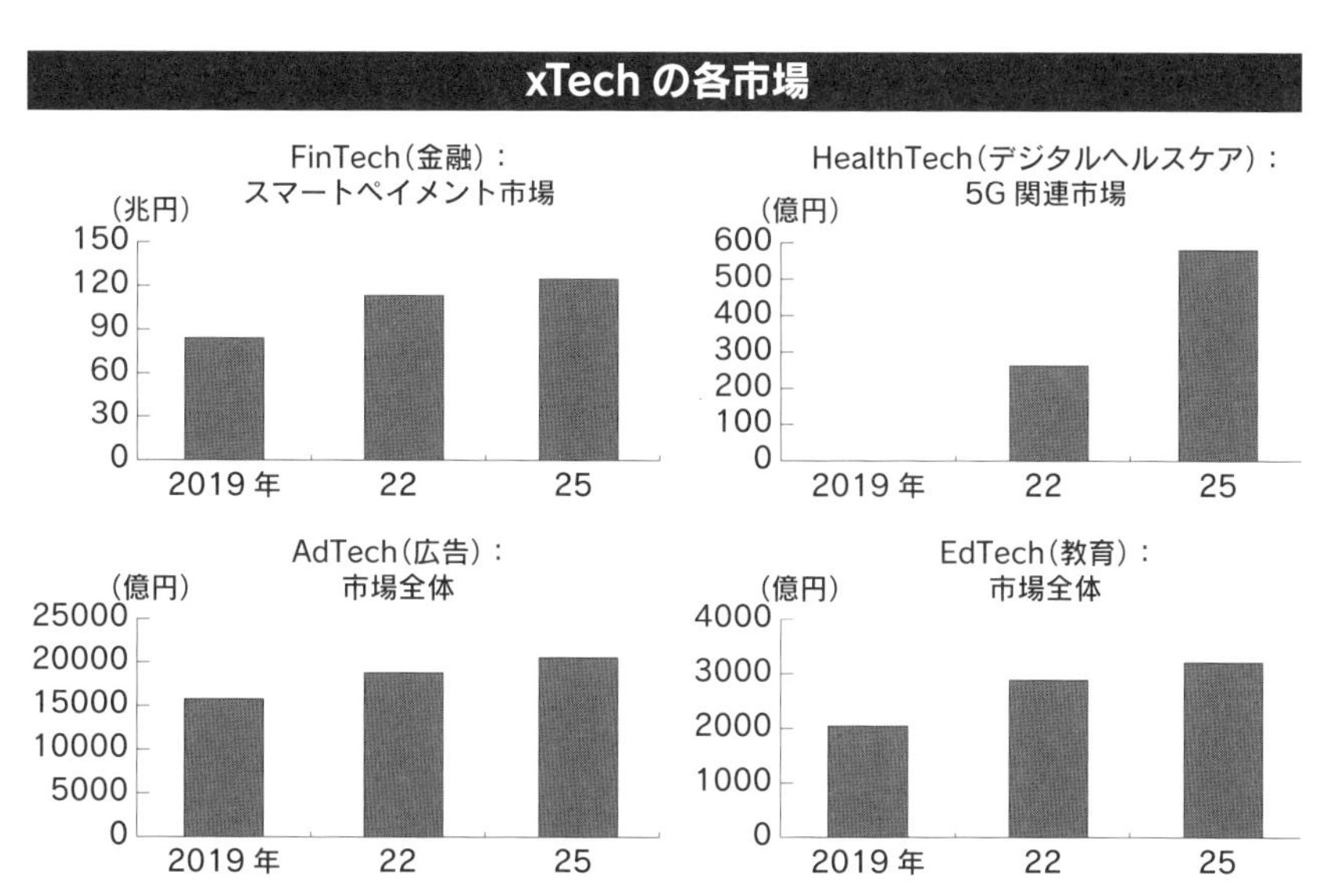

野村総合研究所「「5G」サービスが本格スタート　リアルとデジタルの融合で関連市場が拡大～2025年までの市場トレンドを予測～」をもとに作成

VRやARは、オンラインでつながったビデオゲームのeスポーツ（75ページ参照）やツーリズムといった比較的馴染みやすい分野に加え、製造現場や教育現場へと応用範囲が広がっている。さらには、CGによる仮想の世界観を現実に映し出して業務改善などに役立つと期待されるMR（Mixed Reality:複合現実）や、現実に見えている映像に過去の映像を重ね合わせる追体験型のSR（Substitutional Reality:代替現実）もある。これらVR、MRなどは、総称してXR（クロスリアリティー）技術と呼ばれる。

▼xTech

XRのように、用途が多岐にわたる新領域の概念にxTech（クロステック）がある。既存の産業（x）に革新的なテクノロジー（Tech）が組み合わさって生まれる新たなビジネスを指す。ITの普及で広まったキャッシュレスサービスなど金融の新領域「FinTech（フィンテック）」（Finance × Tech）が有名で、金融サービスの電子化は今後ますます加速すると見込まれる。

結果としてＩＣなど半導体の需要も高まっていくことが想定される。

　ＩＴが広く普及しているのは金融に限らない。教育なら「ＥｄＴｅｃｈ」(Education × Tech)、農業なら「ＡｇｒｉＴｅｃｈ」(Agriculture × Tech)、広告なら「ＡｄＴｅｃｈ」(Advertisement × Tech)、人事や人材開発は「ＨＲ　Ｔｅｃｈ」(HR〈Human Resources〉× Tech)、ＩＣＴソリューションを活用したデジタルの医療・ヘルスケアのサービスは「ＨｅａｌｔｈＴｅｃｈ」(Health × Tech)といった具合である。

　どのｘＴｅｃｈの市場も大きな成長が期待されている。19年の野村総合研究所の調査結果によると、例えばヘルステックのうち、５Ｇ関連サービスはオンラインによる診断、遠隔手術などが該当し、20年から本格的に始まる。20年に１５６億円、22年に２６３億円、25年に５８０億円まで拡大していき、デジタルヘルスケア市場全体２２５４億円の約26％を占めると見込まれる。

　アドテックも堅調で、19年に１兆５７８３億円、22年に１兆８７９６億円、25年に２兆５３７億円と伸びていくと予測される。

　なお、ｘＴｅｃｈで現在最も活発な市場のフィンテックで多用されるブロックチェーン（21ページ参照）は、応用分野が金融以外へと次々に広がり、ＡＩ、ＩｏＴ時代を一層盛り立てている。

▼XaaS

　他の業界横断的なキーワード「ＸａａＳ」は、自動運転技術の開発競争が激化している自動車業界のトレンドとしてよく聞かれるようになったＭａａＳ(Mobility as a Service)など、「サービスとして提供するＸ」(X as a Service)という「所有ではなく利用する」トレンドを一括りにした用語である。

　ＭａａＳは、交通をＩＣＴによってクラウド化してモビリティー（移動）を１つのサービスとして捉えた新しい概念である。自動車を複数人で共有する「カーシェアリング」などに代表される。

　市場はやはり右肩上がりで、ＰｗＣコンサルティングの18年の調査によると、米中欧の３地域で、17

年の870億ドルから30年には1兆4000億ドルまで市場が拡大し、この間の年平均成長率は25％に上る。日本国内も同様、富士経済が20年3月に公表した調査結果によると、MaaSの国内市場は19年に8673億円と見込まれ、30年には18年の3・5倍の2兆8658億円まで拡大していくとされる。

XaaSはもともと、クラウドコンピューティングが普及する過程で広まり、PaaS（Platform as...）やIaaS（Infrastructure as...）といったIT関連のサービスの形態を表す言葉として使われてきた。

他に、ソフトウェアの必要な機能を利用できるようにしたSaaS（Software as...）や、次項で見るRaaS（ラース）などがある。

▼ロボット

本節最後に、業種を問わず活躍の場が広がっているロボットの市場を見ていく。

FA（Factory Automation; 工場自動化）などの産業用に限らず、ロボットの市場は当面伸び続けるとみられる。国立研究開発法人の新エネルギー・産業技術総合開発機構（NEDO）は10年に、ロボット産業の将来市場予測を発表、15年に1兆6000億円、20年に約3兆円、35年に約10兆円との試算を弾いた。

その後、18年にNEDOが示した資料には、16年時点で既にロボットの市場が2兆6000億円に達し、35年には約28兆4000億円まで伸びる見通しが示されていた。いわば「未来予測の大幅な上方修正」である。過去10年のロボットやテクノロジーをめぐる環境の変化、その進度や程度を言い当てることは、国の機関をもってしても難しかった。状況がいかに劇的に、想定を超える早さで変わっているかを示す証左となるだろう。

変化の例として、RaaS（Robotics as a Service; サービスとしてのロボット）なる概念も登場している。警備や清掃、介護などの専門サービスを担うロボットを月単位、時間単位で貸し出しするといった新たなビジネスモデルである。ロボットが日常生活に違和感なく存在する未来が、すぐそこま

世界ロボット市場及び世界人工知能×ロボット市場の売上高の予測

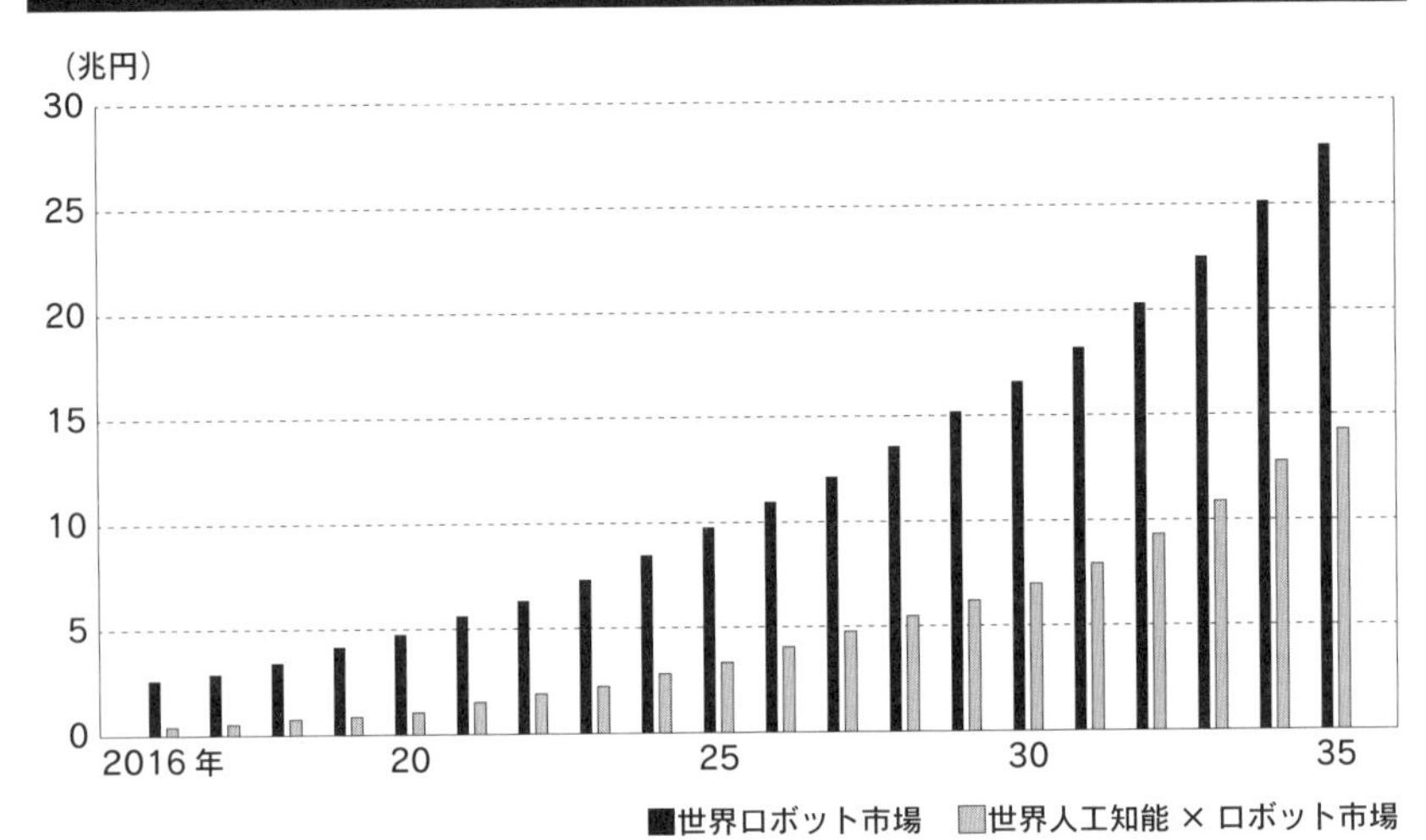

出典：NEDO「人工知能×ロボット分野」、元データは International Federation of Robotics 2016、World Robotics 2016 ServiceRobots

で来ている。

ロボットの活用範囲は広く、業界別や用途別に、国内外でさまざまな調査、予測が示されている。

富士経済は19年に相次いで調査結果を公表し、製造業向けロボットの世界市場は、25年に18年比2・5倍の2兆8675億円まで伸びるとの見通しを示した。特に「組立・搬送系」が過半を占め、「溶接・塗装系」でもロボットの活躍が期待される。

一方、生産量の増減に柔軟に対応できる「ヒト協調ロボット」の市場は、19年に782億円、25年には18年比で7倍の4110億円まで拡大すると見込む。そのうち、日本国内も19年に186億円、25年に850億円となる見通しで、富士経済は「人手不足を背景としたロボットによる自動化ニーズは底堅く、人の作業工程、作業スペースにそのまま置き換えが可能」としている。

IDCは操縦者を必要とせずに動き回る「自律移動型ロボット」の市場予測を19年5月に発表、18〜23年に年間平均成長率23・7%で成長し、23年の市場規模は561億円になると予測している。

3 幅広く潤う産業

——情報通信／自動車／医療・健康／スポーツ

▼情報通信——5Gスマホの買い替え需要増

ＡＩや５Ｇの普及に伴って伸びる市場のうち、効果が大きいのは、やはり直接的な影響を受ける情報通信産業である。スマートフォンの市場は、頭打ちと言われるものの、５Ｇ対応のスマホへの買い替え需要を喚起する。

日本でも、シャープが２０２０年に入って国内初となる５Ｇスマホ「ＡＱＵＯＳ（アクオス） Ｒ５Ｇ」をお披露目した。それを皮切りに、ソニー系のＸｐｅｒｉａ、富士通のａｒｒｏｗｓのほか、サムスン電子とＬＧの韓国勢も売り出す。

市場調査を手掛けるシンガポールのカナリス（Canalys）は19年にスマホ市場の予測を公表し、５Ｇ対応型スマホの世界出荷台数は19年に１３００万台、20年に１億６４００万台、23年には初めて４Ｇスマホを追い抜いて７億７４００万台となり、全体の51・４％を占めるとの見方を示した。

ＩＤＣが20年１月に発表したまとめによると、19年のスマホの世界出荷台数は前年比２・３％減の13億７１００万台となった。１位はサムスン電子が長年堅持しているが、２位は中国通信機器大手の華為（ファーウェイ）技術、３位はアップルとなり、前年の２位と３位が逆転した。３社で世界の需要の半分余りを占め

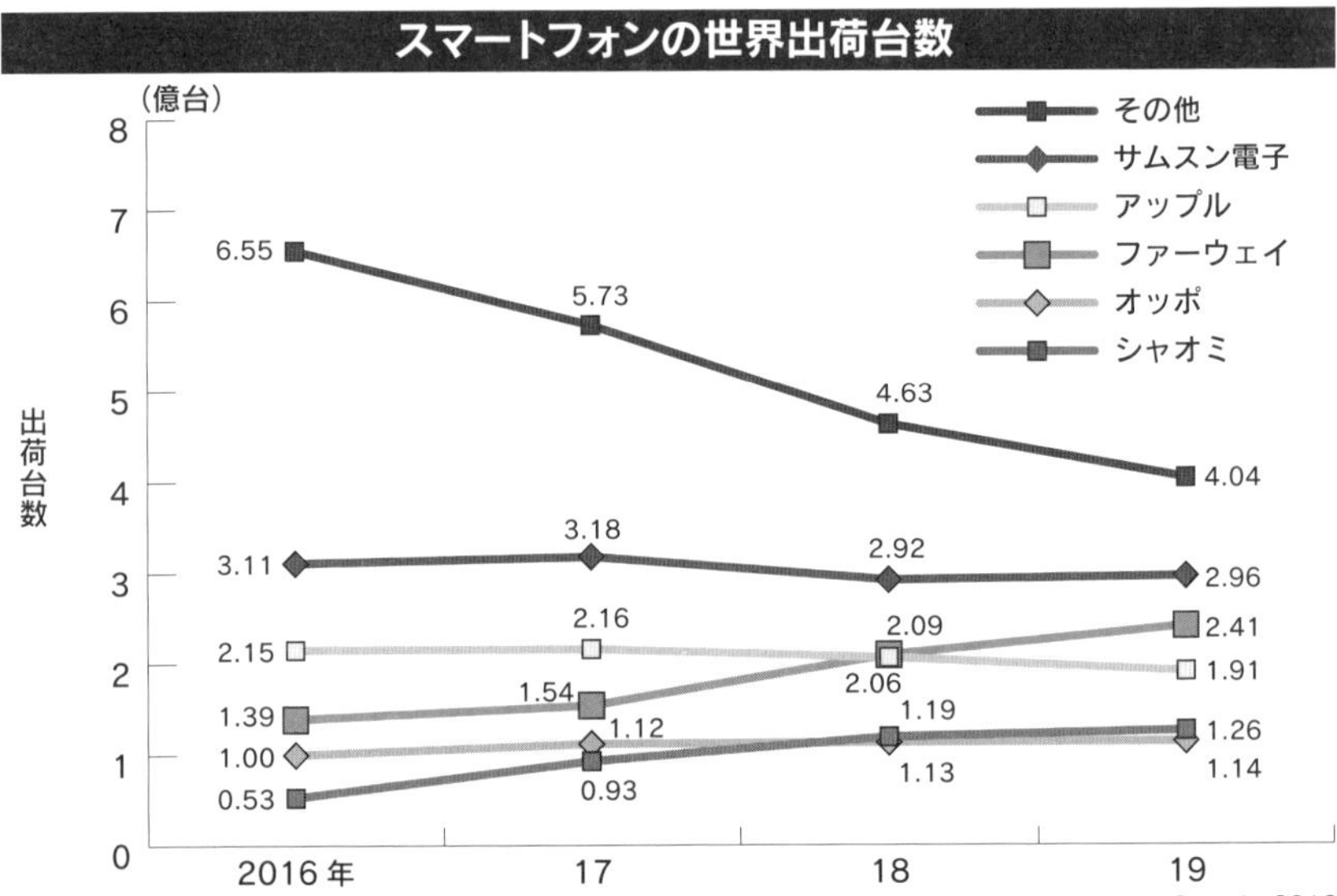

IDC「Top 5 Smartphone Companies, Worldwide Shipments, Market Share, and Year-Over-Year Growth, 2019
をもとに作成

ている。４位と５位も中国勢が占め、中国の存在感が高まっている。

一方、米中貿易協議が決裂した19年５月以降、ファーウェイの製品を通じて機密情報が奪われると警戒する米国は米企業に対し、政府に無許可で同社と取り引きすることを禁止した。中国側も対抗措置を講じるなど応酬が続き、スマホの需給の先行きに不透明感が出ている。

日本国内に目を転じると、携帯電話の出荷台数はＪＥＩＴＡの統計で５０００万台を超えてピークだった03年に比べ、３分の１以下の１４４０万台余りまで落ち込んでいる。一方、移動電話の国内需要台数は、Ｍ２Ｍ通信モジュール*の需要増を踏まえ、19年は前年より微増して３９００万台を見込む。

調査会社のＩＨＳマークイットによると、タブレット端末の世界出荷台数は漸減傾向が続き、近年は１億５０００万〜

＊ M2M 通信モジュール
機械同士が互いにデータを受け渡しし合う「M2M」（Machine-to-Machine; 機械から機械）を担い、機械から情報を集めたり、機械を制御したりするのに使う装置。IoT と似た概念だが、人が介在しない点で異なる。

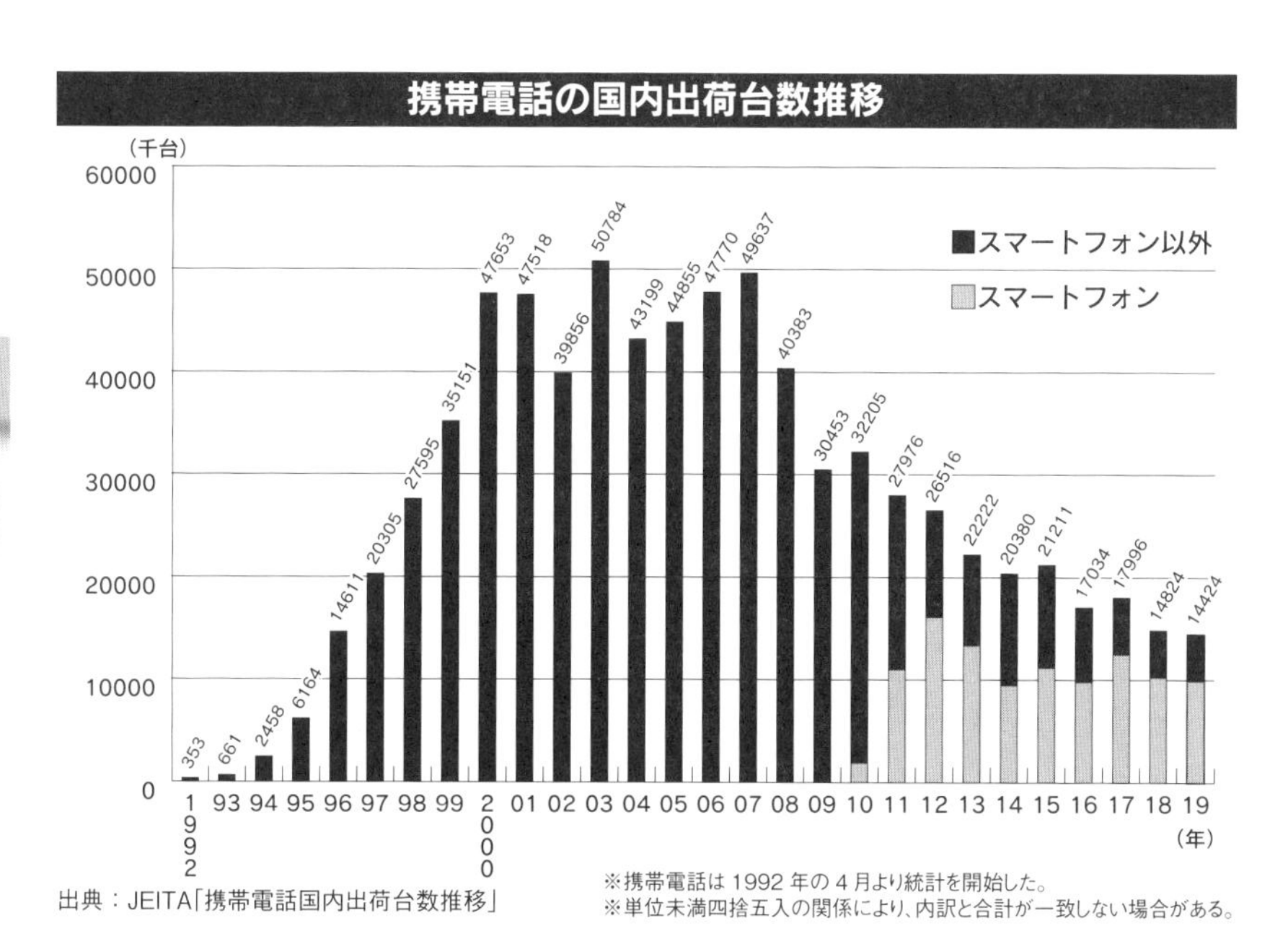

2億台で推移している。

▼自動車――CASEにMaaS、多彩な新語

電気自動車（EV; Electric Vehicle）の開発が世界中で活発化し、日本も近頃は、「EV元年」として自動車の電化に向けた取り組みが急速に進みだしている。自動運転の流れも背景に、自動車業界はAI、5Gの技術革新の影響が及びやすい分野の1つである。

そんな業界トレンドの言葉の頭文字を取った「CASE」（Connected, Autonomous, Sharing & Services, Electrification）、カメラやセンサーを駆使して警告や自動制御を行うADAS（Advanced Driver-Assistance Systems: 先進運転支援システム）、使いたい時だけ利用するカーシェアに代表される先述のMaaSなど、新たな概念が相次いで登場してきた。自動車業界には100年に1度の大変革の波が来ている。グーグルが、ソフトバンクが、パナソニックが、ソニーが、業界の垣根を超えて自動車業界での利益拡大を図っている。

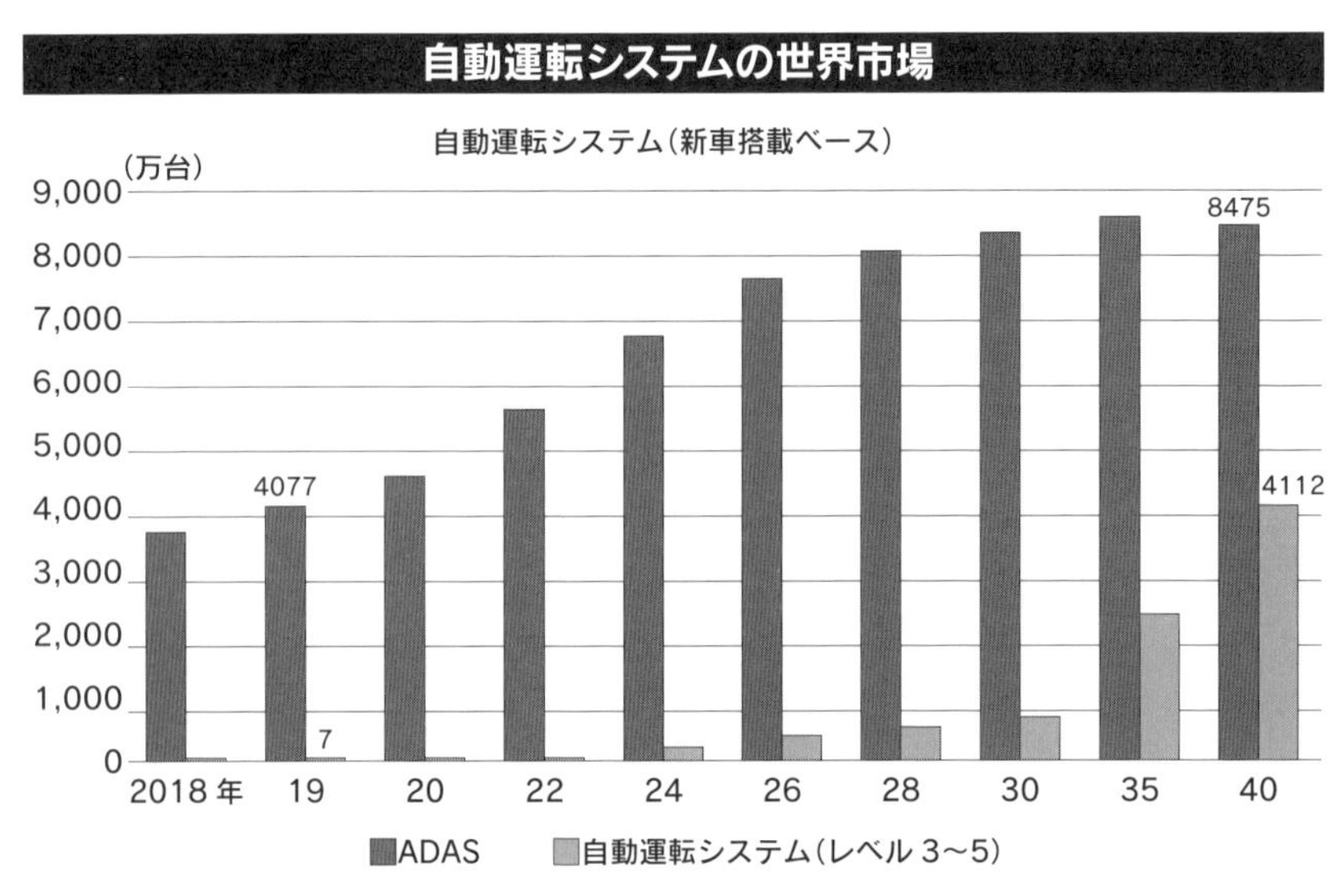

富士キメラ総研「2019　次世代カーテクノロジーの本命予測と未来自動車像」をもとに作成。新車搭載ベース。19年は見込み、20年以降は予測

自動運転は欧米やシンガポールを中心に、実現に向けた取り組みが加速している。日本の公道でも20年から条件付きの自動運転（レベル3）ができるようになった。

富士キメラ総研が19年9月にまとめた未来の自動車市場の調査によると、ADASを搭載した新車は世界で19年に4077万台、40年には18年の2・3倍に当たる8475万台まで増える。自動運転も、条件付きのレベル3から無条件のレベル5に対応した新車は18年の約1万台から、19年に7万台、40年には4112万台まで急成長すると見込まれる。

▼医療・ヘルスケア――少子高齢化のカギを握る

65歳以上の高齢者を取り巻く国内市場は25年に100兆円に上るとも試算される。その市場は「医療・医薬産業」「介護産業」「生活産業」の3つに分けられ、手術や臨床、介護の現場でのパワーアシスト装置、買い物に不便する地域での小型無人飛行機「ドローン」による宅配サービスの拡充など、将来的な商業化も含め、可能性はさらに広がっていく。

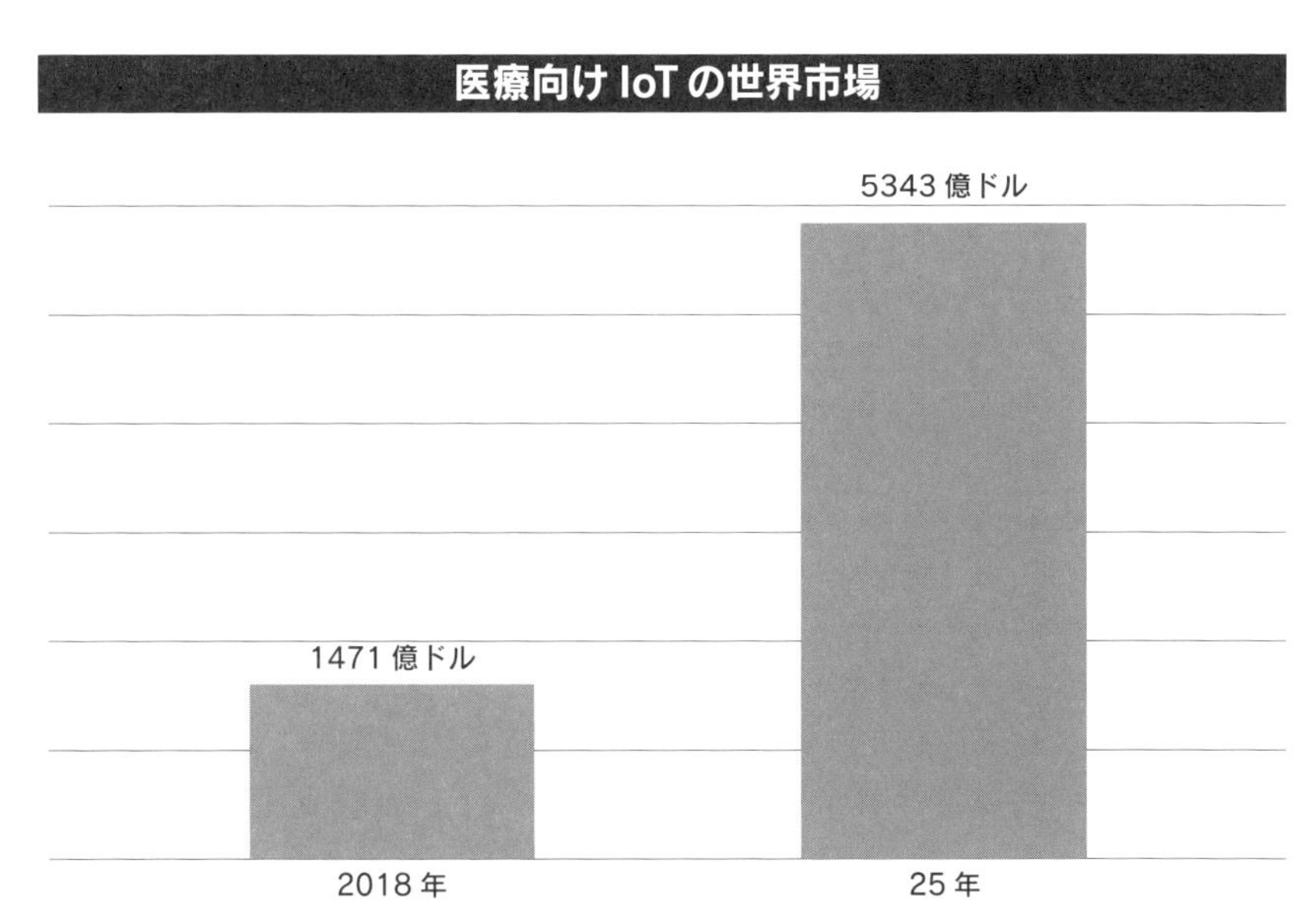

グランドビューリサーチ「IoT in Healthcare Market Worth $534.3 Billion By 2025」をもとに作成

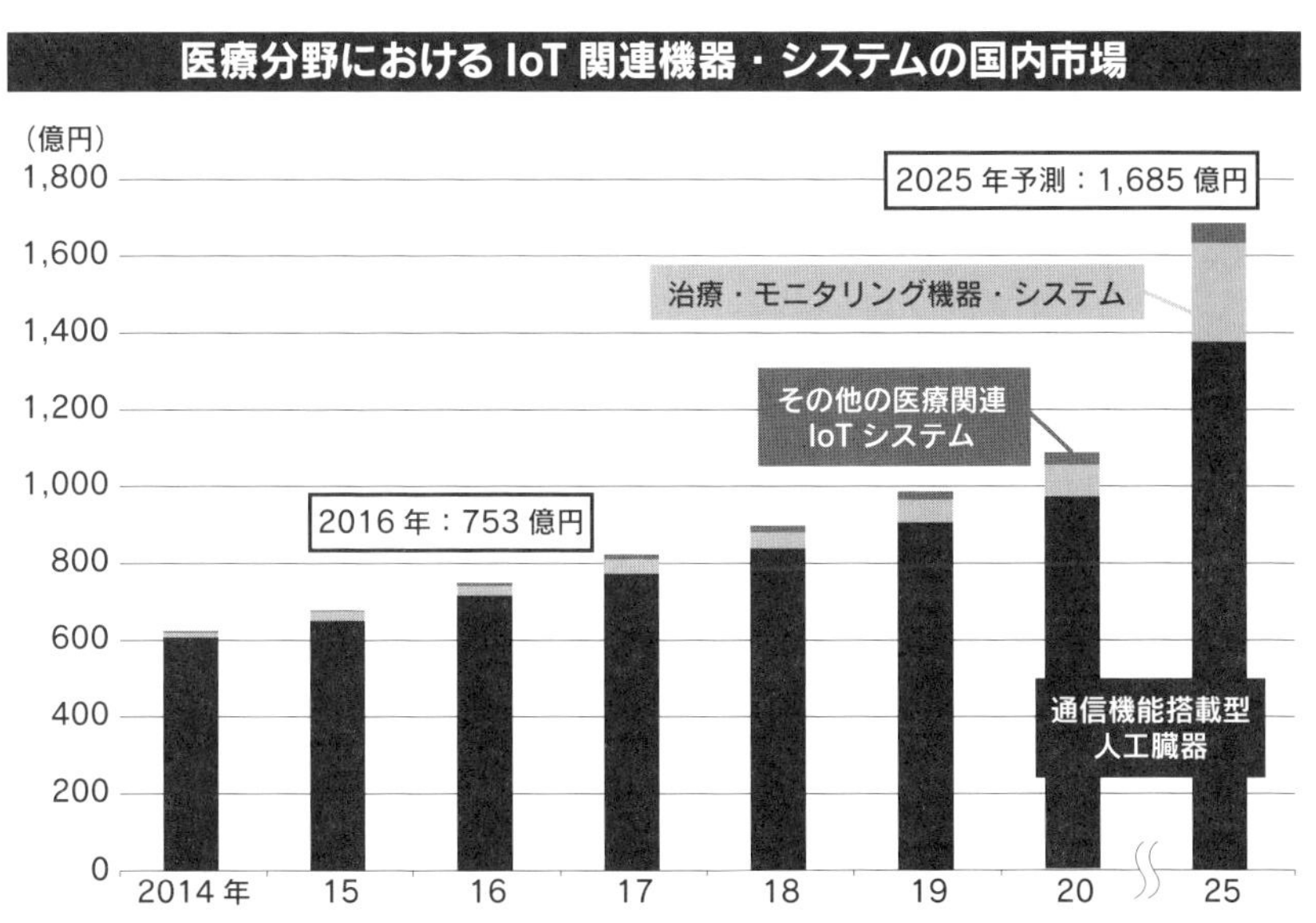

出典：富士経済「2017 年メディカル IoT・AI 関連市場の最新動向と将来展望」。17 年は見込み、18 年以降は予測

ヘルスケアの市場は高齢者に限らない。ベッドに寝ている状態で、脈拍数や呼吸数、睡眠・覚醒などの状態を測定・検知し、電子カルテやナースコールシステムに情報をつないだり、体温や血圧といった生体情報を通信機能付き測定機器などで読み込んで情報を一元管理したりするような、「スマートベッドシステム」も引き合いが増えている。

こうした医療向けのＩｏＴは、病院など医療分野で、ＩｏＭＴと特別な呼び方もされている（55ページ参照）。ＩｏＭＴは、ワイヤレス通信機能を備えた医療機器を活用し、患者のあらゆる健康データを収集・分析して共有することができるため、個々の患者に特化した医療サービスが可能となる。

富士経済の調査によると、医療分野のＩｏＴ関連機器・システムの市場は、在宅医療や遠隔医療の利用増を背景に拡大が予想され、25年には16年の約2・2倍の１６８５億円まで伸びるとみられる。

▼スポーツ――eスポーツも俄かに人気

スポーツの分野では、選手もチームも、ジャッジする審判も、観客の側もみな押しなべてデジタル化と5Gの恩恵にあずかる。

例えば、18年のＦＩＦＡワールドカップロシア大会では、大会として初めて、参加チームにタブレット端末が配られ、プレー中の選手らのデータをリアルタイムに取得、活用できるようになった。ＥＰＴＳ（Electronic Performance and Tracking Systems: 電子パフォーマンス&トラッキングシステム）と呼ばれる。端末に表示されるデータとピッチの状況を照らし合わせながら、分析者とベンチ側が交信し、選手に適切な指示を出しやすくなる。ボールの動きや選手らの心拍数などもデータ化して見られるようになったとして、画期的な大会となった。

同時に、誤審を防ぐために導入されたＶＡＲ（Video Assistant Referee: ビデオ補助レフリー）も注目を浴びた。ビデオを精査した結果、ジャッジが覆り、試合展開にも影響を与えた。今後、ＶＡＲが「抑止力」となり、ファウルや、ファウルを受けたふりをする「シミュレーション行為」は減ってくると見込まれる。人の目は欺けても機械は欺けない、

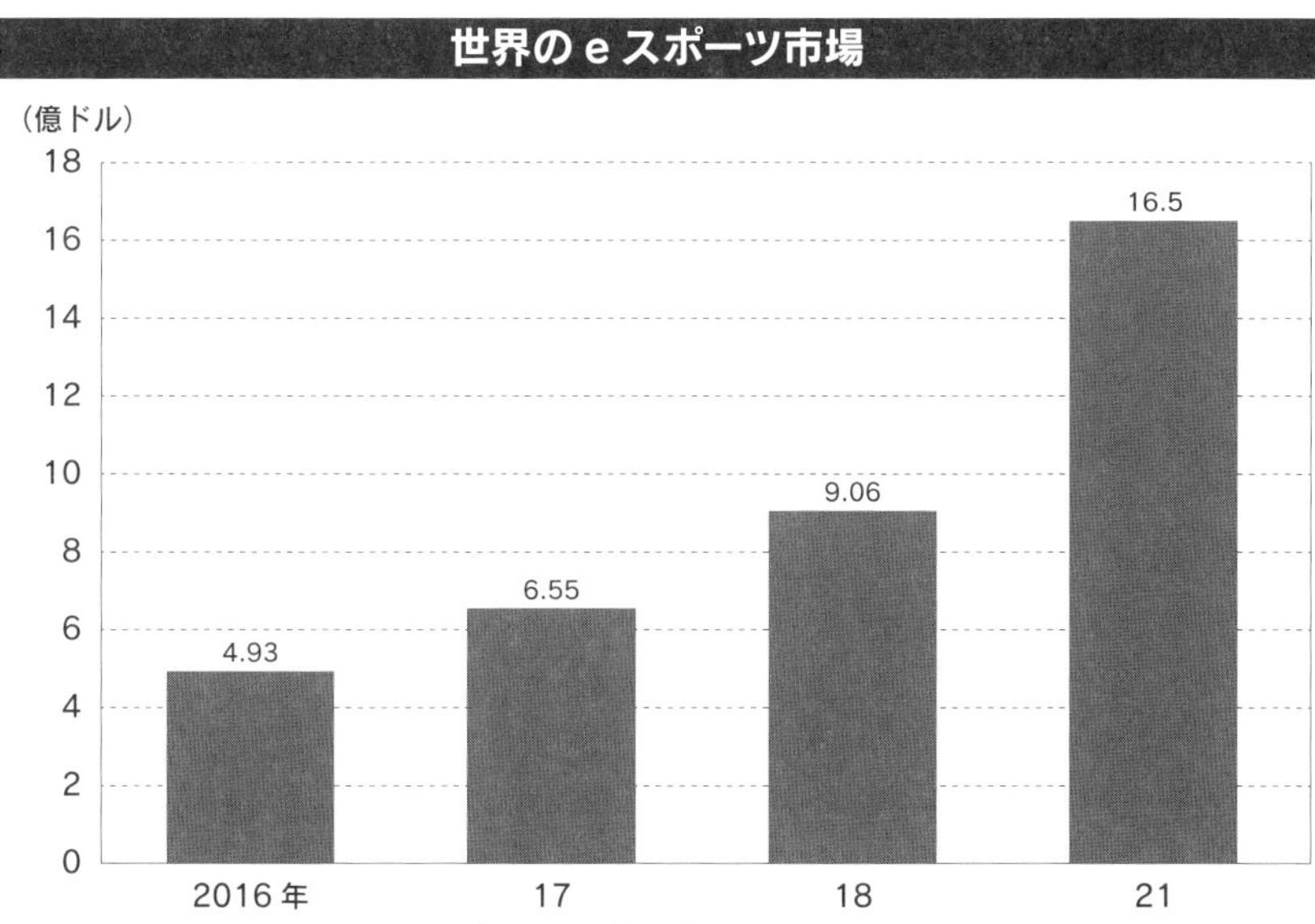

NewZoo「Global Esports Market Report」をもとに作成。21年は見込み

と認知され始めている。

サッカーに限らず、テニスや相撲や柔道など、ビデオ判定が取り入れられる競技は拡大していくと見込まれ、機械が勝敗を左右する場面も増えるにちがいない。少なくとも、誤審で涙を呑む選手が減ることは望ましいだろう。

スポーツに関連して、別の次元で盛り上がりを見せるのが「ｅスポーツ」である。オンラインでつながったビデオゲームの総称で、離れた場所にいる相手とも対戦できるのが特徴である。ＫＤＤＩやコナミ、イオンなどが取り組みを進め、市場は急拡大の兆しを見せる。ただ、日本ではまだ認知度が低いのが現状である。ＶＲやＡＲの技術進歩がｅスポーツの人気を押し上げるだろう。

日常にあふれるAI・5G

——家に街に、買い物に仕事に、人に

▼広がる可能性

ＩｏＴが生活の隅々に行き渡るようになり、衣料品や雑貨に至るまで、ネットでつながるようになる。あらゆるものが電装され、家電の定義さえ揺るがしかねない勢いで普及していく。

ニューヨーク市は街中に「ＬｉｎｋＮＹＣ」というＩＣＴサービスがあり、Ｗｉ−Ｆｉを使えたり、スマホやタブレット端末を充電したり、電話したりできる。サービスは無料で、地図を調べられる大型の画面はデジタルサイネージになっている。市内に少なくとも７５００基が順次設置されていく。

LinkNYC　2020年、筆者撮影

交通面では、ＥＶの普及に伴い、急速充電のサービスも街中に増えると見込まれる。将来的にはワイヤレスで給電する仕組みが実現するかもしれない。渋滞の予測などにもＡＩやビッグデータが使われ、

今後一層の活用が期待されている。

同時に橋や道路などの社会インフラの修繕や災害への備えにも、ITが駆使される。ドローンの活躍の場も広がっている。

▼スマートホーム――核となるAIスピーカー

温度や照明の調節、施錠といった操作をスマートフォンやウエアラブル端末で行えるスマートホーム、家の隅々に微小なチップが組み込まれ、要所要所にセンサーが配置される。

アマゾンの「Echo（エコー）」や「Google Home」といったAIスピーカーがスマートホームの中核を成す。

また、家の電気を賢く使って省エネにつなげるHEMS（Home Energy Management System：住宅用エネルギー管理システム）では、WiFiやブルートゥースモジュールのほか、従来の電力メーターから置き換えが進む「スマートメーター」など、住宅の電化、デジタル化は一層進んでいる。

IDCが2019年に発表したスマートホームデバイスに関する予測によると、世界の出荷台数は19年に前年比23・5%増の8億1500万台、23年には13億9000万台以上に達し、19～23年の年間平均成長率は14・4%と高成長を続ける。特に、アマゾンの「ファイアTV」などの「ビデオエンターテイメント」が19年に3億3980万台と多く、「ホームモニタリング／セキュリティ」が1億5660万台、「スマートスピーカー」が1億3480万台と続いた。国・地域別では米国が最も多く、19～23年の年間平均成長率も9・5%に上るとみられ、続く2位の中国は同22・6%と急成長が見込まれる。

スマートホームでつながる先、冷蔵庫やエアコンなどは今後ますますAIと連動し、使い勝手が良くなっていくだろう。それにしたがって各製品に組み込まれるセンサー、ICの数は飛躍的に増えていく。各家電に特徴的なものを挙げれば、冷蔵庫なら自動製氷機、洗濯機なら水量センサーが組み込まれている。お掃除ロボットもある種のAIが搭載されている。

従来の家電の域を超え、照明器具もIoTでネッ

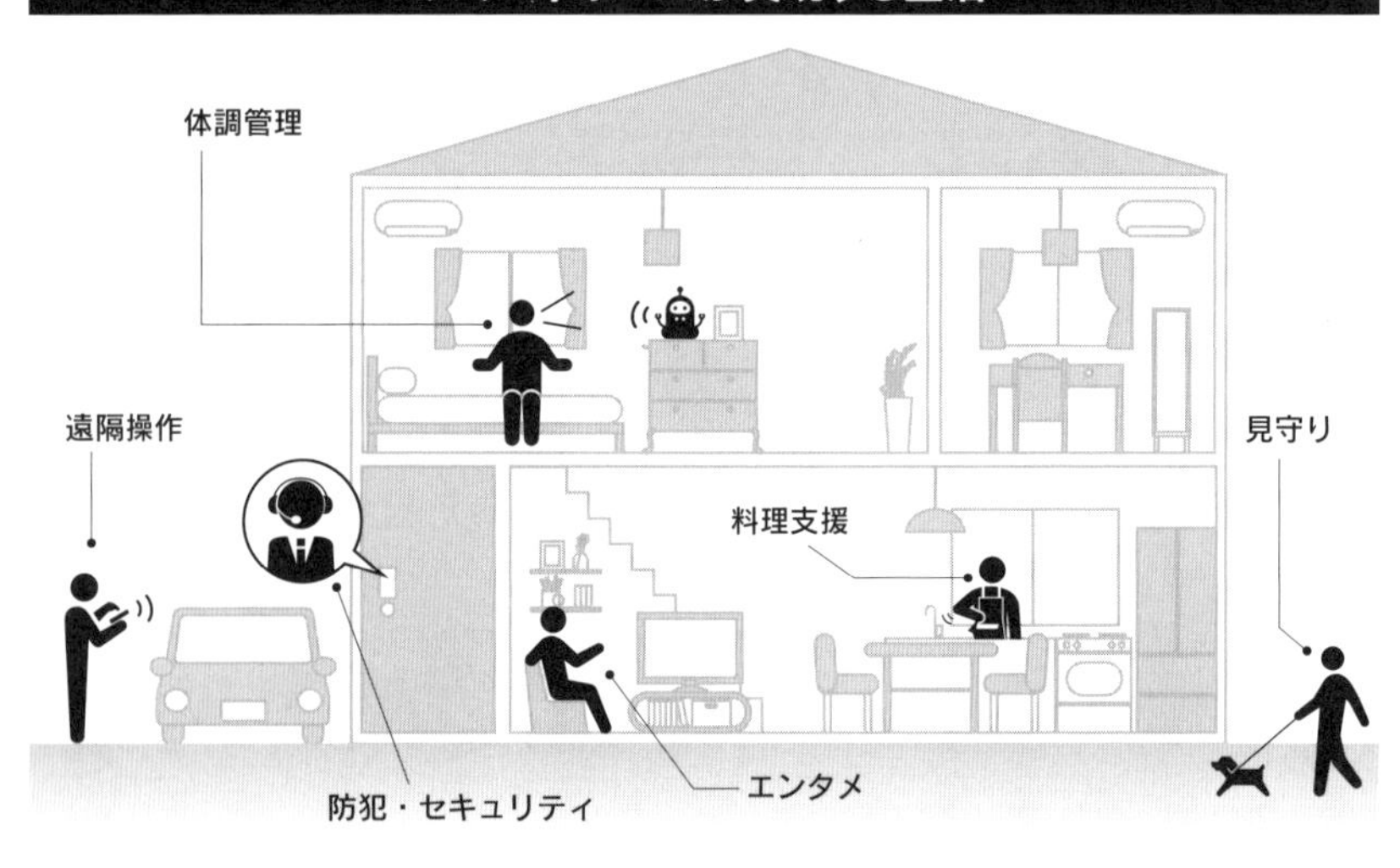

JEITA・JEMA「スマートホームで暮らしが変わる」をもとに作成

トの世界とつながるようになった。ミネベアミツミのＳＡＬＩＯＴは、名前にＩｏＴが入っている通り「超薄型レンズに代表される光学技術と、モーター・電源・無線と複数の異なる製品と技術を集約した未来の照明」と謳う。光量は勿論、光の広がる角度も調節でき、さまざまなシーンを演出できるという。ブルートゥースを搭載し、遠隔で操作できる。

　そうした据え置き型の製品以外にも、身近なところからＩｏＴの採用は進んでいる。衣料品は今後、ますます導入が進む分野の1つで、リーバイスはグーグルと組み、導電性の繊維を用いたジャケット「Jacquard by Google」を開発した。袖口がタッチスクリーンとして機能し、ダブルタップすると、イヤホンを通じて音声が聞こえる、といった仕組みである。東レとＮＴＴも、着ていると生体センサーで心拍数を計れる機能素材「ｈｉｔｏｅ」を開発、応用して平常時と異なる心拍の検出による体調変化の恐れを知らせる見守りサービスのアプリも考案した。

　子どもの見守りにも相性が良い、流通大手イオンの20年版ランドセルは、ＧＰＳを活用した見守りサービス「みもり」も付けられる。スマホのアプリと連動する。

▼スマートシティ――未来の街のかたち

スマートホームのように、省エネ効率に優れ、災害にも強い――。そんな街は「スマートシティ」と呼ばれ、00年代以降、実証実験を経て徐々に実現の道を歩み出した。スマートコミュニティ、スマートタウンも似た意味合いで使われる。

トヨタ自動車は20年のＣＥＳで、静岡県裾野市の工場跡地を利用したスマートシティの構想を打ち出し、21年に着工を予定している。「コネクテッド・シティ」と位置付けて実証実験を行い、当初はトヨタ従業員や関係者２０００人ほどが暮らす計画を持つ。自動運転やコネクテッドカー（つながる車）の走行環境を整え、地下には巨大な自動配送システムを用意し、ＣＡＳＥのトレンドを象徴する都市になる。またトヨタはＮＴＴと資本提携すると20年3月に発表、狙いの1つはスマートシティだった。

同じく、工場跡地を活用したパナソニックなどの「Tsunashima サスティナブル・スマートタウン」は、野村不動産や慶応大学、アップルが参画し、18年に神奈川県横浜市の綱島にオープンし、賑わいを見せる。

また、19年にはオムロンが子会社のオムロンソーシアルソリューションズ（東京）を通じて京都府舞鶴市と「ビッグデータ＋ＡＩに見守られた安心安全な街の実現」などを掲げ、スマート社会に向けた携協定を結んだ。17年には村田製作所も、ソフトバンク、京都府と共に「スマートシティ化促進プロジェクト」を立ち上げた。ソフトバンクがＩｏＴネットワークとソリューションを、村田製作所がＩｏＴに必要な通信モジュールやデバイスを提供する。

ＩＤＣが19年2月に発表した調査によると、世界のスマートシティ関連の支出は19年に18年比17・7％増の９５８億ドルに達する。特にシンガポール、ニューヨーク、東京、ロンドンは10億ドル以上の投資が見込まれ、活況を呈している。

市場動向

5 広がる半導体の使い道と需要

――強まる通信用ICの需要、車載用も伸び

▼19年は受難

本章最後に、ICをはじめとする半導体の市場動向を確認していく。これまで見てきたAI、IoT、5Gのいずれにも、多かれ少なかれ半導体が関係し、その需要は中長期的に高まっていくとの見方が大勢を占める。

2019年12月に公表されたWSTS（World Semiconductor Trade Statistics; 世界半導体市場統計）によると、販売額に基づく19年の世界市場の予測は前年比12・1％減の4121億ドルと落ち込んだ。DRAMなどの価格下落が響き、大幅なマイナスを記録した。

20年の動向について、シンクタンクなどの各種レポートは当初、在庫調整の進展に加え、スマホの高機能化などが需要を下支えして前年比2桁成長を予測するものが多かった。しかし新型コロナウイルスの感染拡大に伴う世界的な景気悪化を受け、見通しは大きな下方修正を迫られている。

市場調査を手掛ける米ガートナーは、20年の世界の半導体売上高を前年比12・5％増としていた従来の予想から一転、0・9％減少するとの予想を20年4月に公表した。他社の調査でも20年予想の下方修正が相次いでおり、厳しい見方が先行している。

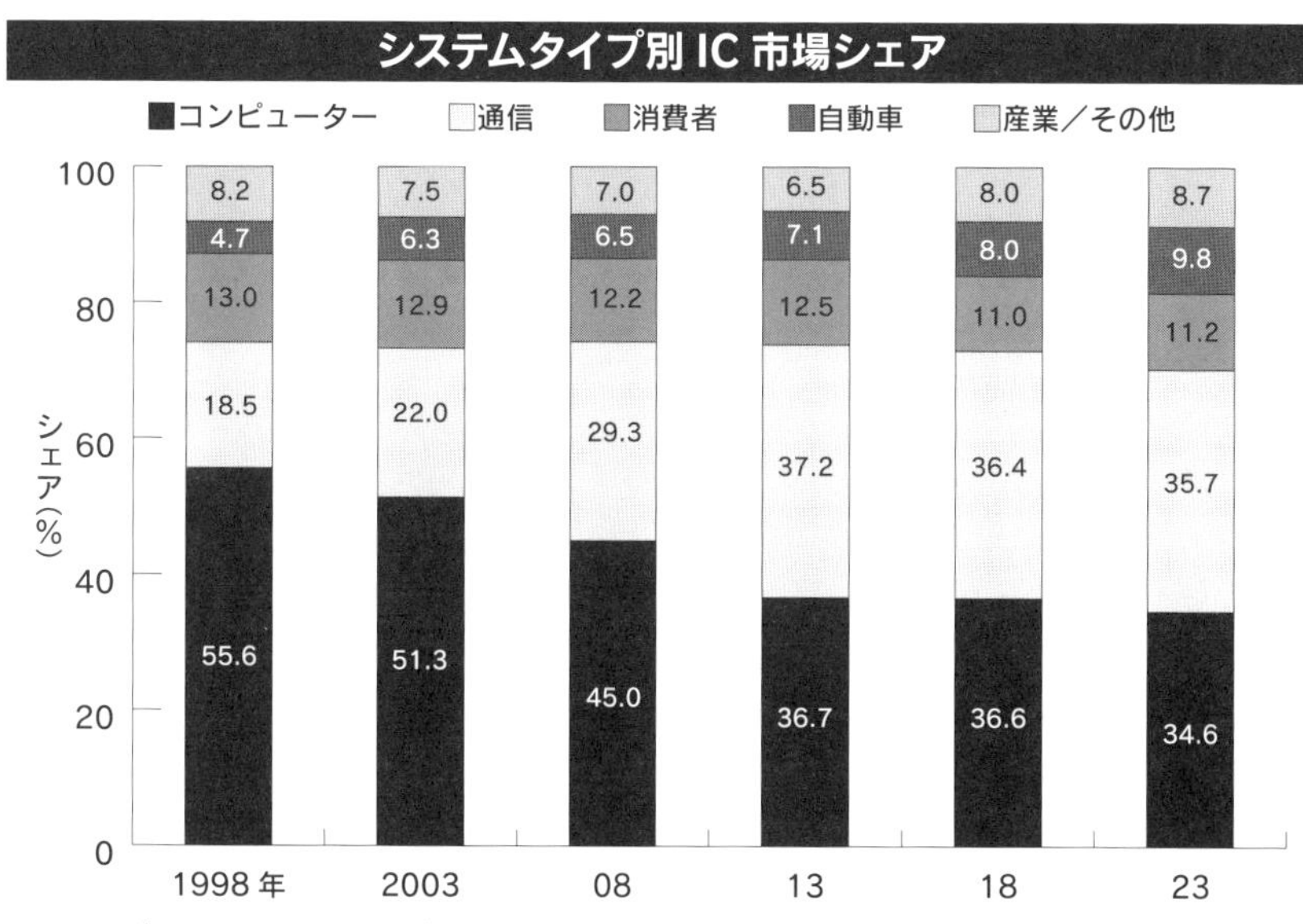

IC Insights「2019 McClean Report」をもとに作成

　また、半導体などの市場調査を手掛ける米ICインサイツは、19年6月に更新したレポートで、過去20年ほどのICの用途別のシェアの推移を示した。1998年は、コンピューター向けが55・6%、2003年も51・3%と過半数を占めた。ただ、徐々にコンピューター向けのシェアは低下傾向を辿り、18年には36・6%まで下がり、23年には34・6%になると予測される。

　対照的にシェアを広げているのが、通信向けのICである。1998年の18・5%から次第にシェアを広げ、2013年には37・2%と一時、コンピューター向けを追い抜いた。23年には35・7%と見込まれ、通信向けICが最多のシェアとなる。さらに自動車の電化のトレンドを受け、車載用ICもシェアを広げる。ただ、車載用ICのシェア全体はまだ10%に満たず、IC全体の成長を押し上げるほどの影響力はない。

▼メモリが堅調

　一方、富士キメラ総研は、イメージセンサーやM

半導体デバイス20品目の世界市場

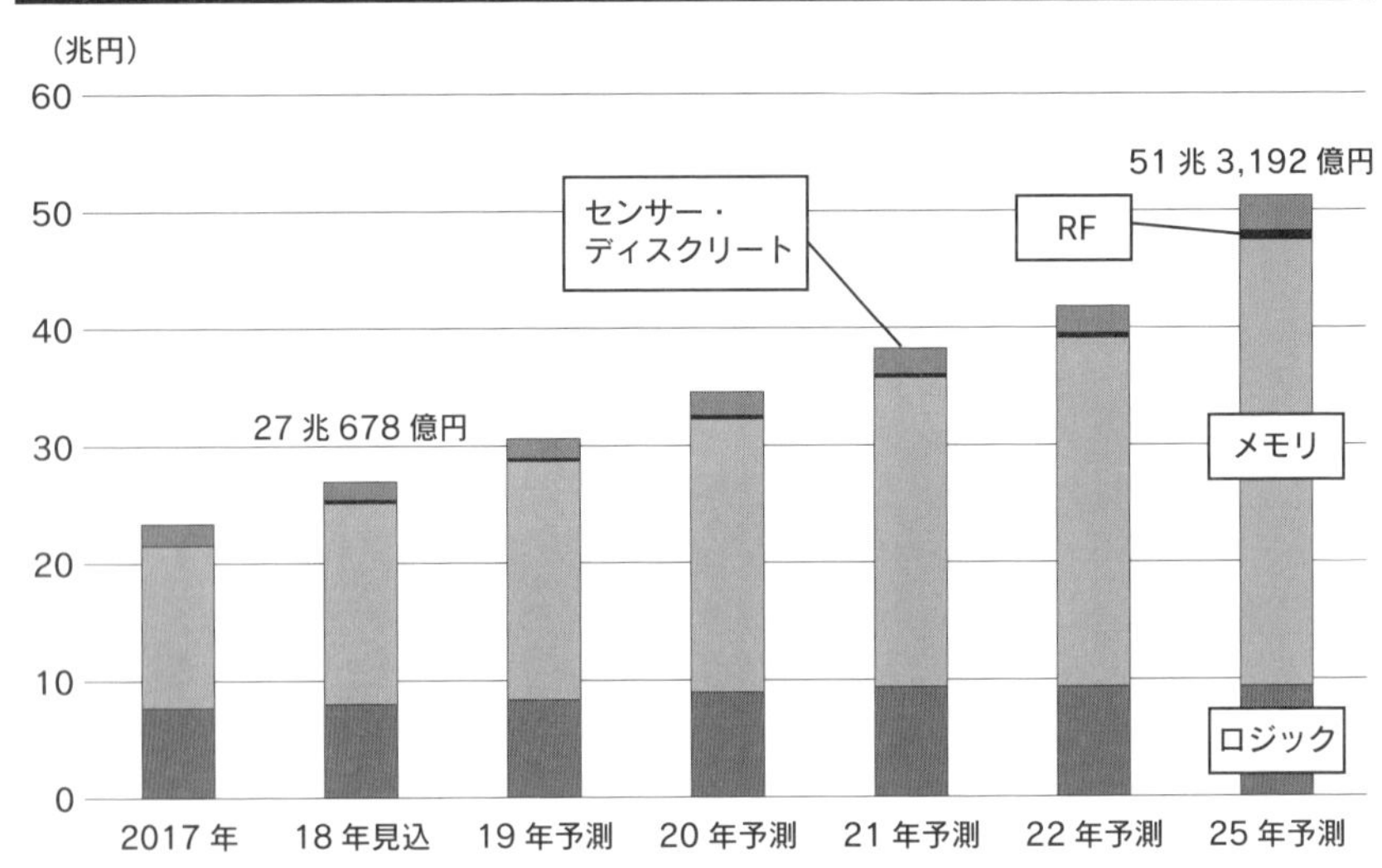

出典：富士キメラ総研「2018 先端／注目半導体関連市場の現状と将来展望」

ＥＭＳ、ゲーミング用ＧＰＵといった次世代型産業に必要な半導体デバイス20品目の市場を18年に予測した。18年の27兆６７８億円から25年には51兆３１９２億円となり、市場は２倍近くに拡大すると見込まれる。

内訳はＤＲＡＭ（１５４ページ参照）などのメモリが大半を占め、25年には市場全体の約74・１％、38兆１９１億円と予測される。ロジック関連（１５７ページ参照）も車載ＳｏＣの需要に支えられ、25年に全体の18・４％に当たる９兆４６３８億円と見込まれる。

Chapter 4
IC産業の最新動向

1

活況を呈する電子情報産業

――市場規模は過去最高更新

▼2020年は3兆ドルへ

半導体やディスプレイデバイスなど、電子情報産業の世界生産額は左図に示す通り、過去10年余り平均して年率約3～4％成長していることになる。リーマン・ショックによる２００９年の一時的な落ち込みなどはあったものの、ほぼ一貫して右肩上がりに伸びてきた。

この拡大傾向は、世界的なＡＩ、ＩｏＴ、デジタルトランスフォーメーションの普及、自動車や街の電化、工場の省力化、新興国の成長を背景に当面続くと見込まれる。

ＪＥＩＴＡによると、電子情報産業の世界生産は19年に２９２兆ドルと過去最高額になる。３兆ドルの大台に乗ると18年時点では予測されていたが、米国と中国の貿易摩擦（２０１ページ参照）や中国の景気減速に伴い、１％余りの微増にとどまる。

20年は各国で本格化する次世代通信システム「５Ｇ」のサービスや、それを通じた製造や公共の分野でのＡＩ、ビッグデータの利活用の拡大により、世界生産額は19年比５％増えて初めて3兆ドルを突破する見通しだった。ただ、これは新型コロナウイルスの感染が拡大する以前の予測であり、パンデミックが世界中にもたらした未曾有のマイナス影響を織

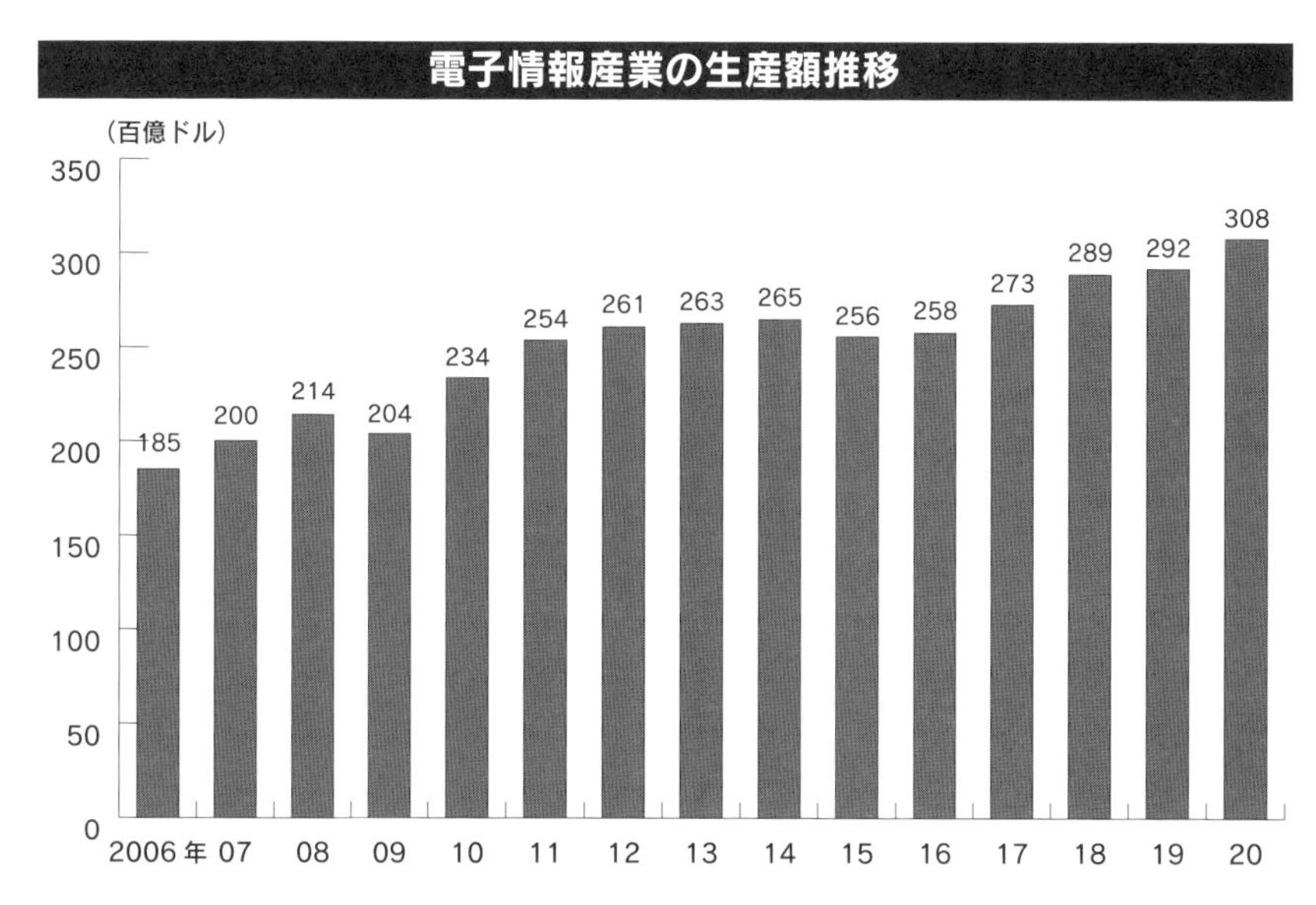

JEITA「電子情報産業の世界生産見通し」をもとに作成。19年は見込み、20年は見通し

り込んでいないことに留意が必要である。

3兆ドルが一体どれほどの規模か、近いものを見てみる。00年以降著しく増えてきた中国の外貨準備高が3兆ドル強である。また、その存在を知らない人がほとんどいないほどの巨大IT企業のグーグル、アップル、フェイスブック、アマゾン・コムの頭文字を取った総称「GAFA（ガーファ）」、4社の時価総額の合計が約3兆9000億ドルとされる。「ブロックチェーン」（21ページ参照）が年間に生み出す事業価値は30年までに3兆ドルを超すと、ガートナーが予測している。

このように言えば、規模の大きさが多少伝わりやすいだろうか。

▼大きく伸びる各分野

20年の世界生産の内訳は、テレビやスマートフォン、コンピュータなどの「電子機器」が1兆2902億ドルと40％余りを占め、それらの構成部品となる「電子部品・デバイス」が7914億ドルで26％、残り30％余りはソフトウェアなどの「ソリューショ

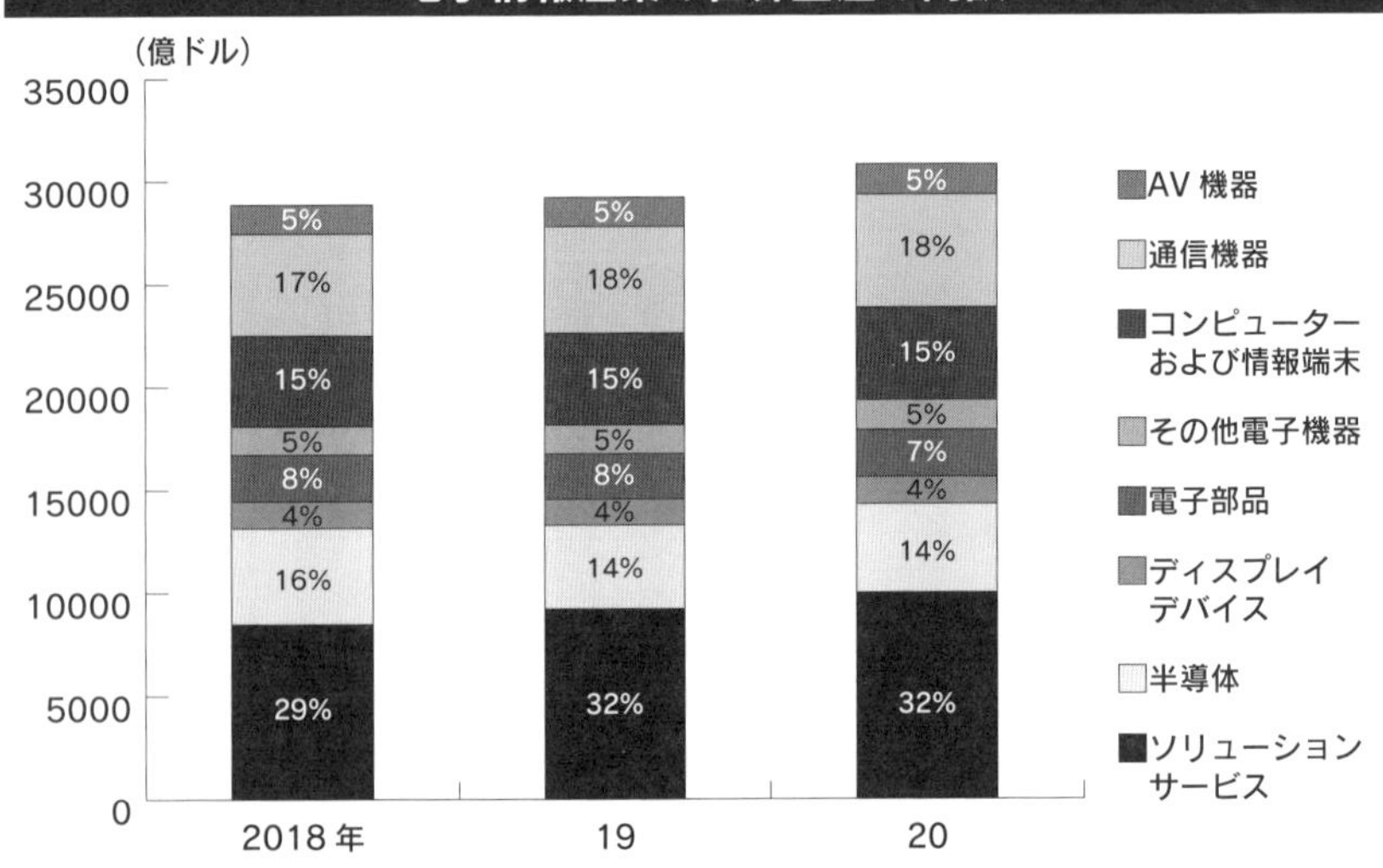

JEITA「電子情報産業の世界生産見通し」をもとに作成。19年は見込み、20年は見通し。
小数点以下四捨五入により合計が100%にならない場合がある

ンサービス」で９９９２億ドルの見通しである。

さらに細かな産業別の規模をみると、「電子機器」のうち「通信機器」が５４７１億ドル、「コンピュータおよび情報端末」は４５１３億ドル、「電子部品・デバイス」のうちＩＣ（Integrated Circuit; 集積回路）を中心とする「半導体」が４３３０億ドル、「電子部品」は２２７８億ドル、「ディスプレイデバイス」は１３０６億円と推定されている。

10年前に比べると、ＡＶ機器を除く全ての分野が伸び続けている。半導体を含む電子部品の全体像や分類は章末（１０５ページ）で確認する。

2 移ろう半導体の勢力均衡

——日本の凋落と米国の復権、アジア勢の成長

▼日の丸半導体の盛衰

世界の生産額が伸長する一方、かつて隆盛を誇っていた日本勢は存在感を薄めつつある。電子情報産業の世界生産における日系企業の合計額は、２０１９年に前年比３％減の３４２８億ドルと見込まれ、10年の４８４３億ドルをピークに減少傾向が続いている。

世界全体に占める日本勢のシェアも10年の21％から19年は12％と9ポイントの低下となる。

次ページのグラフの通り、分野別でも同様に世界シェアを落としている製品群が多い。中でも大きく減退している1つはＩＣ、半導体産業である。半導体は20％超あった10年前から低下傾向を辿り、かろうじて10％をキープしている。かつては世界シェアの半分を占め、「日の丸半導体」と持て囃（はや）されていたが、トップを独走していた当時の輝きは失われつつある。

同様の傾向を辿っているディスプレイデバイスに加え、ＡＶ機器やコンピューターも軒並み低下の憂き目に遭っている。

唯一善戦する電子部品産業は、19年でも依然37％のシェアで世界首位の座を死守している。堅調さを背景に、電子部品メーカーが半導体会社を傘下に収

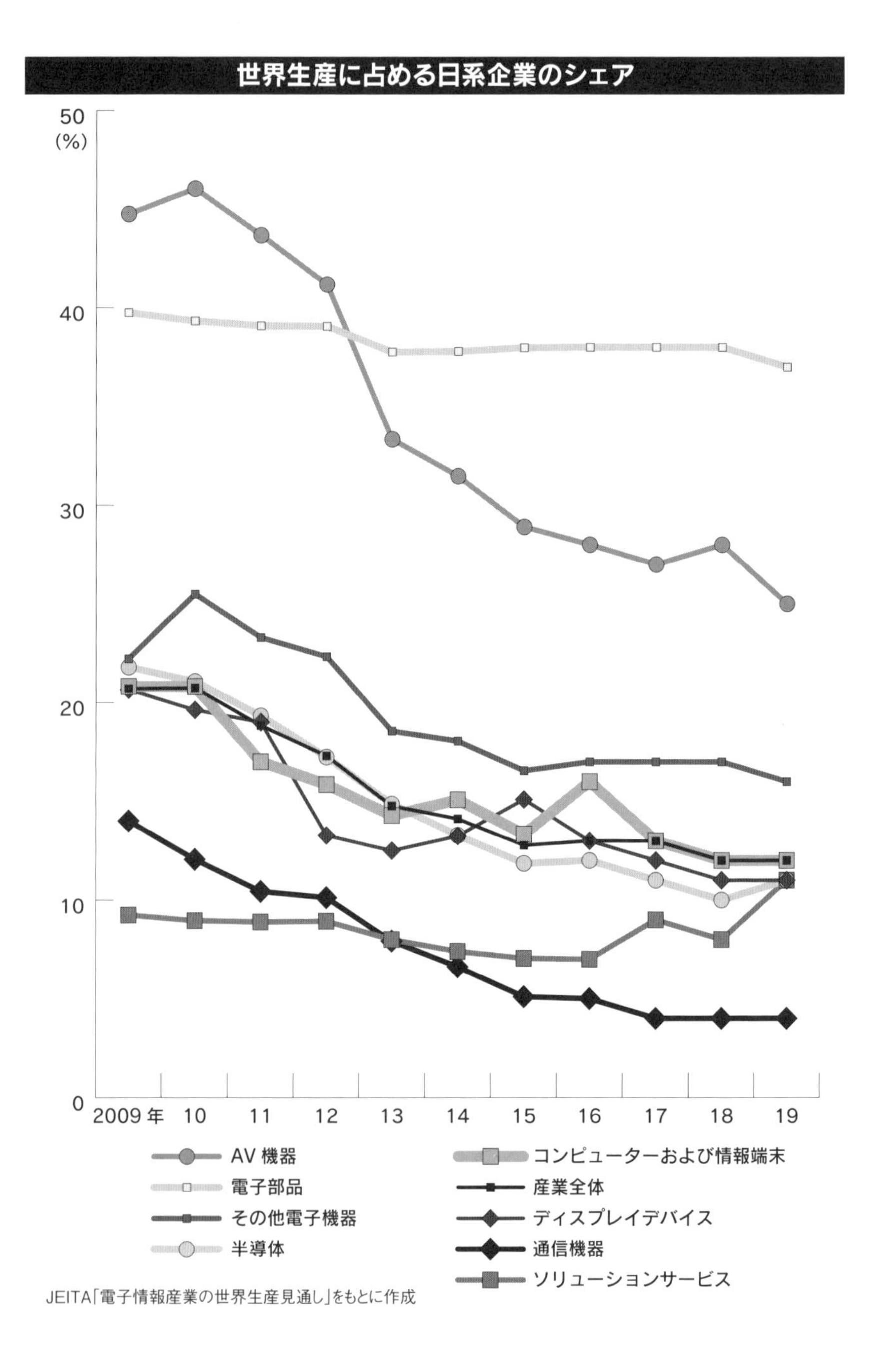

JEITA「電子情報産業の世界生産見通し」をもとに作成

半導体売上高の推移

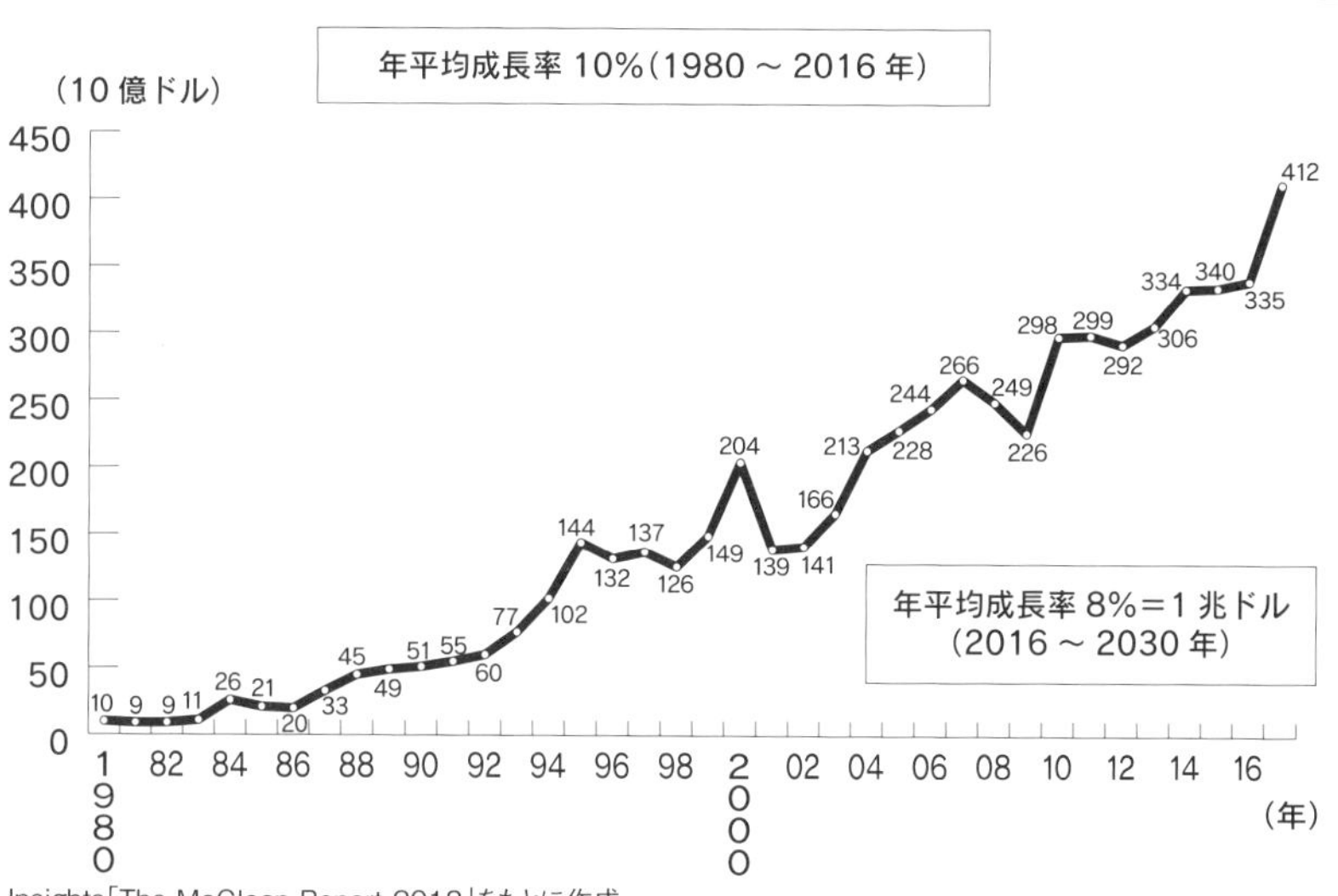

IC Insights「The McClean Report 2018」をもとに作成

めたり、事業買収したりする事例が目立つようになってきた。

電子部品業界を取り巻く環境については拙著『電子部品業界大研究』（弊社刊）を参照されたい。

▼年率10％の成長市場

日本のシェアが低下する中、半導体の世界生産や売上高は過去半世紀にわたり、ほぼ一貫して右肩上がりに伸びてきた。民間調査会社、ＩＣインサイツ（米アリゾナ州）によると、１９８０〜２０１６年の世界の半導体市場は平均して年率10％で伸び、40兆円を上回る規模に成長した。16〜30年も年８％の成長が見込まれる。

一方で半導体業界には、「シリコンサイクル＊」と呼ばれる特有の景気循環があり、好景気、特需に沸いて

＊シリコンサイクル
需要と供給の変化に伴う半導体業界特有の景気循環。ITの技術革新などにより半導体の需要が高まり、供給が追いつかなくなると、半導体メーカー各社は巨額の設備投資などを行うが、量産体制が整う頃には需要が一服して供給過剰に陥るといった流れ。一般に、2年の好況の後に2年の不況が訪れ、4年ごとのサイクルを繰り返すとされる。

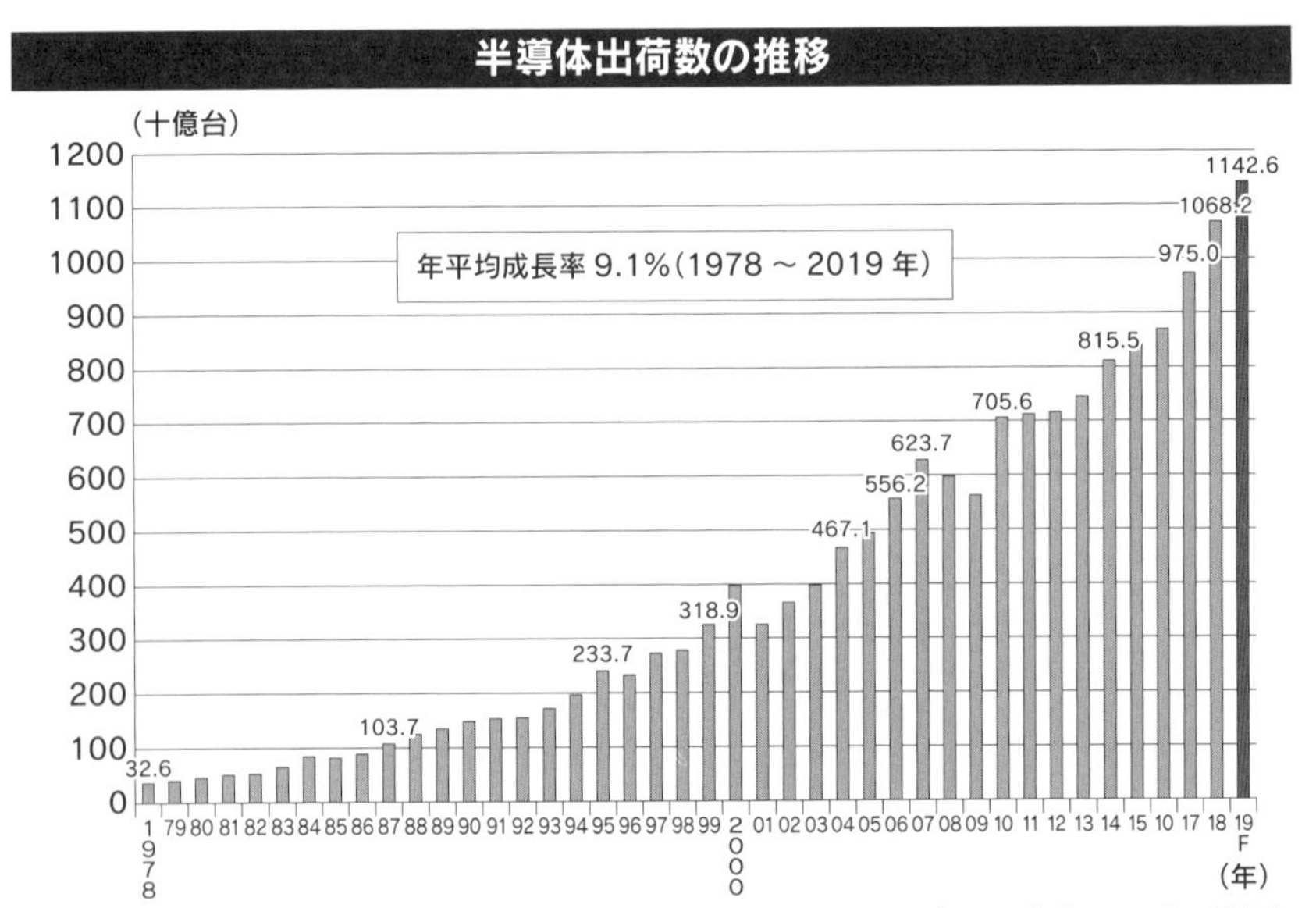

IC Insights「The 2019 McClean Report: Tracking Semiconductor Unit Growth」をもとに作成。2019 年は予想値

いたかと思えば、翌年には一転、不況に陥るといった激しい変化に見舞われる。そうした中で技術革新を続け、年平均10％の成長を続けてきた稀有な業界でもある。

19年はシリコンサイクルを加味しながらも、当初2％余りの成長が見込まれ、楽観視されていた。しかし米中貿易摩擦の激化に伴い、華為技術（ファーウェイ）がトランプ米政権の標的となり、米企業の取引を実質禁止されるなど、半導体産業全体の需要に大きな影響が出た。データを保存する記憶装置「メモリ」の価格下落が年明け以降、一層大きくなったことも踏まえ、調査を手掛ける主な企業や機関は相次いで予測を下方修正した。結果的に19年の市場規模は前年比で2桁のマイナスとなった。

一方で20年は、米中貿易摩擦の火種がくすぶり続けるものの、実需の面は底打ち感があることから、回復傾向を辿るとの見方がもっぱらだった。各国における5Gサービスの本格化やIoTの導入拡大、それらに必要なデータセンターの整備に伴い、半導体の需要は底堅いとの見方が大勢となっていた。

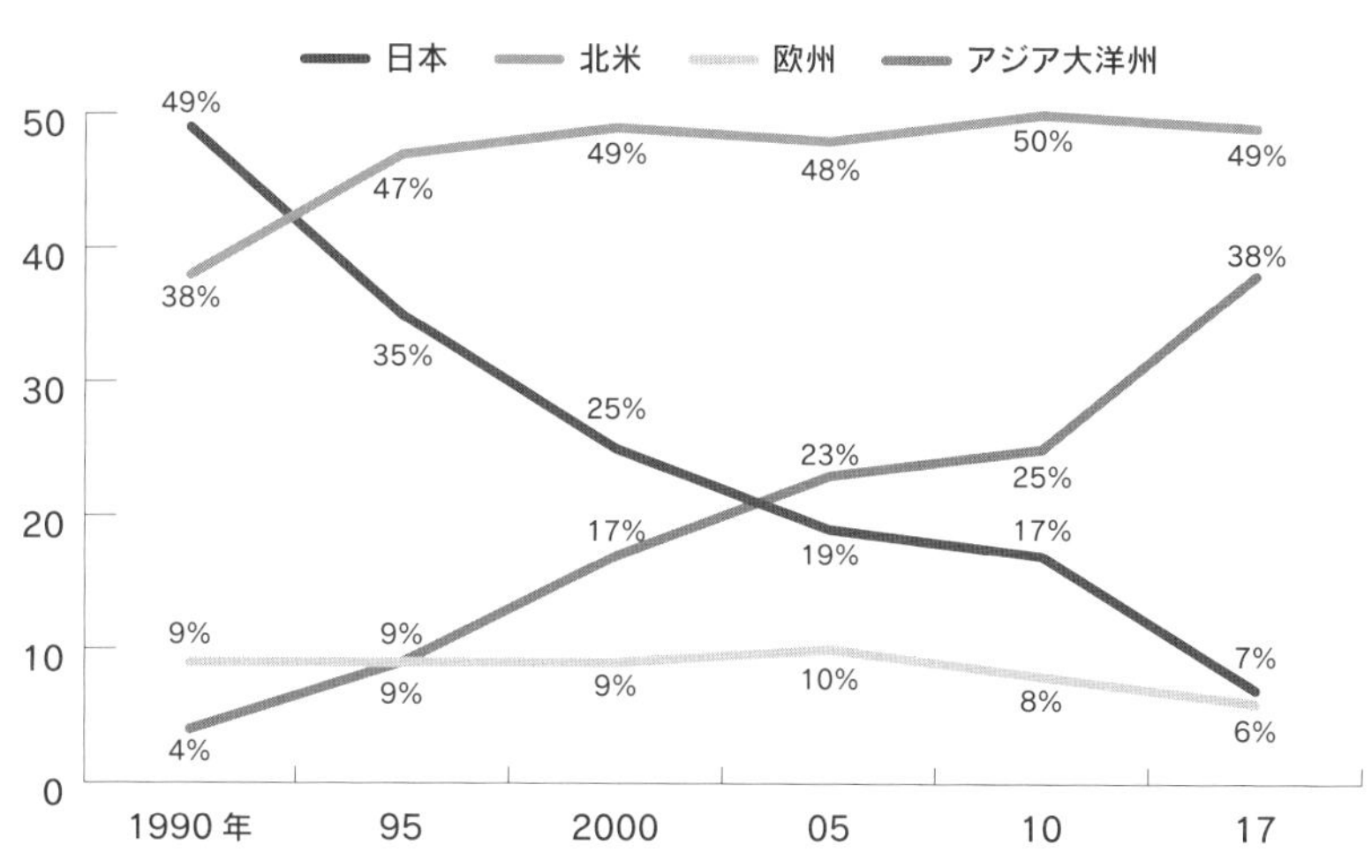

出典：IC Insights「IC Sales Marketshare by Company Headquarters Location」。
半導体メーカーの本社がある国・地域ごとに集計したシェア。ファウンドリーは含まない

一方で年明け以降、新型コロナウイルスの感染拡大に伴う大幅な景気悪化を受け、見通しはかなり不透明となった。ただ、パンデミックの収束後、さらに中長期的には、車載や医療、工場効率化などの分野での引き合いが強まり、堅調な需要の伸びが期待される。

▼交代を繰り返す主役

半導体産業は、その産声を上げた米国が市場の創出と拡大、技術革新に重要な役割を果たしてきた。ただ、その市場の先頭を走るプレーヤーは、幾度となく変遷している。

大まかな流れとしては、発祥地の米国を、技術力と価格競争力を備えた日本が抜いて首位に立った。しかし「日米半導体協定」（116ページ参照）の締結をもって再び米国が盛り返す。日本はバブル崩壊も相まって主役の座から転げ落ち、長い低迷期に突入、その間に中韓台のアジア勢が攻勢を強める、というような経過だった。

日本と、日本を除くアジア・大洋州の市場シェア

は、ちょうど反比例するような形で推移してきた。すなわち、１９９０年に49％あった日本のシェアは２０１７年に７％まで低下の一途を辿った。一方、日本を除くアジア・大洋州は４％から38％にシェアを広げてきたことが分かる。

近年は米韓の企業が首位争いを繰り広げ、19年は米インテルが韓国のサムスン電子から再び首位を奪還した。こうした中、日本は蚊帳の外、とは言わないまでも、かつて１９８０年代に世界一の生産量を誇り、「日の丸半導体」として世界に名を馳せていた当時に比べると、凋落ぶりが際立つ。その有りようを、「なぜ日本の半導体産業は落ちぶれたのか？」（Why Did Japan's Semiconductor Industry Fall?）などと半ば皮肉的に分析して報じる海外メディアも散見される。

日米半導体協定により競争力が削がれたことに加え、半導体の生産体制が垂直統合型から水平分業型（１０１ページ参照）へと大きく変わった世界的な潮流に乗り遅れた点も、日本の半導体メーカーの傷口を広げる原因となった。

過去の栄光、成功体験から抜け出せず、抜本的な対策にすぐに取り掛かれなかった。次章で詳しく見ていく。

3 サイズは縮小、機能は拡充

――限界への挑戦、異次元の「ムーア」成るか

▼半導体事始め

半導体は1947年、電話を発明したグラハム・ベル（Graham Bell）によって設立された通称「ベル研」（ベル研究所、米ニュージャージー州）でのトランジスタの発明が本格普及の始まりとされる。

当時、全米で進められていた電話通信網の整備のため、電気信号の増幅などに真空管が使われていた。しかし耐久性や小型化に難点があり、それらを克服する代替製品が待たれていた。開発の指揮を執ったのは後に「トランジスタの父」と呼ばれるウィリアム・ショックレー（William Shockley）だった。開発に当たったジョン・バーディーン（John Bardeen）と実験物理学者ウォルター・ブラッテン（Walter Brattain）の2人と共に56年、ノーベル物理学賞を受賞している。

画期的な発明品だったトランジスタは、時代の要請に合わせて劇的に小型化、高性能化を遂げてきた。その形態は、Chapter6で後述する通り、ICやLSI（大規模集積回路、152ページ参照）と規模や機能を拡張しながら採用先を広げてきた。初期にはラジオ、電卓、デジタル時計、VTR（ビデオ・テープ・レコーダー）、テレビゲーム、ワープロ、そしてパソコン、携帯電話、スマホ、タブレット端

半導体の用途

トランジスタ
ラジオ
電卓
時計
VTR
テレビゲーム
パソコン
携帯電話
シリコン
トランジスタ
IC
LSI
VSLI
USLI
CSP/MCP
システム LSI
1950
1960
1970
1980
1990
2000
2010 年～

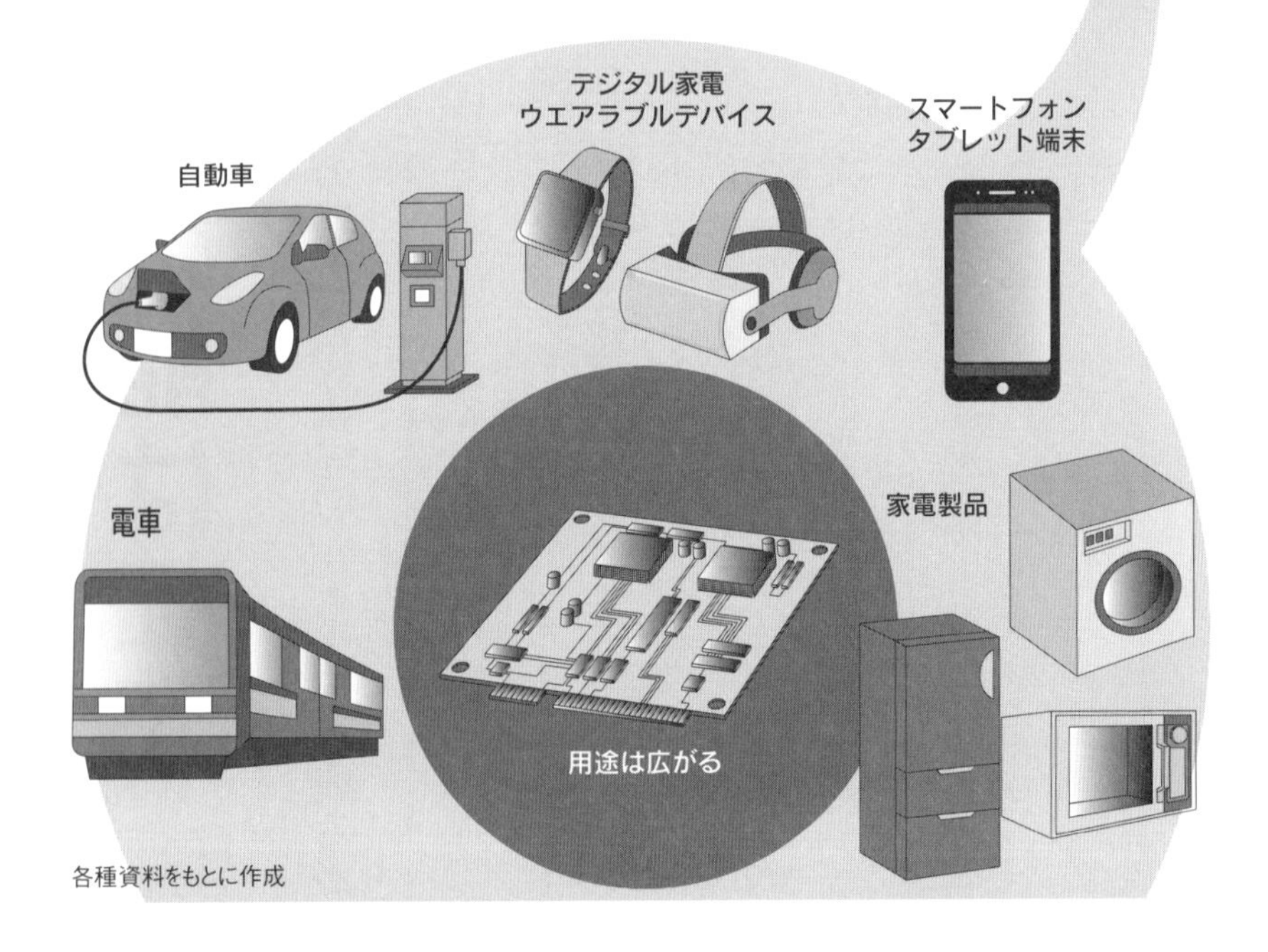

各種資料をもとに作成

末と多岐にわたる。

採用範囲は電子機器の枠を超え、家電や自動車、医療、エネルギーといった分野へと広がってきた。今後、AIやビッグデータ、IoTのさらなる普及に伴い、森羅万象と言っていいほど、衣類や冷蔵庫内の食品に至るまで、ありとあらゆる「モノ」がセンサー、データ通信を通じて直接、間接に半導体を活用したサービスの対象になり得る。

まさに、インテルの事業内容として記載されている通り、「人々の仕事と生活をさらに豊かにする」使命を、半導体は果たしてきた。また、その実現に当たって多大な貢献をしてきた日本企業の存在も忘れてはならない。

▼部品の微細化と高性能化

日本で半導体産業が興るのは50年代、特に白黒テレビ・冷蔵庫・洗濯機の「三種の神器」が普及し始めた電化元年以降である。

日本における家電産業の夜明けを象徴する製品の一つはラジオで、その中核を成す部品、能動素子（105ページ参照）は真空管だった。テレビに比べて安く、また真空管やスイッチの部品を集めて自作できることから、大衆娯楽として人気を呼んだ。作り方などを紹介する雑誌『初歩のラジオ』（誠文堂新光社）、『模型とラジオ』（科学教材社）も50年前後に相次いで創刊され、それぞれ「初ラ」、「模ラ」として親しまれた。その熱狂的な愛読者らはラジオ作りに入れ込み、「少年技師」と呼ばれるようになる現象も生まれた。彼らが高度経済成長期に普及した家電の製造現場を支えていくきっかけともなった。

最初期のラジオに使われていた代表的な真空管の大きさは、高さ約12・5センチ、直径約3・8センチで、スイッチを入れた後にヒーターが熱くなるのに20秒かかったという。それがトランジスタの登場により小型化に成功、54年に米国で売り出された。栄誉ある世界初のトランジスタラジオ発売に、タッチの差で及ばなかったのは東京通信工業、今のソニーで翌55年に販売を始めた。

ラジオと同様に、小型軽量化が進んだ製品にコンピューターがある。45年に登場したＥＮＩＡＣ（エニアック）

世界初の本格的コンピューター「ENIAC」

日本ユニシス株式会社提供

(Electronic Numerical Integrator and Computer) は世界最初の本格的なコンピューターで、完成まで1年6カ月の歳月と、5000万ドルの費用を要した。その労苦もさることながら、驚くべきはその大きさである。前述のような真空管を1万7468本、スイッチは6000個、電気を蓄えたり放出したりする電子部品のキャパシタ（コンデンサ）は1万個、抵抗器は7万個と膨大な量の部品を必要とし、160平方メートルの部屋に置かれた装置は計30トンに上った。

「微細化」と呼ばれる「部品は小さく、高性能に」という現代まで連綿と続く縮小指向は、ENIACが世に出た当初からの、言わば社会的要請であった。真空管などの能動部品は時代とともに技術が向上し、能動素子はトランジスタ、そしてICへと進歩してきた。

当時の真空管の大きさと比べると、現代のLSIは1000万分の1まで小さくなった。また、毎秒5000回の演算をできたENIACだが、日本が誇るスーパーコンピューター「京」はその10兆倍以上もの性能を持つとされる。京は2019年、惜しまれながらその役目を終えた。

▼等比級数的進化

ICを手掛ける世界最大手、米インテルの共同創業者、ゴードン・ムーア（Gordon Moore）氏が提唱し、長らく電子情報産業の通説となってきたのが、同氏の名を冠した「ムーアの法則」（Moore's Law）である。

ムーア氏が1965年に自身の論文上で示した、トランジスタの集積度は約2年で倍増するという経験則に基づく説は、およそ半世紀にわたり半導体業界の指針ともなってきた。ほぼこの「予言的な」説に従い、ICは微細化し、米アップルのiPhoneをはじめとする小型で精密な機器の発展を支え、文明の利器たらしめてきた。

幾度となく技術的な壁にぶち当たりながらも、それを乗り越えて微細化が進んできた。例えば2003年ごろ、チップの大きさは0・1マイクロメートル（100ナノメートル）が1つの壁とされていたが、現在はその10分の1、0・01マイクロメートル（10ナノメートル）より小さい7ナノメートルや5ナノメートルの製品が登場し始めている。

トランジスタのみならず、ICに搭載される抵抗器などの電子部品のチップも、精密且つ微細なものへと進化を遂げてきた。その速度は、1年後に2倍、2年後に3倍、3年後に4倍といった形ではなく、1年後に2倍なら、2年後に4倍、3年後に8倍といった等比級数的、指数関数的な長足の進歩だった。

ショックレーがトランジスタを発明し、真空管を使う場合の短所を克服した時から、この「軽薄短小」を目指す動きは社会的な要請や期待に裏打ちされた業界の使命、宿命であったとも言える。小型化、高性能化は業界の共通目標として既に定まっていた。

▼限界か、臨界点を超えるか

しかし近年は、こんな声も囁（ささや）かれるようになってきた。

「ムーアの法則は終焉（しゅうえん）を迎えた」

画像処理装置に強みを持つ大手半導体メーカーの

ムーアの法則に基づく半導体の集積度の推移

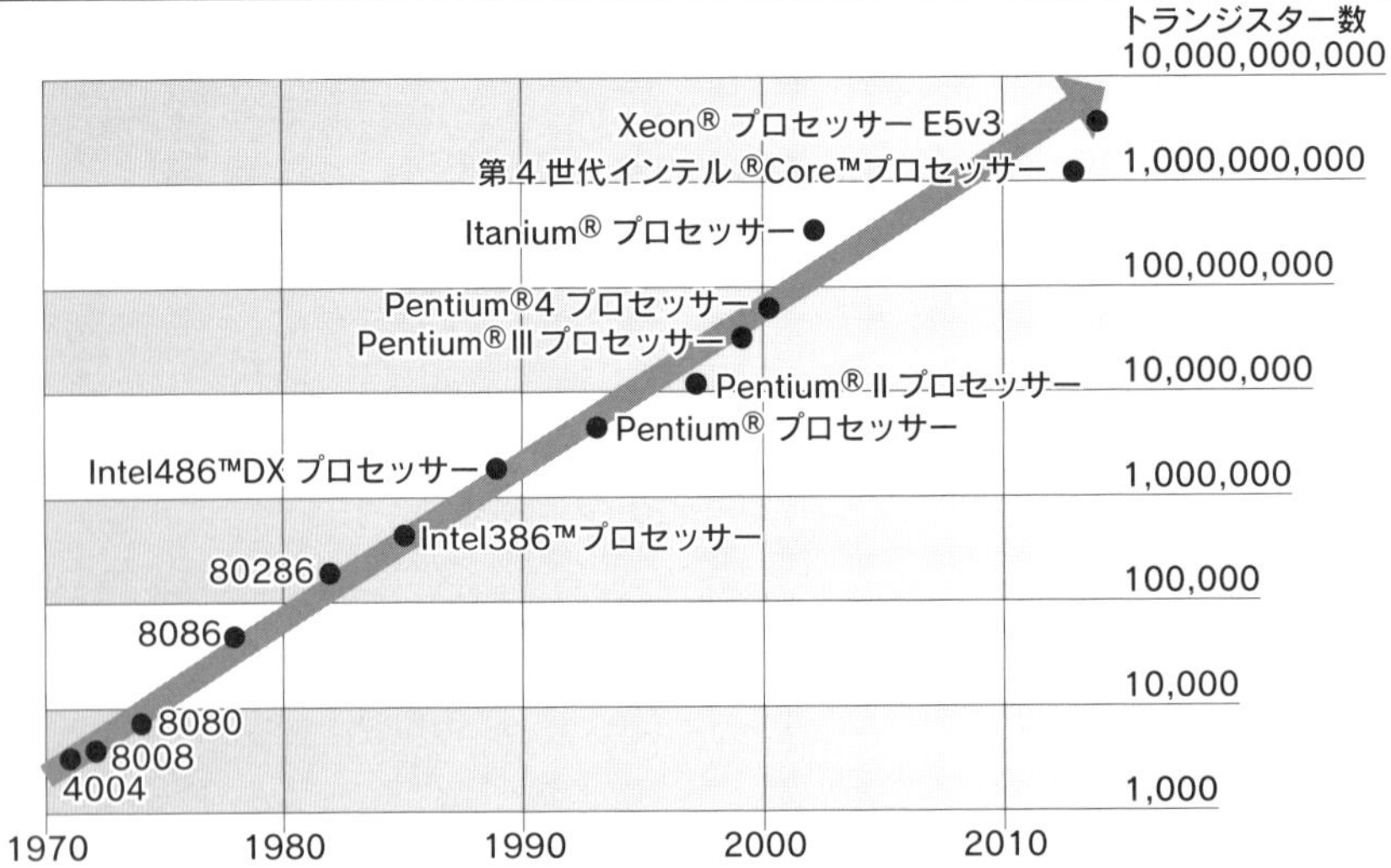

トランジスター数

年	製品
1971	4004
1972	8008
1974	8080
1978	8086
1982	80286
1985	Intel386™プロセッサー
1989	Intel486™DX プロセッサー
1993	Pentium® プロセッサー
1997	Pentium® II プロセッサー
1999	Pentium® III プロセッサー
2000	Pentium®4 プロセッサー
2002	Itanium® プロセッサー
2013	第 4 世代インテル ®Core™プロセッサー
2014	Xeon® プロセッサー E5v3

縦軸：1,000／10,000／100,000／1,000,000／10,000,000／100,000,000／1,000,000,000／10,000,000,000
横軸：1970／1980／1990／2000／2010

出典：インテル「インテルの歩み 1968 年～ 2014 年」

米NVIDIA（エヌビディア）は19年3月、ムーアの法則をそう位置付けた。同社がムーアの法則は終わったと指摘したのはこれが最初ではなく、過去何度も言及している。

その終焉の足音は、確かに近づきつつあるのかもしれない。インテルや半導体製造のAMD（Advanced Micro Devices）、グローバルファウンドリーズ（GlobalFoundries）などが加盟するSIA（Semiconductor Industry Association：米国半導体工業会）は16年、トランジスタの微細化は21年までに止まるとの報告書を発表していた。シリコンのトランジスタをナノよりも小さい世界、すなわちピコ（1ミリの1兆分の1）レベルで小さくしようとすると、経済効率が悪くなると分析した。

世界を構成する、それ以上分解できない原子の大きさは、ナノとピコの間に位置する。例えば水素原子は0・1ナノミリメートル＝100ピコメートルである。こうした世界に迫っていくことへの難しさに世の科学者、技術者たちは頭を抱えている。

「2年で倍増」といった高成長の時代は限界に達し

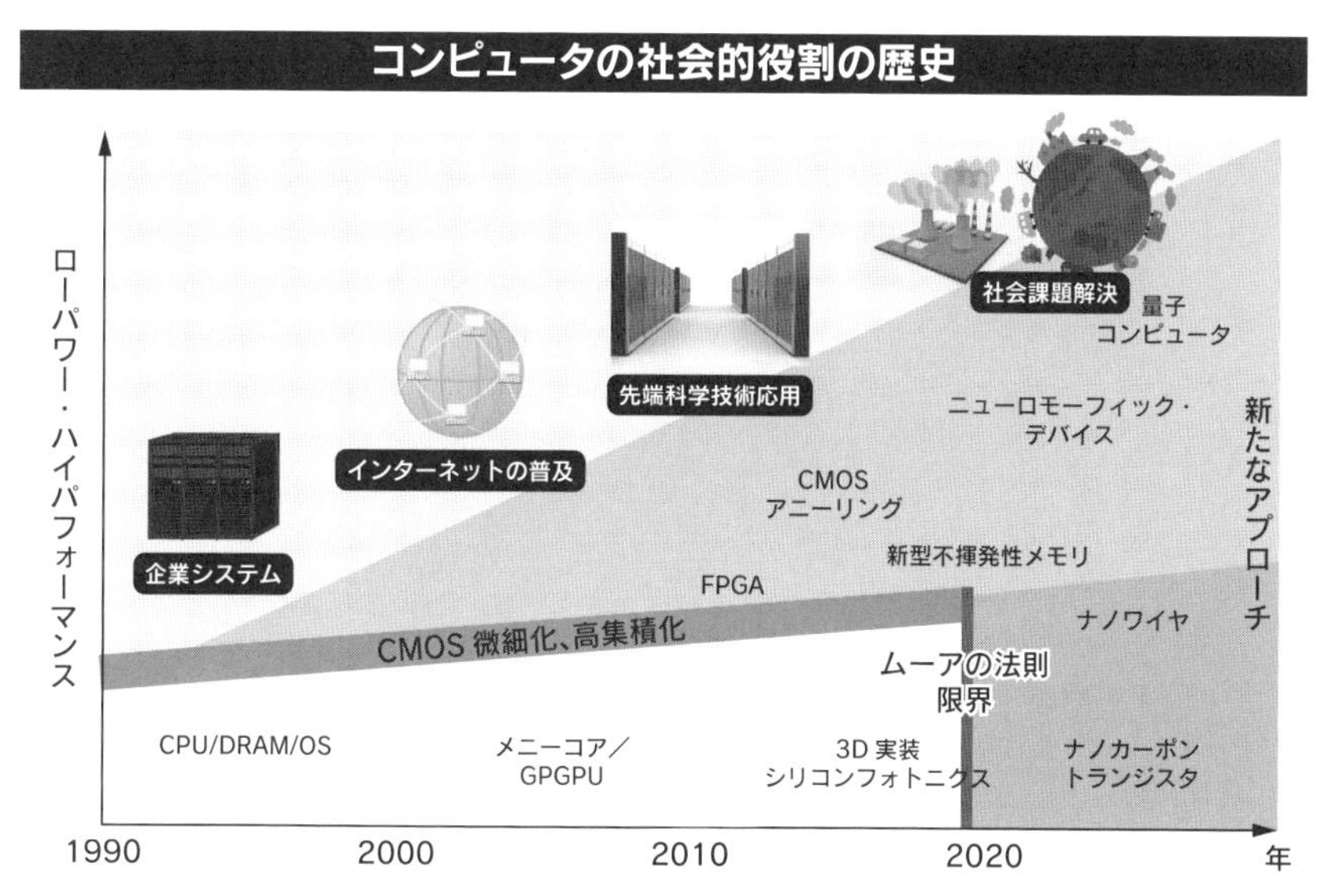

富士通ジャーナル「「ムーアの法則」はもはや限界!」をもとに作成

つつあるのだろうか。

▼「ムーア」を超えて

ただ、長らく業界の指針とも暗示的目標ともなってきたこの法則は、形を変えながら、継承されていくと見る向きもある。

その方向性は3つある。1つはこれまでの微細化を一段と進める「モア・ムーア」(More Moore)でムーアの法則を追求していく。もう1つは半導体技術にセンサーなど別の素子を融合させ、新たな機能デバイスを生み出そうとする「モア・ザン・ムーア」(More Than Moore)というアプローチで、平面のウエハー(162ページ参照)やチップを薄く多層に貼り合わせた「3次元実装技術」などがある。そして3つ目は、現在のICの普及型であるCMOS(144ページ参照)、それとは全く別の動作原理の素子を作り出し、CMOSを超えていこうとする「ビヨンドCMOS」(Beyond CMOS)と呼ばれる道である。

いずれにしても半導体がより小さく、高機能化していくというのは、時代の要請であることに疑いない。さらに、こうした変化は「（コンピュータなどの）機器にだけ起こっている現象ではなく、情報テクノロジーのすべてで起こっていること」だと前述のカーツワイル氏は強調する（前掲「人類の未来―AI、経済、民主主義」p91）。初期のコンピューターから現代のスマホへと等比級数的に小さくなってきた歴史を踏まえ、今のスピードのままいけば、（インタビュー収録時の16年9月から）25年後には赤血球ほどになっているだろうと語る。

同氏に限らず、JEITAなども、来るべき日本の高度に情報化した社会「ソサエティ5・0」（19ページ参照）で、人間の生体内に埋め込まれたチップが健康管理を担う未来像を描く。一昔前ならSFや夢物語だったようなテクノロジーが今真剣に議論され、年々現実味を帯びている。

重要なのは、それが実現可能か否かよりも、そうした需要、希望、期待が世間にあるという事実である。社会的要請、人々の熱望に後押しされ、技術の進歩はまさに、指数関数的に、否応なく加速度的に進み続ける。たとえムーアの法則が崩れるとしても、求められている以上、微細化、高性能化は進み、使い勝手が良くなるにつれ、産業の裾野も広がり続けるだろう。今後はスーパーコンピューターの性能を上回る「量子コンピューター」の導入状況を睨(にら)みながら――。

4 熾烈な競争下での水平分業

――主流だった垂直統合から変遷

▼水平分業とオープンイノベーション

求められる半導体の性能が時代とともに目まぐるしく変わる中、その製造工程、体制も大きな変化に見舞われてきた。すなわち、電子機器、家電業界は世界的に「水平分業型」が主流となり、自社工場を持たずに外注によって製造する「ファブレス」(fabrication facility -less) 企業も増えつつある。

日本の電機メーカーは発足当初から、水平分業と対置する「垂直統合型」で発展してきた歴史があり、それが強みを発揮していた時代もあった。半導体事業が大手電機の一部門として成り立ってきたケースも多く、日本式の事業形態は総じてＩＤＭ(Integrated Device Manufacturer; 垂直統合型デバイスメーカー) と呼ばれるモデルに当てはまっていた。

しかし、顧客のニーズや志向の多様化、製品ライフサイクルの短期化、グローバル化を背景とした競争構造の変化に伴い、製造現場に求められる品質の水準は時代とともに厳しくなっていった。そうした中、基礎研究から製品開発、製造・販売までの全てを自社グループ内だけで完結させるやり方は、小回りが利きづらく、時代にそぐわなくなってきた。さらに、工場や設備などに多額の投資をしてきたため

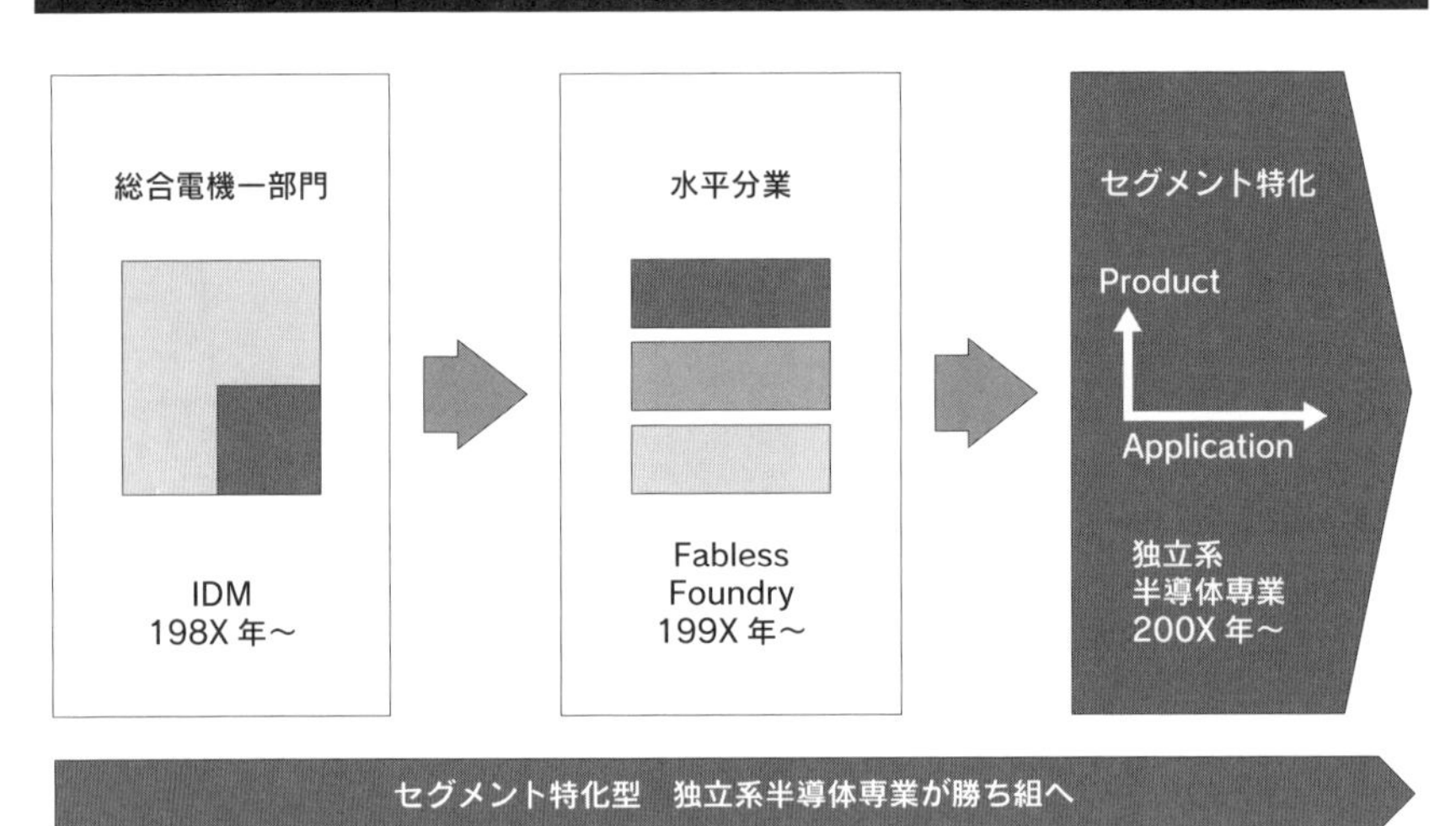

出典：ルネサスエレクトロニクス「半導体業界の現状」

に既存事業から撤退しにくくなるといった弊害も出始めた。

それは、２０００年代後半以降に相次いだ、大手電機メーカーによる巨額赤字の計上という形で表面化することとなった。各社は、垂直統合型モデルからの脱却、大規模な経営構造改革が求められるようになっていた。

垂直統合を「自前主義」と言い換えた文部科学省の17年度版科学技術白書は「自前主義あるいは垂直連携の場合、出来上がった最終製品は最適化された各部品の集合体として特殊化し、個々の部品の汎用性が低くなることがある」と弱点を挙げ、垂直統合型は「限界に達してきた」と結論付けた。

なお、日本の電機各社が垂直統合型により飛ぶ鳥を落とす勢いで成長を謳歌していた１９８０年代、米国では自前主義が急速に衰え始め、「大企業中心のイノベーションから大学とベンチャー中心のイノベーションにシフトしてきた」とも指摘する。

こうした背景から、世界的に普及し始めていた水平分業（水平連携）型が日本でも広まっていった。

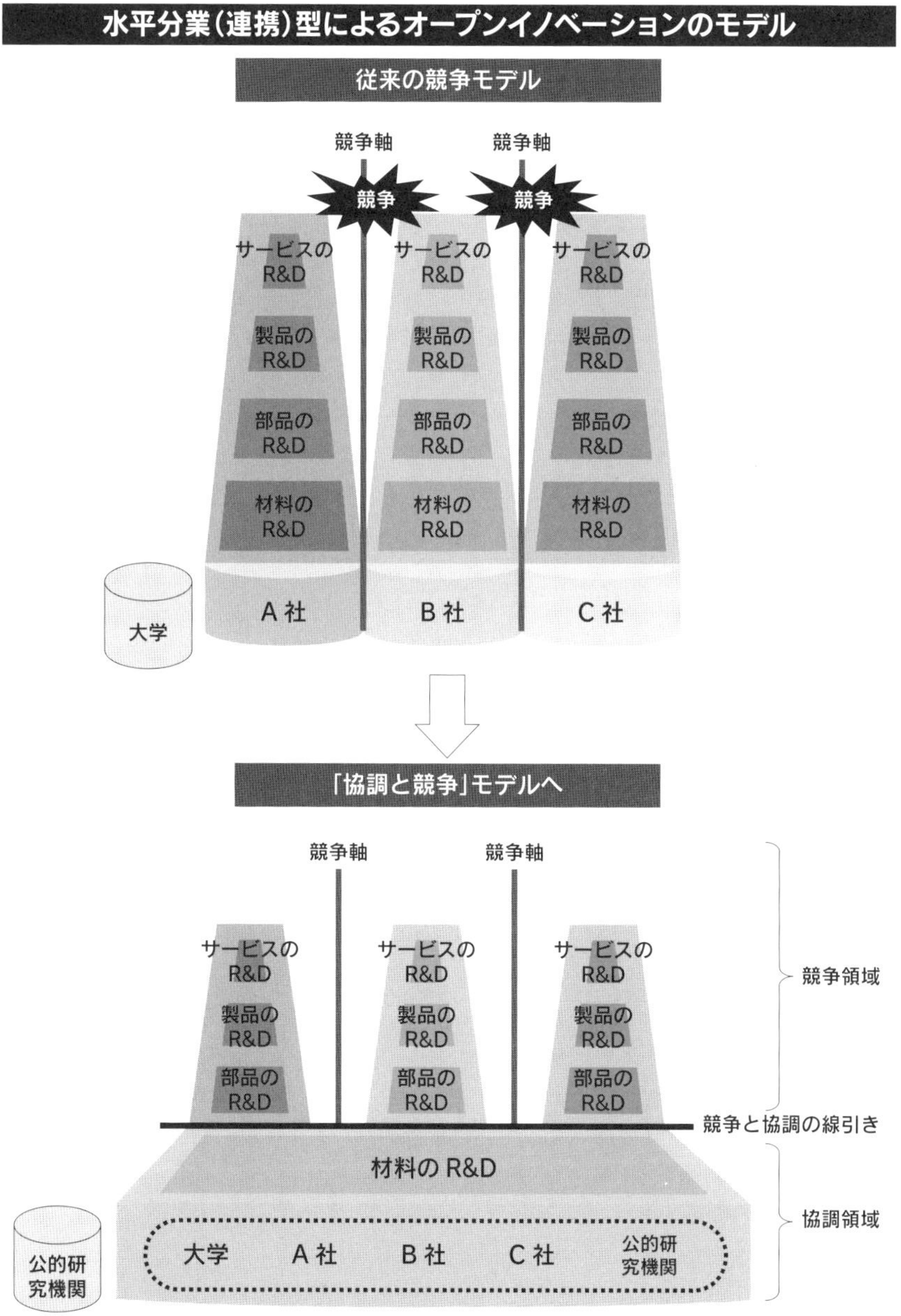

水平分業（連携）型によるオープンイノベーションのモデル

出典：文部科学省「2017 年版科学技術白書―オープンイノベーションの現状」

垂直から水平へとパラダイムシフトが進むにつれ、重要とされるのが「オープンイノベーション」である。これは端的に言えば、企業や大学などが組織の枠を超えて知識や技術を持ち寄り、新たな製品やサービスの開発に取り組む手法で、特に2010年代に入って目立ち始めた。科学技術白書が自前主義と同義とした「クローズドイノベーション」と反対の概念である。

水平分業（連携）によれば、部品の境界部分（インターフェース）が標準化され、部品の組み合わせによって多様な最終製品が造れる。各部品を再設計せずに他の部品と組み合わせられるため、効率化されてコストを減らせる上、新たな組み合わせにより従来なかった製品が生まれやすい、すなわち「イノベーション」が起こりやすい、とされる。

▼時代は新たな垂直統合へ？

揺り戻しのように、半導体をめぐって再び垂直統合に向かう動きもある。例えば、アップルがアイフォーンに必要なＳｏＣ（158ページ参照）を自社開発するなど、ＡＩ、ビッグデータの活用に向けた半導体内製化の動きが、ＧＡＦＡ界隈で目立つ。ただ、それは1980年代に日本が得意とした垂直統合とは違い、顧客データを豊富に有するプラットフォーマーたるＧＡＦＡならではのデジタル化時代に適った、新時代の垂直統合とも言える。

ＩＤＭから始まり、ファブレス、ファウンドリーが主流となってＩＤＭが衰退、かと思えば再び垂直統合が台頭する――。半導体とその関連産業は、量子コンピュータの登場も相まって、大きな変革期を迎えつつある。

5 つまるところの「半導体」

——統計ごとのカテゴリに留意

▼半導体と「半導体以外」の電子部品

半導体業界の市場規模や関連する事業環境を見てきたが、文献によって電子部品に半導体を含めている書もあれば、半導体を別個のものとして扱う書もある。論者や観点の違いで、半導体がさまざまに分類されている。

そのため最初に断わっておくと、本書で半導体という時には、原則としてコンデンサや抵抗器といった「半導体以外の電子部品」とは切り離して扱うこととする。半導体は規模が大きいため、別枠扱いで電子部品に含めないケースが多い。本書ではＪＥＩＴＡなどの分類に従い、半導体と半導体製造装置などの関連産業を中心に取り上げることとする。

「電子部品・デバイス」全体をあらためて確認しておく。全体像を少し説明した上で、半導体業界の個々の状況や各社の特徴を紹介していく方が、理解されやすいだろう。

次ページの図の通り、大まかに「能動部品」(Active Component) と、本書でいう電子部品の根幹を成す「受動部品」(Passive Component) に分けられる。

能動部品は入力されてきた信号、つまり送られてきた電気を整えて流す「整流」をしたり、増幅させ

半導体の分類

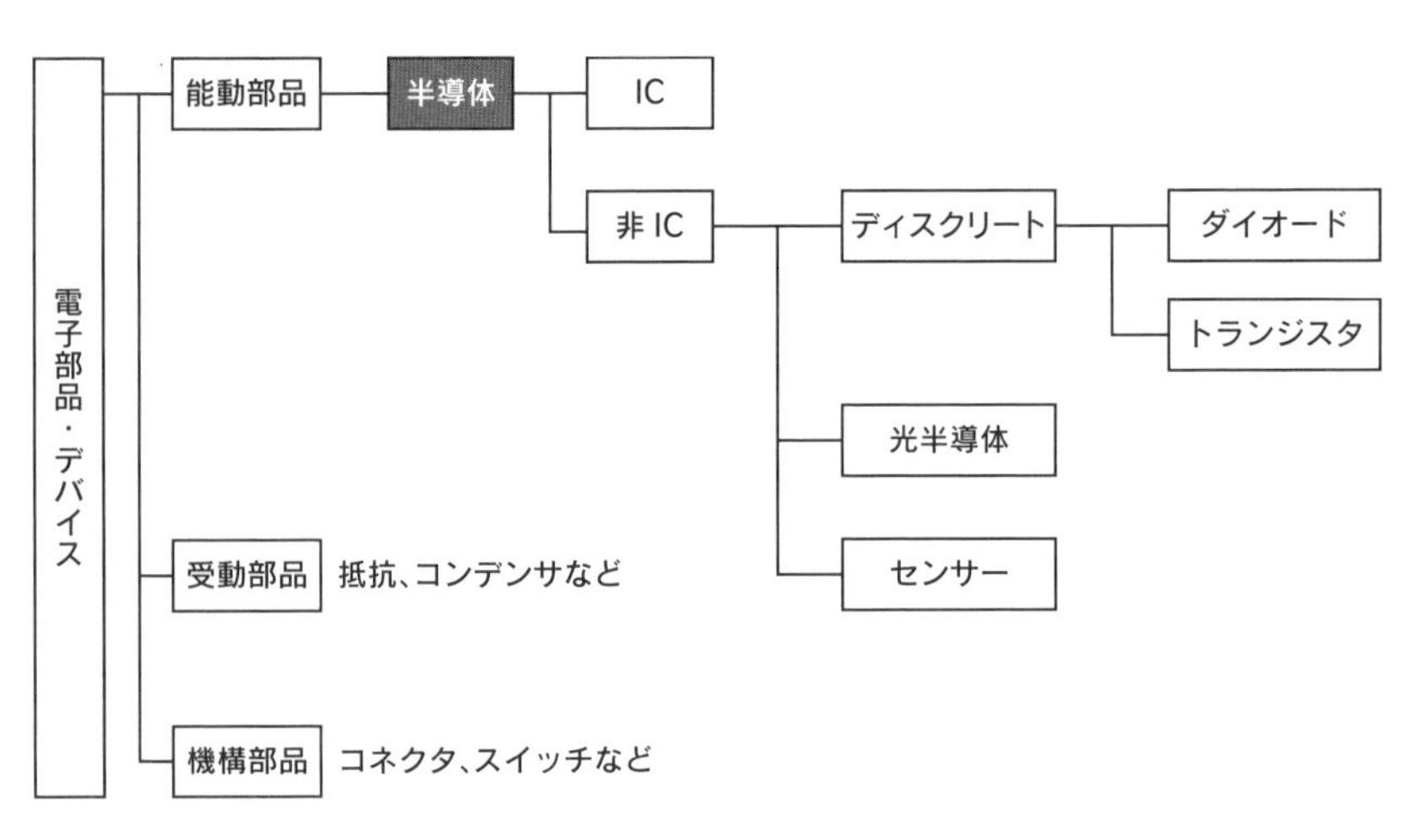

各種資料をもとに作成

たりする機能を持つ。ダイオードやトランジスタが代表的で、多くは半導体から構成される。

一方の受動部品は、送られてきた電気に対して整流や増幅をする機能はなく、そのまま使ったり蓄えたりして能動部品をサポートする役割を担う。受動部品はそれだけでは機能しないが、能動部品と組み合わさることによって効果を発揮する。

さらに、能動部品、受動部品に当てはまらないものを、「機構部品」あるいは「補助部品」として扱う分け方もある。部品の接続や固定を担い、プリント基板やコネクタ、スイッチ、リレーなどが該当する。

このうち、大まかな半導体製品の分類は、経済産業省が工場などの生産や在庫、従業員数を毎月調べている「生産動態統計調査」に記載されている項目が主となる。

▼公式統計の中の半導体

一方、日本の公的統計に用いられる「日本標準産業分類」（２０１３年10月改定）によると、本書で扱う半導体は「大分類　Ｅ　製造業」の「中分類

28　電子部品・デバイス・電子回路製造業」にカテゴリ分けされる。

さらにブレイクダウンすると、トランジスタやICの製造を包含するのは、「小分類　281　電子デバイス製造業」となる。加えて「半導体メモリ」は「小分類　283　記録メディア製造業」となる。なお、抵抗器やコンデンサ、音響部品などは「小分類　282　電子部品製造業」のカテゴリに振り分けられる。

近年は村田製作所や京セラなどの大手電子部品各社がM&A攻勢を掛け、半導体関連メーカーを相次いで傘下に収めている。抵抗器から発祥したロームは現在、「ROHM Semiconductor」と半導体メーカーを自認している。電子部品メーカーにとって、半導体事業は切っても切れない関係にある。

加えて半導体を造る製造装置は日本の強みの1つであり、「中分類　26　生産用機械器具製造業」の「小分類　267　半導体・フラットパネルディスプレイ製造装置製造業」に当てはまる。

加えて対象となる半導体の製造装置や、「フッ化ポリイミド」や「フォトレジスト」といった原材料のメーカー、商社といった産業はChapter5で見ていくこととする。

こうした分類は、各種統計を参照する上で留意が必要である。統計によって分類や用語が異なる。例えば、「生産動態統計」では、先述の日本標準産業分類に準じて統計が取られている。一方、鉱業・製造業の生産や出荷、在庫を指数化して活動状況を総合的に見る、同省の「鉱工業生産指数」では、「電子部品・デバイス工業」として括られる。

また、財務省が毎月発表する製品の輸出入に関する「貿易統計」によると、電子部品は「電気機器」の中の「半導体等電子部品」として表され、その内数として「IC」の輸出入の実績値を示している。「電気機器」の中には「電気回路」や「音響・映像機器の部分品」もある。

さらに、経産省「生産動態統計年報　機械統計編」は日本で生産された半導体素子、集積回路などの生産統計であり、ICチップを除く完成品に関し、「ファブレスやIDMといった企業の形態にかかわらず、日本からの出荷であれば、国籍を問わず『日本国内生産』となる」としている。一方、チップは「半導体の完成品を製造するための中間財の位置付けであり、海外で後工程（組み立て）を行い完成品とする場合は海外現地生産となる。このため、国内生産統計には含まれない」としており、半導体製造工程をめぐる複雑さを覗かせる。

このように、電子部品や電気製品を扱う職業にとって重要な各種統計を並べてみると、カテゴリや用語は全く同じではない。電子部品の動向を把握するには、複眼的に統計をチェックする必要がある。特に貿易統計の「半導体等電子部品」の数値は、半導体が輸出量の過半数を占めることも多い。「半導体は不調だが電子部品は堅調」であれば、「全体の半導体等電子部品」を電子部品が下支えする構図になっている場合も多いので、数値や用語をつぶさに見ていく姿勢が求められる。

▼下がる垣根

会員企業の協力を得ながら多くの統計を扱うＪＥＩＴＡは、17年に規約を変え、ＩＴ、家電メーカーに限らず、ＩｏＴに携わる企業全般にも参加枠を広げた。これを受け、会員数は増加しており、ハウスメーカーや住宅設備メーカーの知見も踏まえ、「スマートホーム部会」を同年に立ち上げている。こうした新たな動きも、ソサエティ５・０の方針に合致している。

そんなＪＥＩＴＡは、一般社団法人情報通信ネットワーク産業協会（ＣＩＡＪ）と一般社団法人コンピュータソフトウェア協会（ＣＳＡＪ）の3団体で国際展示会「ＣＥＡＴＥＣ（シーテック）（Combined Exhibition of Advanced Technologies） ＪＡＰＡＮ」を主催してきた。かつての家電見本市から、「ＣＰＳとＩｏＴをテーマとするソサエティ５・０の展示会」へと変貌してきた。フィンテックで沸くメガバンクや保険会社、ローソンなどのコンビニエンスストア、旅行代理店といったエレクトロニクス以外の企業の参加が、展示会に新風を吹き込んでいる。

20回目となった19年10月の開催からは名称から「ジャパン」を取り、「ＣＥＡＴＥＣ」に変わった。同種

CEATECの様子

2019年のCEATECの様子。JEITA提供

のＩＴや家電の見本市である米国のＣＥＳ（セス）(Consumer Electronics Show)、ドイツのＩＦＡ（イーファ）(Internationale Funkausstellung) と共に世界３大見本市の一角と数えられている。それぞれ毎年10万人を超える来場者で賑わう。

ＣＥＡＴＥＣに電子情報産業以外の企業が参加しているのと同様、半導体関連企業や電子部品メーカーが異業種の展示会に出展する機会も増えている。奇数年に開かれる東京モーターショーでは、ＩＴ企業の展示が目立ち、自動車の電装化が一層進んでいる様子を印象付けた。海外のモーターショー、あるいは住宅関連の見本市などで、半導体メーカー、ＩＴ企業が出展する機会は今後ますます増えてくるだろう。

Column

昭和を生きた理系男子たちの機械の話①
「人生を決めてしまった雑誌」

95年以上の歴史を持つ『子供の科学』。2020年4月号。誠文堂新光社提供

あれは小4の頃、書店で偶然目に留まった『子供の科学』という雑誌。表紙全体が地表への落雷の写真で目立っていた。パラパラめくると「ゲルマラジオの作り方」という記事があった。B5サイズの雑誌で4ページほどの記事だったかと思う。「ラジオってそんなに簡単に作れるのか?」迷わずその雑誌を買って帰った。

帰宅するや記事から部品リストを作って、今度は近所の模型店（工作用の電気部品も売っている）にわずかな小遣いを持って向かった。入手した部品はたしかバーアンテナ、ポリバリコン、ゲルマニウムダイオード、抵抗、コンデンサ、クリスタルイヤホン、ラグ板、ビニール電線、ネジだった。あと、スーパーで樹脂の容器も購入、これがラジオのケースになる。

父親の道具箱から、半田ごて、ニッパー、ピンセット、ドライバー、ハンドドリルを拝借し、工作が始まった。初めての半田付けだった。足掛け2日の作業だったかなあ。完成してポリバリコンを回していくとイヤホンから音が聴こえてきた。ラジオの送信所がすぐ近くにあったので、ゲルマラジオでもうるさいくらいの音量だった。

それからは電子工作の虜になり、小5の時には5球スーパー（真空管5本で構成される当時のラジオの基本形）を製作、小6になるとアマチュア無線の国家試験に合格し、中学に入るとアマチュア無線部で無線交信に興じる毎日。次第に受験勉強で時間が取れなくなってきたが、頭の中の半分は常に無線のことが占めていた。

それから少し時間はかかったが、就職して間もなく第二級アマチュア無線技士、30代半ばで陸上無線技術士（プロの資格）を取得。これらは総務省の資格で、40代半ばには、経産省管轄の第一種伝送交換主任技術者を取得。現在は高集積半導体を駆使して、テレビ局で使われる4K・8K放送用機材を設計・製造する会社を経営している。

思えば『子供の科学』との出会いから始まった人生だったと思う。

株式会社ネオリンク代表取締役＝斎藤英之（60代）

Chapter 5

日系ＩＣ企業の動向

1

天下を取った日の丸半導体

――メイド・イン・ジャパンの立役者

▼築城40年、今は昔

前章で触れたように、日本の半導体産業はその誕生以来、天国と地獄を味わってきた。長い栄光の階段を上り詰め、1980～90年にかけて隆盛を誇ったが、その後に待ち受ける転落はあまりに急激だった。

首位の座を明け渡し、シェアは低下してきたものの、日本の半導体メーカーが完全に主戦場から姿を消したわけではない。東芝はメモリの子会社を分社化し、キオクシアホールディングスとして再出発した。ソニーは得意のCMOSイメージセンサー（148ページ参照）の分野で存在感を放つ。またIC、半導体を造る製造装置や原材料の分野では依然、世界屈指のシェアを誇っている。

日本、ひいては世界の半導体各社の隆替は、次ページに示した国内外メーカーの売上ランキングの推移を見れば、一目瞭然であろう。半導体の需要が世界的に底堅い今日、かつて「電子立国」を標榜した日本勢は今も再編、撤退に悪戦苦闘しながら、収益改善の道を模索している。

日本の半導体が辿った成功の軌跡を振り返ることは、半導体産業発展の歴史そのものとも言え、その後の転落は今後の半導体産業の動向を占う上での教

半導体世界売上高ランキングの推移

順位	1	2	3	4	5	6	7	8	9	10
1976年	TI	モトローラ	フィリップス	NEC	フェアチャイルド	日立	NSC	東芝	シーメンス	松下電子工業
80	TI	モトローラ	フィリップス	NEC	NSC	東芝	日立	インテル	フェアチャイルド	シーメンス
81	TI	モトローラ	NEC	フィリップス	日立	東芝	NSC	インテル	松下電子工業	フェアチャイルド
85	NEC	TI	モトローラ	日立	東芝	富士通	フィリップス	インテル	NSC	松下電子工業
89	NEC	東芝	日立	モトローラ	TI	富士通	三菱電機	インテル	松下電子工業	フィリップス
90	NEC	東芝	日立	インテル	モトローラ	富士通	三菱電機	TI	フィリップス	松下電子工業
92	インテル	NEC	東芝	モトローラ	日立	TI	富士通	三菱電機	フィリップス	松下電子工業
93	インテル	NEC	東芝	モトローラ	日立	TI	サムスン電子	三菱電機	富士通	松下電子工業
95	インテル	NEC	東芝	日立	モトローラ	サムスン電子	TI	IBM	三菱電機	Hyundai
2000	インテル	東芝	NEC	サムスン電子	TI	モトローラ	ST	日立	インフィニオン	フィリップス
05	インテル	サムスン電子	TI	東芝	ST	インフィニオン	ルネサス	NEC	フィリップス	フリースケール
10	インテル	サムスン電子	TSMC	TI	東芝	ルネサス	ハイニックス	ST	マイクロン	クアルコム
15	インテル	サムスン電子	TSMC	SKハイニックス	クアルコム	ブロードコム	マイクロン	TI	NXP	東芝
16	インテル	サムスン電子	TSMC	クアルコム	ブロードコム	SKハイニックス	マイクロン	TI	東芝	NXP
17	サムスン電子	インテル	TSMC	SKハイニックス	マイクロン	ブロードコム	クアルコム	TI	東芝	NVIDIA
18	サムスン電子	インテル	SKハイニックス	TSMC	マイクロン	ブロードコム	クアルコム	東芝	TI	NVIDIA
19	インテル	サムスン電子	TSMC	SKハイニックス	マイクロン	ブロードコム	クアルコム	TI	東芝/キオクシア	NVIDIA

IC Insightsなどの資料をもとに作成、網掛けは日本企業。TIはテキサス・インスツルメンツ、NSCはナショナル・セミコンダクター、ほか一部略称

訓を示唆している。

5G、AIの導入拡大を背景に、世界的にIC、半導体の引き合いが強まる中、今後の日本勢の立ち位置や展望を、産業の成り立ちから現在までを振り返りながら考察していく。

▼電子部品産業とは異なる発祥

依然世界生産の4割のシェアを占め、勢いのある日本の電子部品産業と比べ、半導体産業は概してその成り立ちが大きく異なる。すなわち、一線で活躍する電子部品メーカーの多くは独立系で、部品の納入先となる電子機器製造を手掛ける「セットメーカー*」と共に二人三脚で技術を磨き、会社を大きくしてきた。

これに対し、半導体は主に電機メーカーの一部門として発祥したという違いがある。そうした背景から、代表的な半導体のブランドは東芝やソニーといった大手電機の看板を掲げているという状態が、連綿と続いてきた。

この発祥の違い、構造上の違いは大きい。それは各社にとって当初有利に働き、その後は概ね不利に作用し、時に大きなマイナス要素とさえなってきた。巨額投資で抱えた負の遺産の整理、構造改革はいまだ道半ばである。

▼世界が認めたラジオ

半導体産業は太平洋戦争後、高度経済成長の波に乗り、短期間で急速な成長を遂げた。それは家電の「三種の神器」とされる白黒テレビや冷蔵庫など、家庭に電気製品が普及していった「電化元年」、50年代半ば以降と重なる。

今でこそ日本は「メイド・イン・ジャパン」の高品質の製品が世界に認められているが、戦後しばらくは、安価な労働力で「安かろう悪かろう」の品物を生み出す供給地として見られがちだった。

マイナスイメージの一新に貢献したのが55年、東京通信工業、今のソニーが日

＊セットメーカー
主にエレクトロニクス産業で、最終製品の開発・販売を手掛ける企業。元々は納入された部品を組み立てる製造者という立場から付いた名称。水平分業が進んだ現代は最終の組み立てさえ外部に委託するケースも増えている。

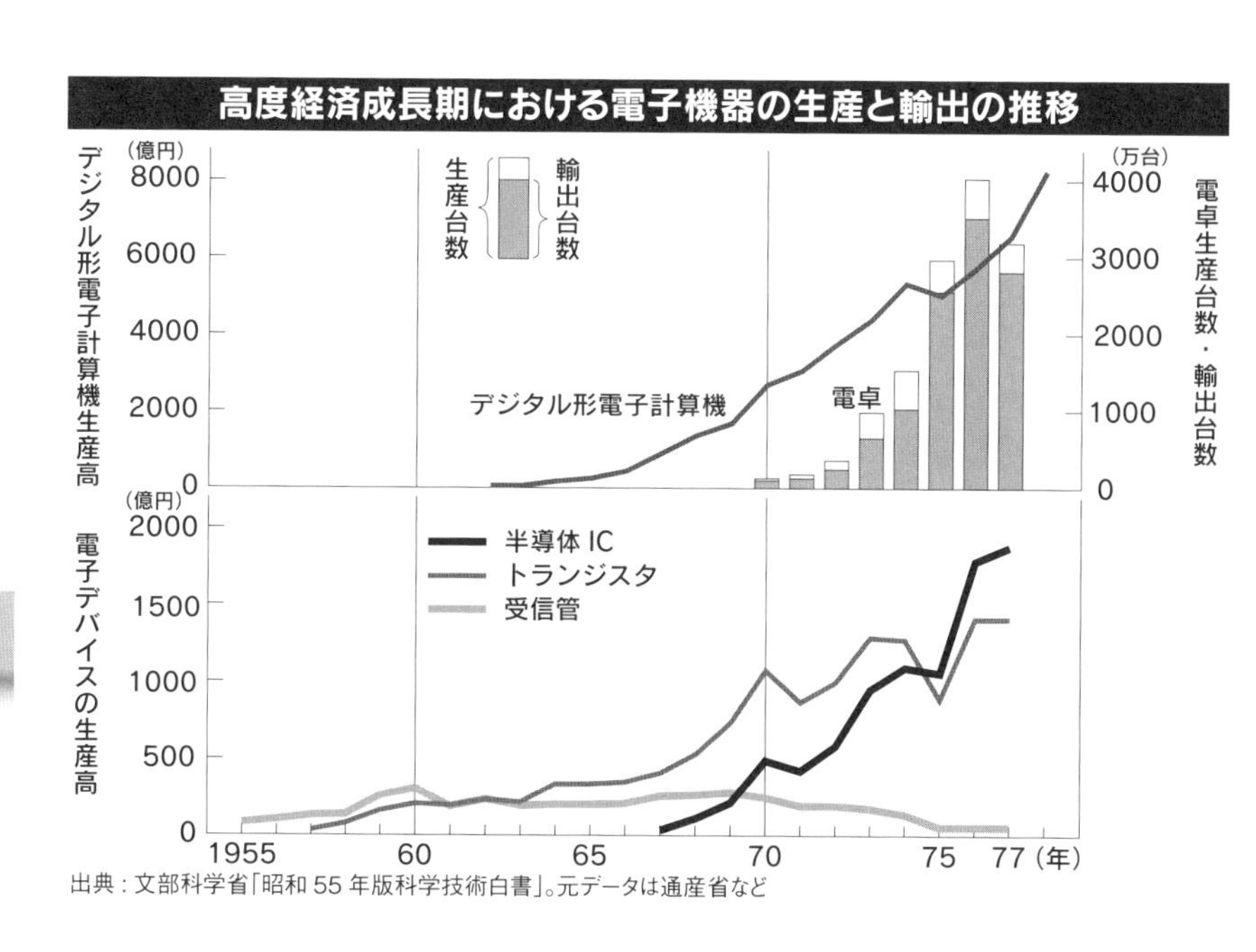

出典：文部科学省「昭和 55 年版科学技術白書」。元データは通産省など

本で初めて売り出したトランジスタのラジオだった。それまでラジオは真空管を使って自作できるとして人気だった（95ページ参照）が、より小型で高性能を追求したトランジスタラジオ「TR‐55」は瞬く間にヒットした。57年には満を持して「本格的輸出1号機」として「TR‐63」を発売した。当時、世界最小サイズとなる「112×71×32㎜」とされ、国内外で人気を集めた。

日本メーカーは工程と装置の改善を重ねてトランジスタの量産化に成功、59年には生産数8600万個と米国を抜いて世界一の生産国となった。民生品需要の拡大による戦後復興を支えたとして、トランジスタの功績が語り継がれている。

トランジスタはその後、本家の米国で発展を遂げ、ICに組み込まれていく。軍事や宇宙、コンピューターの分野にも応用されるようになった。そしてICの集積度が指数関数的に増していく「ムーアの法則」（97ページ参照）が65年に米国で生み出された。

一方、日本はそうした技術をうまく取り入れながら、高度経済成長を背景に、カラーテレビや電卓など民生電子分野に半導体の活路が広がっていった。ソニーのほか、松下電器産業（現パナソニック）や三菱電機、早川電機工業（現シャープ）、日立製作所や東京芝浦電気（現東芝）などの電機大手がそれぞれの傘下で、垂直統合型の半導体事業を立ち上げていった。同時に、高品質のメイド・イン・ジャパンを旗印に、海外展開を強めていった。

また、富士通や日本電気（NEC）、東芝などの電機各社が通商産業省（現経済産業省）所管の電子技術総合研究所（現産業技術総合研究所）と共同で組成した「超エル・エス・アイ（LSI）技術研究組合」など、70年代に、官民を挙げた産業振興が推し進められたことも、日本が「電子立国」として傑出した所以（ゆえん）である。

なお、電子部品メーカー各社は、こうした総合電機大手などと共に旺盛な家電需要に応え、年々高まる技術要求を成長の糧とした。

▼勝ち過ぎ日本への逆風

日本が70年代前半までの高度経済成長を経て、その後も電気製品をはじめ内需が右肩上がりに伸びた時代は、やがて終わりを迎える。90年初めの日経平均株価の急落とともに、バブル経済は崩壊へと向かった。

その少し前、円安を背景に米国の対日貿易赤字が続き、日本の自動車や電気製品などに対する不買運動や叩き壊しが、米国内で相次いだ。問題が深刻化した70年代以降、日米の高官が通商交渉を重ねるも、米側にとって埒（らち）が明かず、反日感情は収まらなかった。

85年にはついに半導体の売上規模でNECが米テキサス・インスツルメンツ（TI：Texas Instruments）を抜いて世界トップに躍り出た。さらに86年には世界市場の国別シェアで日本が米国を抜いて首位となる。「勝ち過ぎ」日本に対する敵愾心（てきがいしん）は一層高まった。

同年、「日米半導体協定」が調印され、日本が国内で外国製半導体の活用を奨励するといった内容が盛り込まれた。それでも効果が限定的と見た米国は翌87年、日本製のパソコンやカラーテレビなどに10

日本半導体産業のあゆみ（〜1990年代）

年	出来事
（　1947年	ベル研、トランジスタ発明　）
49ごろ	日本でトランジスタ研究開始
55	ソニー製トランジスタラジオ「TR-55」発売、ヒット
64	シャープ製トランジスタ電卓発売
76	「超エル・エス・アイ技術研究組合」設立
85	半導体売上高でNECが世界トップ
86	日米半導体協定締結
94	半導体産業研究所（SIRIJ）発足

各種資料をもとに作成

0%の関税を課す、異例の措置に打って出た。

88年には世界の半導体生産でNEC、東芝、日立が1、2、3位を独占、88、89の両年に日本は半導体出荷額の世界シェアの過半を占めるまでになった。

しかし、それは三日天下で儚く終わる。91年には日本市場での外国製半導体のシェアを20%以上に引き上げることを目指す日米の新協定も結ばれるなど、日本にとって不利な条件が次々と加えられていった。息を吹き返すように92年以降四半世紀にわたり、米インテルが半導体の売上首位をひた走る。

「あちら立てればこちらが立たぬ」の格言通り、米国が立ち直り、日本は沈んだ。そうこうしているうちに韓国や台湾、中国も勢い付くことになった。バブル経済の崩壊も受け、日本の電子情報産業は徐々に凋落（ちょうらく）し、築き上げた世界での地位と競争力を失っていく。

「ジャパン・アズ・ナンバーワン」と褒めそやされ、70〜80年代に時代の寵児（ちょうじ）となった日本だったが、90年代以降失速していった。現在の市場シェアが示す通り、米国はもとより韓国や台湾の後塵を拝す結果となっている。

2

90年から続く長い低迷期
——決定打なく衰えた競争力

▼読み誤った風

首位から陥落後、日本の半導体産業は坂を転げ落ちるように競争力を失っていった。失ったというより、他国が力を付けてきたのと同時に、高まる技術の要請に応えるためにかけるコストパフォーマンスが、他国に比べて見劣りするということだった。

日本が地位を維持できなかった要因について、当事者や業界関係者、国内外のメディアなどによるさまざまな分析、論評がなされて久しいが、要するに「時代の変化についていけなかった」、それに尽きる。敗戦から急激な経済復興を遂げ、「東洋の奇跡」と賞賛された日本、その成長を支えた大きな柱の1つが半導体だっただけに驕り（おご）があったのかもしれない。奇跡の復興と持て囃（はや）されるほどに有頂天となっていったのかもしれない。変化する時代の風、世界の潮流を読み誤った——。嘆いてみても、今となってはもはや時宜を得ない後講釈となろう。

経済発展を謳歌（おうか）していた日本は「日本株式会社」と世界から揶揄されてもいた。先述の超LSIの共同研究に見られたように「企業と、通産省とその傘下の研究機関」の産官学連携による成功モデル、勝ちパターンが、欧米をして「勝ち過ぎ」日本と言わせしめた。恨み節にも似た不満が噴出するほど、日本は強かった。

「日本株式会社」との皮肉めいた呼称には、一種の嫉妬の念も入り混じっていた。当時、「敗戦国だった日本はなぜ急速な戦後復興を遂げたか、経済大国となったか」の研究が欧米で盛んとなる中、出た答えの1つは「産学の連携」によるイノベーションの創出だった。

しかし栄華を極めた日本は、欧米メーカーが先行していた、自社グループ内での研究開発の強化という垂直統合型経営の路線をひた走った。

日本経済新聞グループのITやデジタルに関する情報誌の元編集長、西村吉雄氏の言葉を借りれば、「日本がバブルを謳歌していたころは世界の大転換期」であり、「中央研究所の時代から産学連携の時代へ」と向かっていた。

続けて同氏はこう指摘する。「この時期世界は次の時代の生みの苦しみにあえいでいた」が、「欧米におけるこの革命について、日本の産学官もマスコミも鈍感だった」（日経エレクトロニクス 2006年7月17日号別冊『電子産業35年の軌跡』より「1980年代のエレクトロニクス産業 基礎研究に走った日本企業 欧米は大学・ベンチャー主体に」pp124-127、日経BP）。

そうした半導体産業の大転換期を経て市場のルールが様変わりしたが、変化に気付き手を打とうとした頃には時既に遅し、対応は後手後手となった。競争力を失う中、強みだったはずの官主導とも言うべき産学の連携策は次々と裏目に出ることになる。

▼乱立する新組織と事業

世界売上首位の座を、インテルに明け渡して間もない1993年、強まる業界の危機感を背景に、JEITAの前身となる「日本電子機械工業会」（EIAJ：Electronic Industries Association of Japan）の中に、1年間の時限措置として「半導体中期ビジョン委員会」が発足した。翌94年には同委員会会員のメーカー10社（富士通、日立製作所、松下電器産業、三菱電機、NEC、沖電気工業、三洋電機、シャープ、ソニー、東芝）から成る業界のシンクタンク「半導体産業研究所」（SIRIJ：Semiconductor

Industry Research Institute Japan）が設立された。「日本の半導体産業の再活性化に向けた研究、調整、推進」を担ってきたが、２０１５年に解散を決めた。

その約20年の間、ＳＩＲＩＪが旗振り役となった具体的なアクションとして、例えば１９９５年に設計技術開発を担う「半導体理工学研究センター」（ＳＴＡＲＣ：Semiconductor Technology Academic Research Center）、96年にデバイスプロセスの技術開発に当たる「半導体先端テクノロジーズ」（Ｓｅｌｅｔｅ：Semiconductor Leading Edge Technologies）が設立された。いずれもＳＩＲＩＪ会員10社が出資した。

これらの新組織による実績としては、２００１年度から始まった国家事業「あすかプロジェクト」がある。ＳｏＣの研究開発に向けた共通のプラットフォーム構築などを目指し、06～10年度に「あすかⅡプロジェクト」も取り組まれた。

他にも、「超先端電子技術開発機構」（ＡＳＥＴ）や「半導体ＭＩＲＡＩプロジェクト」、「先端ＳｏＣ基盤技術開発」（ＡＳＰＬＡ）、「極端紫外線露光システム技術開発機構」（ＥＵＶＡ）、「つくば半導体コンソーシアム」（ＴＳＣ）、「次世代半導体材料技術研究組合」（ＣＡＳＭＡＴ）など、１９９０年代半ばから２０００年代に、数多くのプロジェクトやコンソーシアムが立ち上がった。

多くの新組織や新規事業によって、当初思い描いたような成果が出たか、世界シェアの失地を回復できたかと言えば、否だった。むしろ事態は悪化し、国際的な地位は次第に低下していった。

産業の進むべき道の指針、舵取り役となる所管官庁が、通商産業省と科学技術庁とに分かれていたことも、意思決定や政策のスキームを一層複雑なものにしていた。「船頭多くして船山に上る」状態だったかもしれない。日本の半導体産業は先行者利益があった一方、ある種のイノベーションのジレンマに陥っていたとも言える。

ただ、盛者必衰、いい時代ばかり続かないのは半導体に限らずどの業界にも必定ではある。

▼日本の停滞と海外勢の伸長

日本がシェアを落とし始めた頃、危機感はまだ薄かったように映る。1995年にできたSTARCの設立趣意で、「今後20～30年間はわが国の基幹産業」とした半導体をめぐる当時の現状認識に、その甘さが滲み出ている。果たしてそうはならなかったのは見ての通りである。

案の定、その後多くのプロジェクトが立ち上がって試行錯誤を続ける中、2000年に組織された「新世紀半導体委員会」（SNCC：Semiconductor in New Century Committee）による提言書「日本半導体の復活」で、「日本半導体産業は危機的状況である」とされた。

危機的な状況に陥ったのは、他の国・地域が競争力を付けてきたからに他ならない。他国が次々と布石を打ったのは、日本の負け色が濃くなった1990年代ではなく、むしろ成長を謳歌していた80年代だった。日の丸半導体の絶頂期に、追いつかれ、追い抜かれる伏線、萌芽が胚胎していた。

象徴的なのは、87年の米国での「SEMATECH」（Semiconductor Manufacturing Technology Institute：半導体製造技術研究組合）の発足である。米国は「軍産」が一体となり、半導体の製造装置と材料の研究開発に注力した。まさに日本の超LSI技術研究組合と同じ方向を目指していた。なお、SEMATECHは98年に「ISMT」（International SEMATECH）として再発足し、欧州やアジアの企業を含む半導体分野の国際協調機関に改組した。後に日本も加わっている。

欧州では84年、ベルギーに半導体技術の研究機関、「IMEC」（Interuniversity Microelectronics Centre）、85年には欧州全体の研究開発機関、「EUREKA」が相次いで発足した。アジアでは74年にサムスン電子が半導体事業に参入して80年代以降にDRAM（154ページ参照）の開発に注力し、87年には台湾のTSMCが創業した。両社とも現在、世界屈指の半導体メーカーとなった。

80年代にこうした海外での取り組みが進む中、日本は超LSI技術研究組合ができた76年からSIRIJ発足の94年までの間、これといった特段のプロジェクトは組成されなかった。バブル真っただ中、

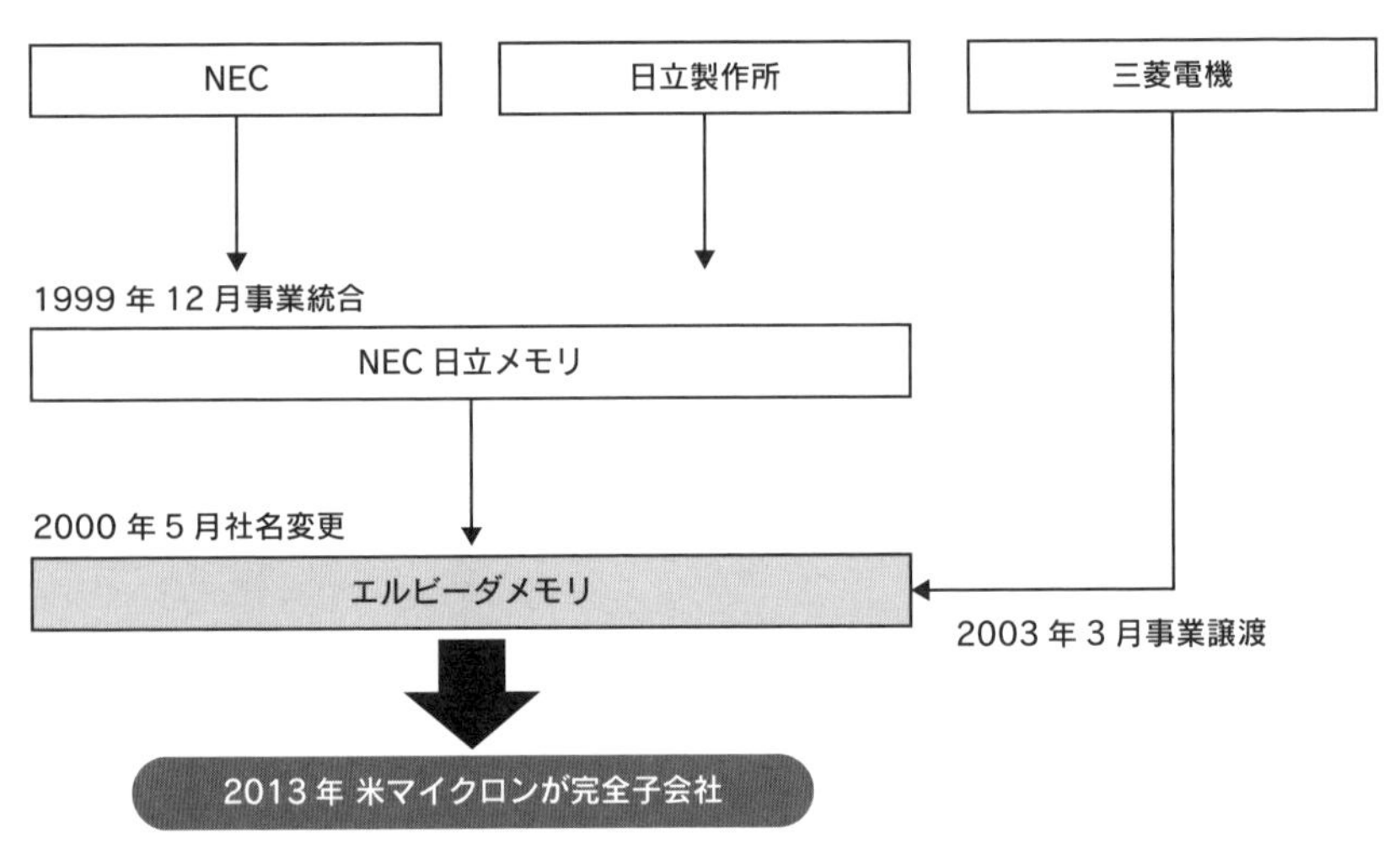

各社資料をもとに作成

好景気に浮かれ、手を拱（こまぬ）いていたのだろうか。

事情はもっと複雑だろう。日本は欧米と貿易摩擦を抱え、先述の日米半導体協定に見られる「排撃」を受けるなど、守勢に立たされていた。70年代に成功を収めた超LSI技術組合の、次の一手を打とうにも、再び攻勢を掛ければ、さらなる摩擦、バッシングが米国を中心に巻き起こることは目に見えていた。二の矢を継ぐことが憚られた事情は推して知るべしである。

▼DRAM再編

95年時点で「今後20〜30年間はわが国の基幹産業」と期待されたIC、半導体だったが、10年、いやもっと早くにピンチは訪れた。96、97年とDRAMの市況が悪化し、価格競争力でサムスンなど新興勢力に押され、日本メーカーは軒並み苦境に立たされた。

この不況が引き金となり、DRAMを手掛けていた6社のうち、98年に沖電気工業、99年に富士通、2001年に東芝がそれぞれ事業撤退を決めた。

残る3社、NEC、日立製作所、三菱電機は、撤退ではなく生き残る道を模索した。すなわち、NECと日立がそれぞれのDRAM事業を切り出し、1999年に折半出資の新会社「NEC日立メモリ」を発足させ、2000年に「エルピーダメモリ」と社名を変えた。同社に三菱がDRAM事業を譲渡する形で03年に加わり、日本唯一のDRAM製造メーカーとなった。

エルピーダメモリは立ち上がりから赤字経営に苦しみ、02年には社長交代で一時、経営が上向いたかに見えたが、00年代後半の円高やリーマン・ショックに伴う世界的不景気の煽りを受け、業績は再び悪化した。

そうした事情も酌んだ経産省は、09年に改正した産業活力再生特別措置法（産業再生法）の最初の適用事例として、エルピーダを選んだ。「携帯電話やデジタルTV等の、高度な技術力を要求される高付加価値なプレミアDRAM市場については、低電圧、低リーク電流などの当社の技術的優位性により、競合他社との差別化を保っていくことが可能」であると見込んだ。300億円の増資が行われ、再起を誓ったが、結局は業績を回復できぬまま、米マイクロン・テクノロジーに買収されることとなった。13年に完全子会社化された。

▼DRAMからSoCへの行方

DRAMの苦境を追認するかのように、00年のSNCCの提言書には、DRAMからSoCへのシフトが鮮明に示された。

競争力強化に向け、各社は雪崩を打ったように、システムLSIを中核と位置付け、事業を展開していった。まずNECが02年、LSI事業を分社化し、「NECエレクトロニクス」を立ち上げ、続く03年には日立と三菱がそれぞれシステムLSI事業を切り離して新会社「ルネサステクノロジ」に統合した。さらに、08年には富士通のLSI事業会社「富士通マイクロエレクトロニクス」（現富士通セミコンダクター）が設立されるに至った。

期待されたSoC、LSI事業はどうだったろうか。10年には、ルネサステクノロジとNECエレク

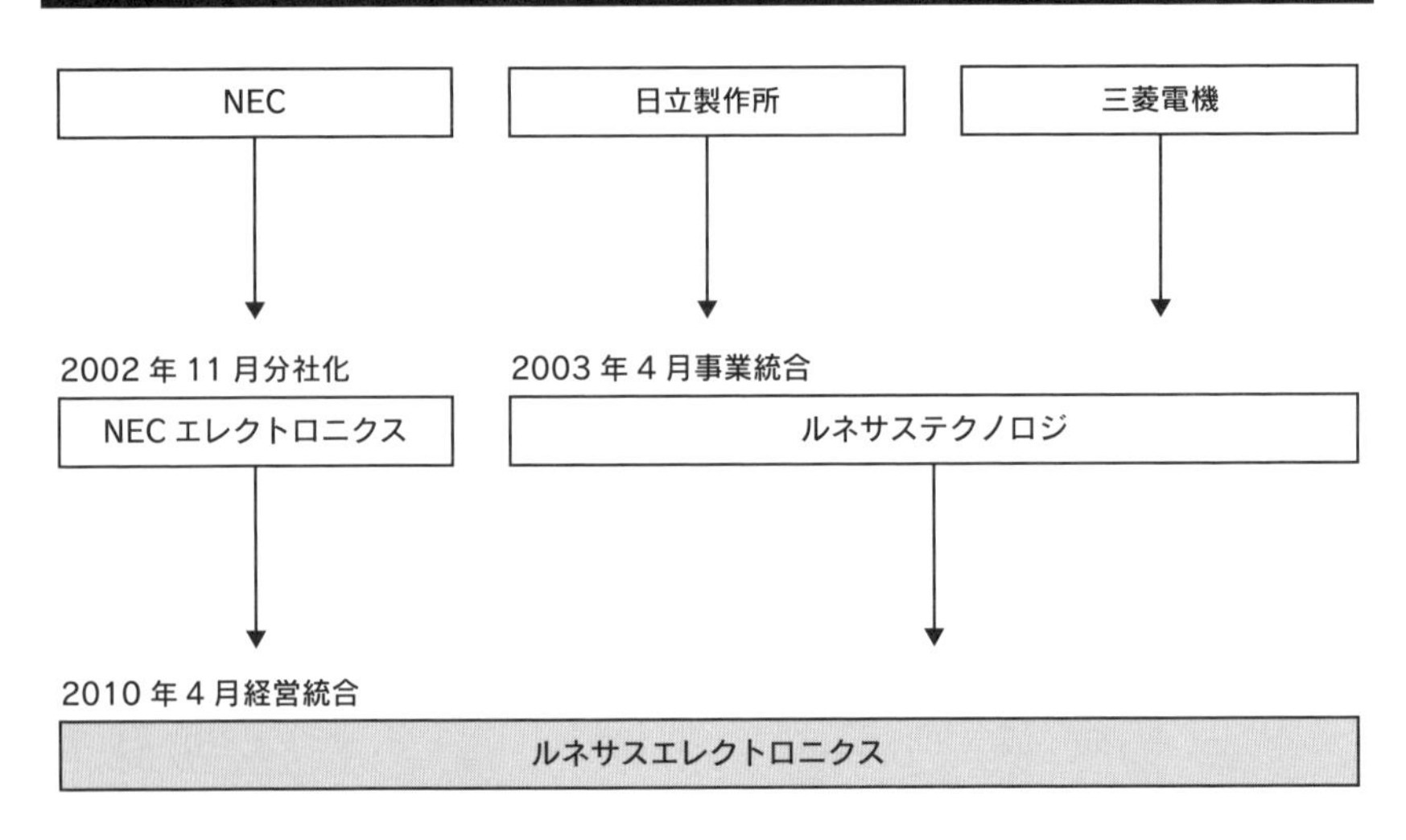

各社資料をもとに作成

トロニクスが経営統合して「ルネサスエレクトロニクス」として再出発した。

ただ、19年現在、世界ランキング10位に入るような健闘をしてはおらず、半導体が基幹産業たり得ようとしたかつての目論見(もくろみ)は、淡い夢に終わっている。

3 再編加速の2010年代

――生き残りかけ攻めの投資

経済産業省の救援策で命をつないだエルピーダメモリだったが、結局は2012年に会社更生法適用を申請して経営破綻に終わることとなる。約40年に及ぶ日本メーカーによるDRAM事業はその歴史に幕を閉じた。

▼再編は続く

もっとも、エルピーダがマイクロンメモリに買収された後も、広島県にある工場などはそのまま残り、今も稼働、拡張を続けている。

一方、各社のLSI事業を統合して再出発したルネサスエレクトロニクスも、いばらの道を歩んできた。足もとでは巨額赤字と市場に漂う不透明感を背景に中期経営計画の公表を遅らすなど、不安が付きまとう。

半導体業界の絶頂期の1990年から30年が経つ今も、再編が一段落したとは言い難い。

▼本当に最終局面？

「日本の半導体産業の再編リストラが最終局面を迎えている」

2014年、日経新聞はそう指摘した（14年7月25日付「日本の半導体失墜の教訓をくみ取れ」）。当時、エルピーダがマイクロンの傘下に入り、富士通が国内の2工場を外資に売却する方向が示されたためである。

確かに大きな節目感はあった。しかし同じ記事では「東芝のフラッシュメモリーなど一部に強い商品はあるものの、総じて見れば、インテルなどの米国勢や韓国サムスン電子などに圧倒されているのが実情だ」とも触れられた。

その「一部強い商品」すら切り売りすることになろうとは、果たして考えていただろうか。

日経の別の記事ではこうまとめられていた。

「かつて世界上位を占めた日本の半導体産業は構造変化への対応が遅れた。苦戦する中、10年以上続いた再編は富士通の生産撤退で一区切りがつく」（14年7月18日付「富士通、半導体生産から撤退」）。

▼東芝の社名消える

そう総括された翌年、東芝は不正会計や原発事業での巨額赤字を受け、迷走の果てに半導体事業の切り出しへと突き進むことになる。

東芝の半導体事業は、15年度には1000億円を超す営業利益を叩き出していた。しかし東芝傘下の原発子会社、米ウェスチングハウス（WH）の巨額損失をカバーするために、いわば生贄にされた。WHは16年に米連邦破産法11条の適用を申請し、負債総額は98億ドル強、円換算で約1兆円だった。

東芝が自他ともに認めた経営の柱に成長した虎の子、NAND型フラッシュメモリを引っ提げ、17年に新設された「東芝メモリホールディングス（HD）」として切り離された。その入札には、ウェスタン・デジタルや韓国SKハイニックス、台湾の鴻海精密工業のほか、アップルやグーグル、アマゾン・コムも参加するなど、世界の名立たる企業が食指を動かした。

結局、東芝メモリは18年6月、親会社の東芝から米投資ファンドのベインキャピタルが率いる「日米韓連合」に約2兆円で売却された。社名は「キオクシアホールディングス（HD）」に改めた。今でも東芝がキオクシアHDの株式40%超を保有しているが、買収を機に東芝の連結子会社から外れた（170ページ参照）。

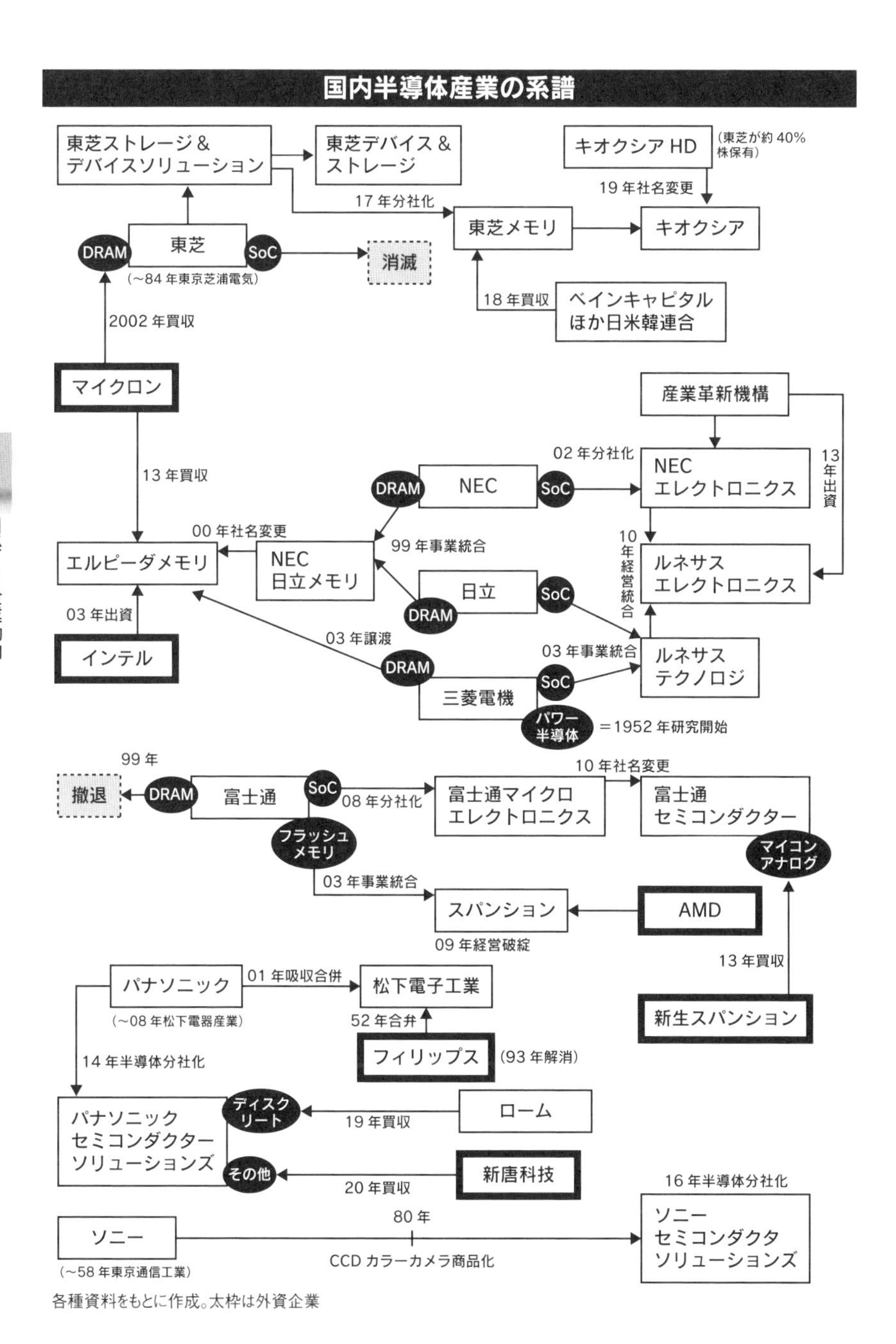

各種資料をもとに作成。太枠は外資企業

キオクシアHDのトップは、20年に成毛康雄前社長から早坂伸夫社長へと代わり、東芝出身者が続く。目下、東証1部上場を目指しており、再出発の帰趨が注目される。

東芝が不正会計で揺れていた16〜17年当時、筆者は東京・兜町で証券担当の記者をしていた。東芝の一挙手一投足が注目され、株価は敏感に反応、たびたび乱高下していた。

▼相次ぐ撤退

東芝の半導体事業の分社化によって、日本の半導体産業の再編が一段落すると考えられた矢先、19年終盤に入って今度はパナソニックが半導体事業から撤退すると発表した。20年に台湾の新唐科技（Nuvoton Technology Corporation: ヌヴォトン・テクノロジー）に事業会社の株式を売却し、譲渡額は約270億円となる。

もともとパナソニックの半導体事業は赤字が続いており、自力再建を断念した。その予兆はたびたびあった。19年4月には家電などに使われるダイオードなど一部半導体事業をロームに売却すると発表、同年内に事業譲渡が完了した。

遡ること14年には、新潟、富山両県にある半導体の3工場を、イスラエルのファウンドリーとの合弁会社による運営に移行した。

富士通やパナソニックの撤退、東芝の再編と節目を迎えるたびに、再編は「一区切り」とか「最終局面」と見做されてきた。振り返れば、1990年代に「日の丸半導体」の復活を意気軒昂と掲げてきたが、結局のところ決定打はなく、じり貧となってきた30年であった。

栄華を極めた日の丸半導体ももはや形無しとなり、その統廃合、再編の歴史は概ね前ページのような系譜を辿る。今後、各社はどう生き残りを図っていくのか。

▼攻めの投資

苦難の30年を歩み続ける中、今まさに半導体が絶好調の企業もある。ソニーだ。90年に世界の売上高ランキングで日本が上位3位のほか、6、7、10位

半導体メーカー対前年比成長率（2019年見込み）

順位	企業	成長率
1	ソニー	24%
2	TSMC	1%
3	メディアテック	1%
4	インテル	0%
5	ST	-2%
6	ブロードコム	-3%
7	インフィニオン	-3%
8	NXP	-6%
9	テキサス・インスツルメンツ	-9%
10	Nvidia	-12%
11	クアルコム	-13%
12	東芝／キオクシア	-18%
13	サムスン	-29%
14	マイクロン	-35%
15	SKハイニックス	-38%

IC Insights「2019 McClean Report」をもとに作成

を占めた黄金期、ソニーの名前はそこになかった。

しかし今、ソニーは世界の成長率ランキングで1位を取った。2019年の成長率は24%である。

メモリ不況と呼ばれた同年、各社が軒並み2桁のマイナス成長、かろうじて数社が横ばいに留まる中、イメージセンサーを武器にソニーは唯一の2桁成長を遂げた。

好調を背景に攻勢を強める。20年4月、半導体子会社「ソニーセミコンダクタソリューションズ」の新オフィスを大阪市に設立した。好調を牽引してきたCMOSイメージセンサー（148ページ参照）の設計・開発拠点となる。

もっとも、ソニーも1990年代以降、他の総合電機と同様に業績不振に陥り、抜本的な構造改革に取り組んできた。今後の収益性をめぐり、半導体事業を早々に分社化すべきとの声が根強い。米ヘッジファンドのサード・ポイントが2019年にソニーの株式を再取得し、「半導体を切り離し、『ソニーテクノロジーズ』として上場させるべきだ」と提案したと明らかになった。次なる再編の焦点はソニーの半導体事業かもしれない。

また、再出発を果たした東芝メモリＨＤ、改めキオクシアＨＤも設備投資を加速させる。19年には、三重県四日市市に続く同社第2の製造拠点となる新工場が、岩手県の北上工業団地に完成した。総投資額は1兆円に及んだ。３次元のＮＡＮＤ型フラッシュメモリの量産体制を構築した。

加えて、20年末までに四日市工場に最先端の３次元のＮＡＮＤ型フラッシュメモリの新たな製造棟の着工を予定している。総投資額は最大３０００億円規模となり、その資金調達のためにも東証上場は急務となっている。新型コロナウイルスの影響で先行きに不透明感は出ているものの、フラッシュメモリはデータセンター向けなどの引き合いは依然強い。

今後は5Ｇやビッグデータ、ＡＩ、ＩｏＴと需要は底堅いと見込まれている。しかし新型コロナウイルスに加え、中国との貿易摩擦の火種がくすぶり続ける米国の大統領選も控え、不確定要素が増し、需要の低迷が19年に底を打ったとしていた楽観論は鳴りを潜めた。20年は、年初にあった強気な予想から一転、慎重な見方が大勢となっている。

いずれにせよ、かつて業界横並び、全社右倣えでＤＲＡＭに投資し、一斉に撤退し、今度はＳｏＣだといって切り替えていった時代は終わった。

日本勢はかつての栄光に囚われることなく、ＣＭＯＳセンサー、３次元ＮＡＮＤ型と、独自性を打ち出し、保っていけるかが注目される。

4 関連産業に見る底力
――好調な製造装置、原材料もシェアトップ

▼製造装置は世界シェアを堅持

苦戦が続いてきた日系半導体メーカーだが、裾野の関連産業では日本勢が一定の存在感を示している。大きく業績を伸ばしている企業も少なくなく、健闘ぶりが目立つ。

ＩＣの市場調査などを手掛けるＶＬＳＩリサーチ（米カリフォルニア州）によると、世界の製造装置産業の２０１８年売上高は、３位だった東京エレクトロンをはじめ日本勢は、10位内に5社、15位内に7社が入った。

また、ランクインした各社の間で、洗浄装置大手のＳＣＲＥＥＮホールディングス、検査装置に強い日立ハイテクノロジーズ、ウエハー自動搬送システム大手のダイフクといった具合に、得意分野で棲み分けされていることも業界の特徴として挙げられる。

１９８５年に発足した業界団体の一般社団法人日本半導体製造装置協会（ＳＥＡＪ：Semiconductor Equipment Association of Japan）は、日本企業による半導体製造装置の19年度販売高がメモリ投資の抑制傾向を受け、前年度比８・１％減の２兆６５８億円と予測した。一方、メモリ投資の復調を背景に20年度は同８・０％増の２兆２３１１億円、さらに21年度は半導体投資が本来の成長軌道に戻るとみ

半導体製造装置メーカー世界ランキング

順位	社名	売上高
1	アプライドマテリアルズ	135
2	ASML	128
3	東京エレクトロン	96
4	ラムリサーチ	95
5	KLAテンコール	47
6	アドバンテスト	25
7	SCREENホールディングス	22
8	TERADYNE（テラダイン）	16
9	日立ハイテク（旧日立ハイテクノロジーズ）	15
10	ASMインターナショナル	13
11	ニコン	12
12	KOKUSAI ELECTRIC（旧日立国際電気）	11
13	ダイフク	11
14	ASMパシフィック・テクノロジー	9
15	キヤノン	7

VLSI Research「2019 Top Semiconductor Equipment Suppliers」をもとに作成。
単位は億ドル。網掛けは日本企業

日本製半導体製造装置の販売高推移

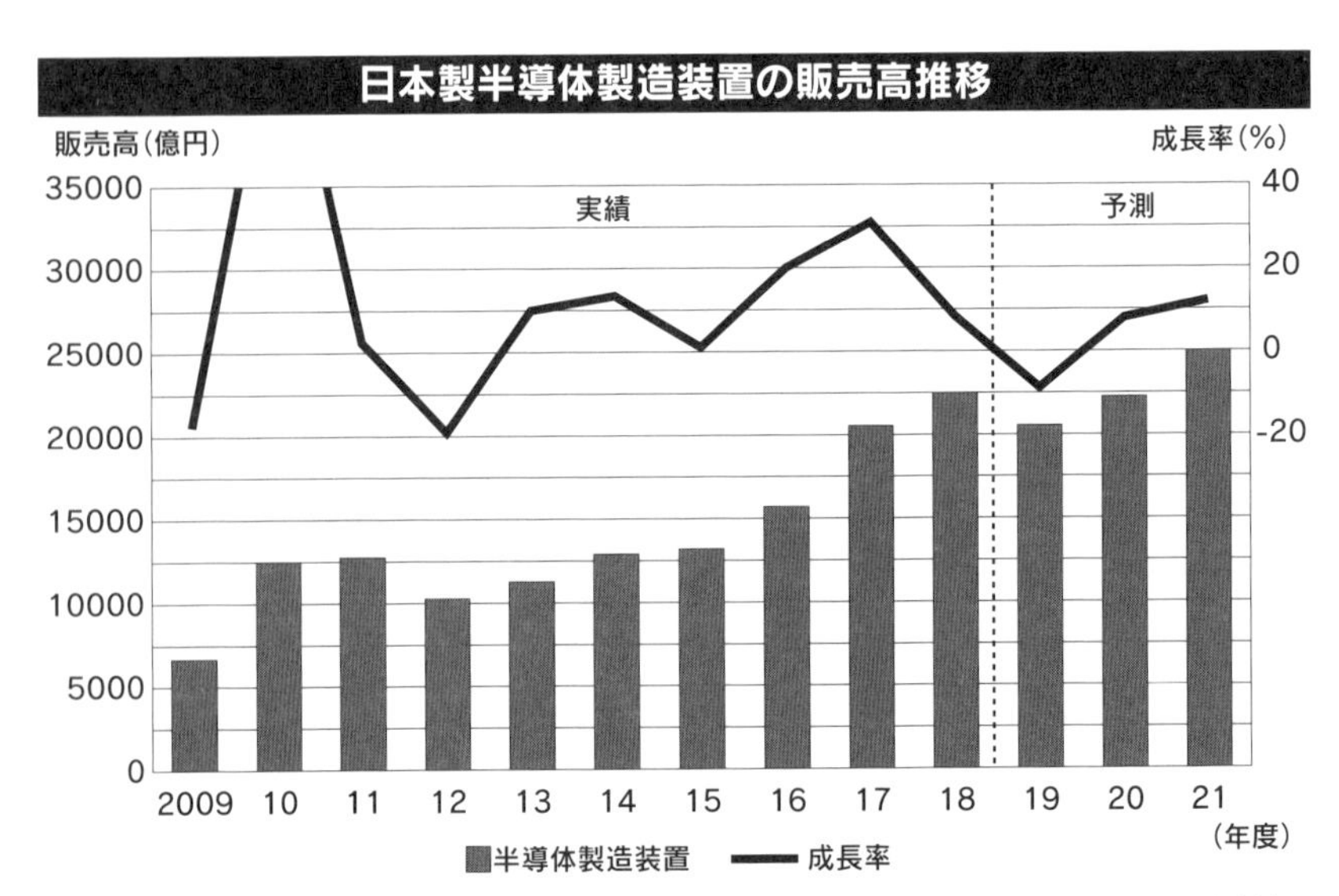

出典：日本半導体製造装置協会「2020年1月発表半導体・FPD製造装置需要予測（2019年度～2021年度）」。
海外拠点を含む日本国内外の販売高

て、12・0％増の2兆4988億円との見通しを示した。これは過去最高だった18年度の2兆2479億円を上回る。ただしパンデミック以前の予測であることは付言しておく。

強さの源流を遡れば、1970年代のあの「超LSI技術組合」に行き着く。このプロジェクトのもとで、製造装置の国産化が目指された。

当初、日本の半導体メーカーが生産に使う装置のうち、日本製は20％程度だったが、80年代初めには70％以上まで比率が高まったという。米国企業との合併設立も相次ぎ、米国で開発された優れた技術を進んで導入し、自社の製造技術と一体化させた。

日の丸半導体の隆盛と比例するように、製造装置産業も栄え、89～91年まで東京エレクトロンが売上高で世界トップを誇った。

▼原材料もトップ

日本勢が元気な分野は、製造装置だけではない。Chapter6で後述する「フォトレジスト」や「フッ化水素」、「フッ化ポリイミド」といった半導体製造に欠かせない3品目は、いずれも日本がトップのシェアを誇っている。例えば、前工程で用いるフォトレジストは、JSRや富士フイルムなど日系5社だけで市場の9割を占めていると言われる。

特に2019年はこの原材料の輸出をめぐり、話題となることが多かった。半導体大手のサムスン電子本社のある韓国との対立を背景に、日本は韓国への輸出管理を強化した。これにより韓国側の生産が滞った。韓国は当座凌ぎで原材料の国産化を探るなど、新たな動きもみられる。

原材料シェアの高さも、やはり超LSI技術研究組合がその確立に寄与してきた。製造装置の開発と並んで、材料開発も同組合の2大テーマに据えられていた。

▼商社も再編

一方、ICなどの卸売を手掛ける日系半導体商社は近年、再編が進んでいる。背景には、商品の調達先となる半導体メーカー同士のM＆A（企業の合併・買収）に伴う、商材や流通の見直しがある。合流する複数の企業が別々の半導体商社と取引があった場合、一本化する必要などが出てくるためである。

例えば15年以降、米企業同士でのアバゴ・テクノロジーによるブロードコムの買収や、ルネサスエレクトロニクスによる米ＩＤＴ（Integrated Device Technology）の買収が話題となった。それらの影響は大きく、実際、国内の半導体商社の再編は活発化した。15年４月にマクニカと富士エレクトロニクスが経営統合により「マクニカ・富士エレホールディングス」が誕生、連結売上高５２００億円超の国内最大手である。また、その背中を追っていたＵＫＣホールディングスは、19年４月にバイテックホールディングスと経営統合し、「レスターホールディングス」として再出発した。売上高は約４０００億円で業界2位となる。

2019年3月期国内半導体商社ランキング

	売上高	営業利益
マクニカ・富士エレHD	5242	153
レスターHD	3942	86
丸文	3266	50
加賀電子	2927	75
リョーサン	2496	52

各社資料をもとに作成。連結ベース、単位は億円。HDはホールディングス。レスターHDはUKCHDとバイテックHDの単純合算値

上図の半導体商社トップ５社に加え、売上高が数千億円規模の企業が上位15社内に犇めいている。また上場企業も10社超と多く、さらなる経営や商流の合理化に向けた再編も囁かれている。半導体商社の世界トップ、米アロー・エレクトロニクス（Arrow Electronics）や2位の米アヴネット（Avnet）、３位の台湾ＷＰＧは売上高２兆～３兆円で、文字通り桁違いの差が日本勢との間にある。

半導体商社は、いかに商材の付加価値を高めて販売先に届けられるかが差別化のカギ、勝敗の分かれ目ともなっている。特に、半導体市場は５Ｇ、ＡＩ、ＩｏＴの拡大に伴い、採用先も従来のデジタル家電や情報通信の分野から、自動車や医療など多様化している。こうした変化に適応して抜きん出るのはどこか、半導体商社の動向が注目される。

Chapter 6

IC産業の基礎知識

1 現代社会に欠かせない半導体

——生活や企業活動を支える産業のコメ

▼半導体って何?

Ｃｈａｐｔｅｒ４の章末でＩＣをはじめとする半導体と電子部品の全体像を示したが、ＤＲＡＭやフラッシュメモリ、ＬＳＩなど、半導体はさらに細かな分類がある。

そもそも半導体とは何か。本章では半導体の成り立ちや種類、製造工程といった基礎知識などを概観する。

ＩＣに代表される半導体は、コンピューターや民生電化製品、情報通信機器と幅広く搭載されている。近現代の企業活動、ひいては社会、人間の生活に必要不可欠なものとなっていることから、鉄鋼と同様に「産業のコメ」と呼ばれるほど、なくてはならない存在として定着してきた。

加えて、目覚ましい発展を遂げるＡＩやロボット、ビッグデータ、ＩｏＴなどのデジタル技術の隆盛を背景に、半導体の引き合いは日増しに強まっている。日本でも２０２０年に本格的に始まった次世代通信５Ｇも、需要を下支えしている。

一般に半導体と言うと、加工品としての「半導体デバイス」「半導体素子」を指す場合と、物質としての半導体を指す場合がある。ここではまず物質としての半導体の特性などを説明する。

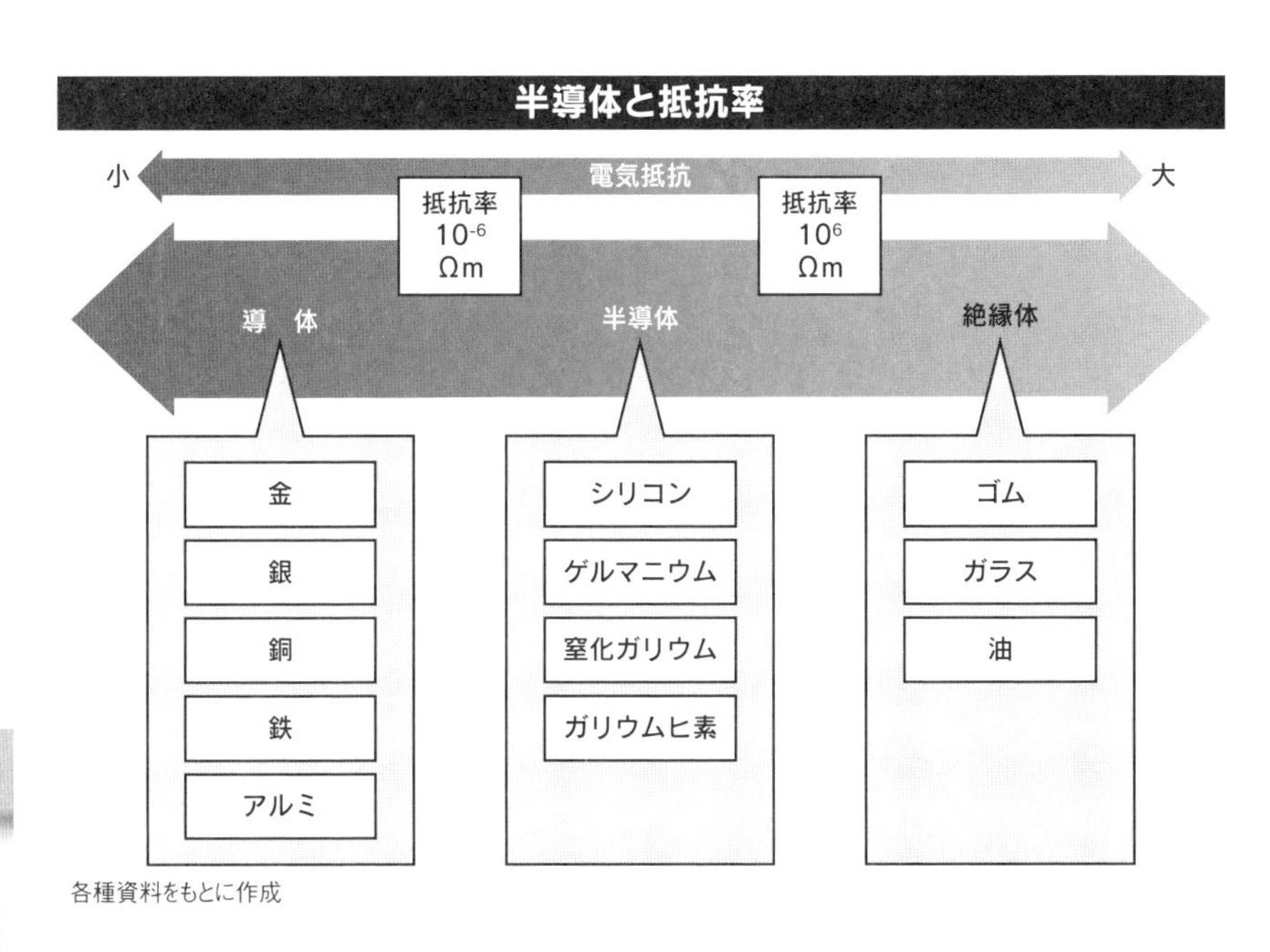

各種資料をもとに作成

「半導体」という呼称は電気をよく通す「(伝)導体」と、電気を通さない「絶縁体」との中間的な性質を持つことから、その名が付いた。英語では「semiconductor」で、「半分」(semi)、「導体」(conductor)である。この違いは、電子が存在することのできない「バンドギャップ」(禁制帯)と呼ばれる領域の幅の差による。バンドギャップがない導体は電気をよく通し、バンドギャップの大きい絶縁体は電気を通さない。

電気が流れやすい、流れにくいといった程度を数量的に表すのは「電気抵抗」(resistance)、単位は「Ω」(オーム)である。抵抗が大きいほど電流は流れにくく、電気抵抗が小さいほど流れやすくなる。義務教育で習う「オームの法則」に従い、「電圧(V)=電流(I)×抵抗(R)」、すなわち「R=V÷I」で導き出される。ちなみに、ディスクリート(140ページ参照)に強みを持つローム(ROHM)の社名は、祖業の抵抗器(Resistor)の頭文字「R」にオームを掛け合わせたのが由来となっている。

主な物質は、上図の通り、導体は銀や銅、鉄、アルミといった金属、絶縁体はゴムやガラス、油が代表的である。一方の半導体は、シリコン（ケイ〈珪〉素）やゲルマニウム、化合物でいえば、窒化ガリウムやガリウムヒ（砒）素が当てはまる。

物質の抵抗の大きさ、電気の通りにくさを抵抗率（Ωｍ）で表すと、半導体は概ね10^{-6}～10^{6}とされ、それより大きければ絶縁体、小さければ導体と解釈される。

純粋な結晶の状態にあるシリコンやゲルマニウムは絶縁体に近く、電圧をかけても電気はほとんど流れない。しかしリン（燐）やヒ素、ホウ（硼）素といった不純物をわずかに添加することにより、抵抗率が下がって電気が通りやすくなる。

加える不純物次第で、性質は2つに大別される。すなわち、シリコン結晶にリンのような余分な電子を持った不純物を混ぜれば「Ｎ型半導体」、反対に電子の少ないホウ素のような不純物を加えれば「Ｐ型半導体」が出来上がる。Ｎは負の電荷である「negative」、Ｐは正の電荷「positive」を表す。

ＩＣに用いられる半導体の結晶は、99・99999999％と極めて高い純度が求められる。その純度の高さは、9が11桁並ぶことから「イレブン・ナイン」と呼ばれる。

半導体の材料にシリコンがよく使われる理由として、不純物の除去や集積化などの加工のしやすさ、資源の豊富さが挙げられる。シリコンは地球上2番目に多い元素で石や岩に多く含まれるほか、樹木や天然水など至る所にありふれている。米カリフォルニア州サンフランシスコの一部が「シリコンバレー」と呼ばれるのは、シリコンを多用する半導体メーカーがその地で勃興、集積したためである。

▼半導体デバイスの種類

次に、半導体を用いた製品「半導体デバイス」の種類を確認する。材料や用途などによってさまざまな分け方がある。ここでは主に機能や構造に従って分類する。

半導体デバイスのカテゴリとして、ＩＣと非ＩＣの大きく2つに分かれる。ＷＳＴＳ（世界半導体市場統計）などの統計もＩＣとＩＣ以外とに大別され

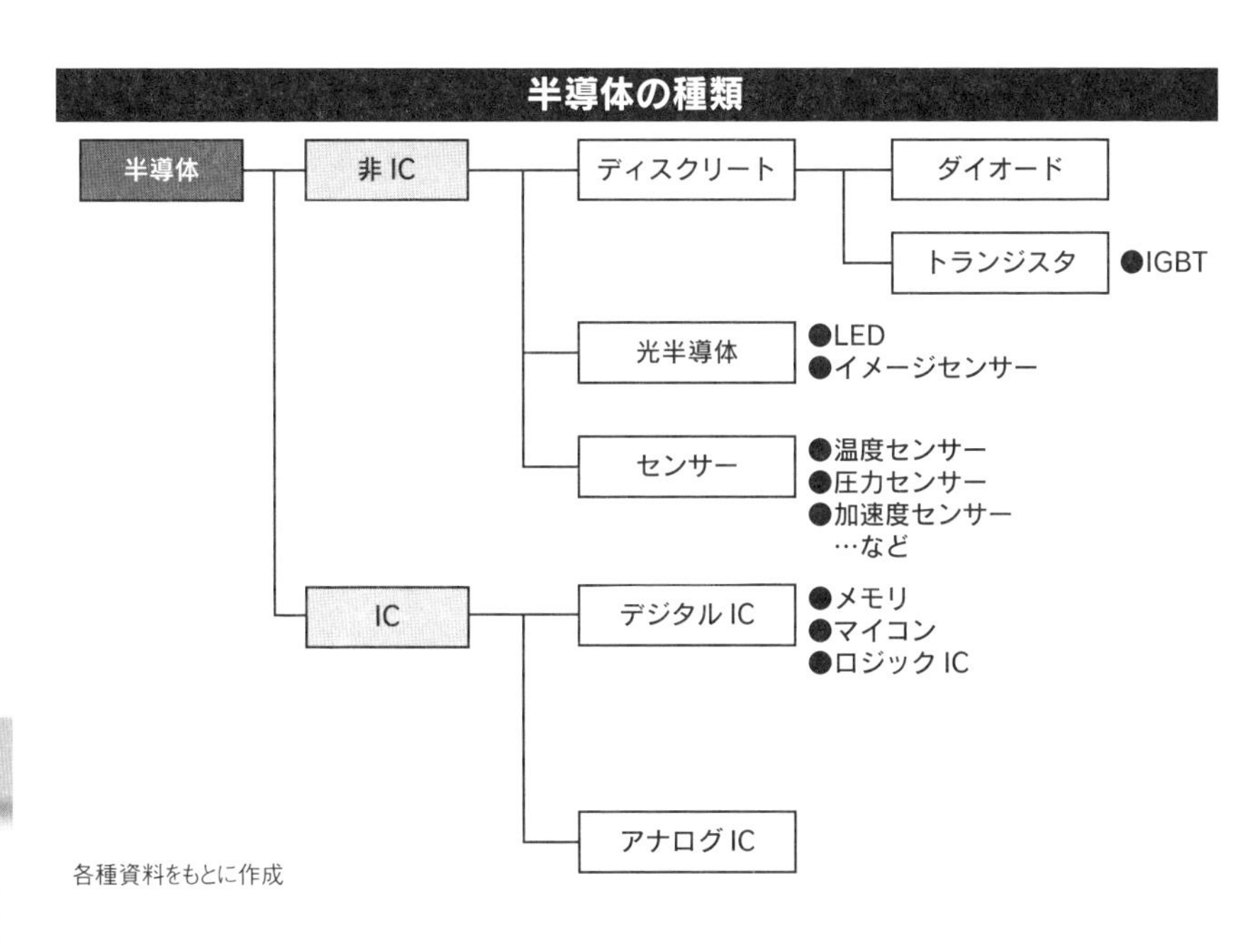

各種資料をもとに作成

ることが多い。

　非ＩＣの分類としては、オプトエレクトロニクス（Optoelectronics; 光電子工学）、センサー・アクチュエーター（Sensor/Actuator）の各デバイス、そして「個別半導体」や「単機能半導体」などと呼ばれるディスクリート（Discrete）があり、「ＯＳＤ」市場と総称されることもある。年による変動はあるものの、非ＩＣは半導体市場全体の2割程度を占める。

　メモリやマイコンに代表されるＩＣは、さらに多岐にわたり、その種類は上図の通りである。図の上から順に見ていく。

2 ディスクリート半導体
——ダイオード／トランジスタ

▼ダイオード

代表的な個別半導体の「ダイオード」（diode）は、電流を一方向にしか流さない性質があり、電極端子のアノード（anode）からもう一端のカソード（cathode）へと流れる。逆方向へはほとんど流れない。そのため、液体を通しはするが、逆流はさせない働きをする弁に例えられる。

２つの電極があることから、ギリシャ語で「２」を意味する「ｄｉ」が名に付いた。元々の由来は二極真空管（di-electrode tube）とされる。

先述のＰ型半導体とＮ型半導体とを合わせたＰＮ接合タイプのダイオードと、半導体と金属とを接合したタイプに大別される。おおよその分類は次ページに示した通りである。

ＰＮ接合では、電流を整える「整流」と呼ばれる作用により交流（ＡＣ）を直流（ＤＣ）に変えたり、逆流を防いだりできるほか、電圧を安定させて回路を保護する。ラジオの無線信号から音声信号を取り出す機能もある。そうした用途によって、整流ダイオードや検波ダイオード、定電圧ダイオードなどに分類される。

同じ整流の用途でも、整流用のダイオードを４つ、６つまとめてパッケージ化したブリッジダイオード、

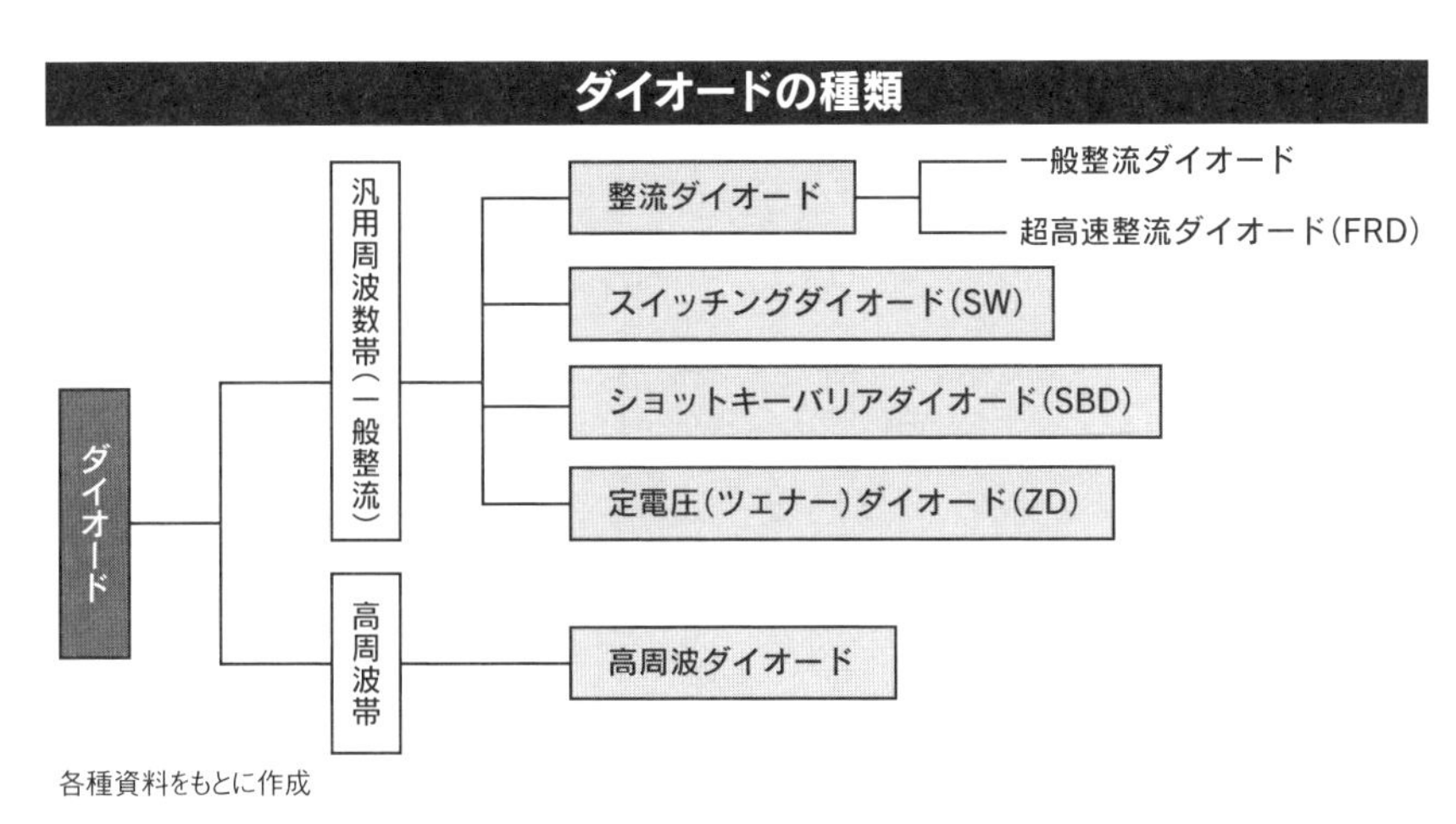

各種資料をもとに作成

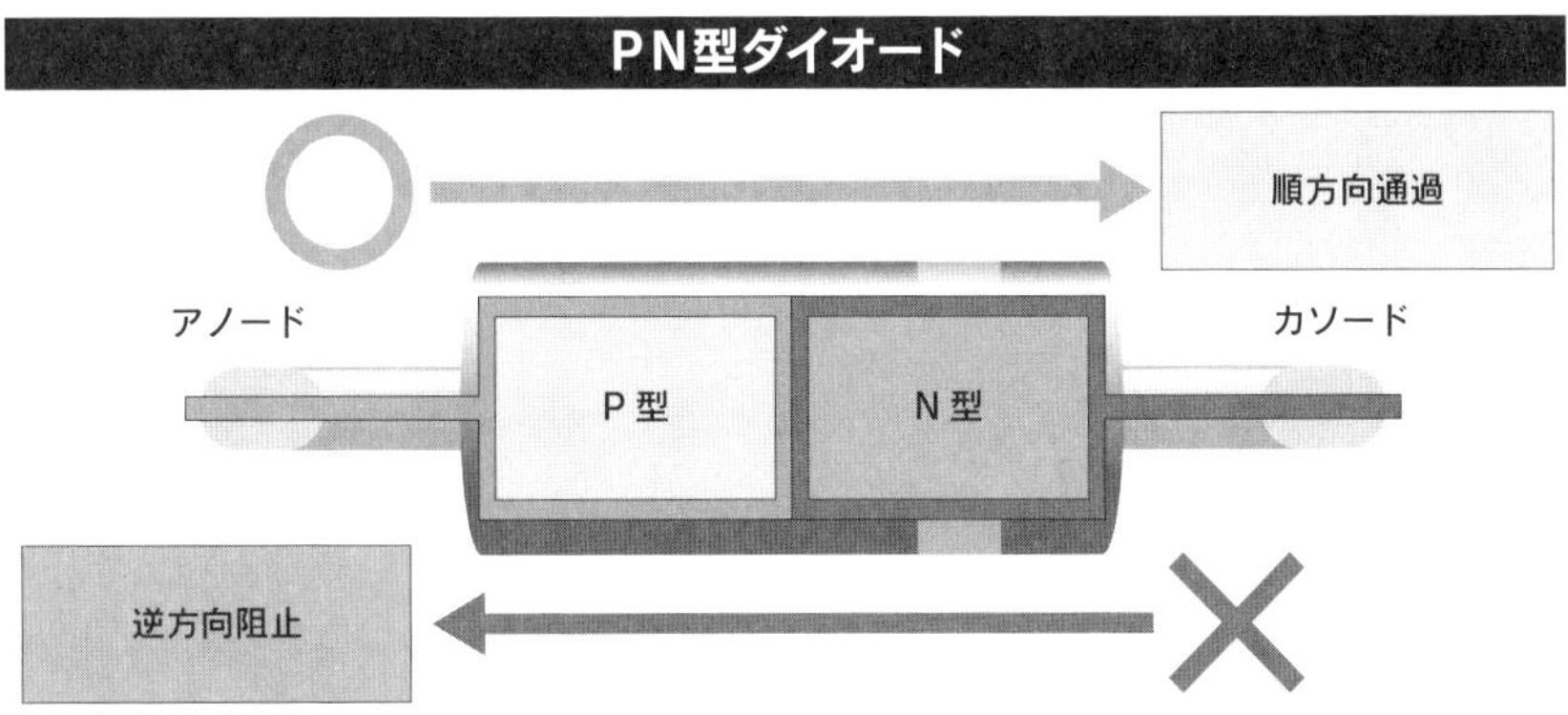

各種資料をもとに作成

高速で整流するファストリカバリダイオード（FRD：Fast Recovery Diode）など、機能や構造によって呼び分けられている。他に、逆方向に電圧を上げていくと、一定の電圧で電気が流れ始める「ツェナー（Zener）現象」を利用したのが、定電圧ダイオードである。ツェナーダイオードとも呼ばれ、ESD（Electro-Static Discharge：静電気放電）保護などに需要がある。

PN接合以外では、半導体とチタンやモリブデンといった金属を接合した構造のショットキーバリアダイオード（SBD：Schottky Barrier Diode）がある。多くはN型半導体と金属を組み合わせ、金属がアノードとして働く。高速によるスイッチングの特性を持ち、高周波の電源の切り替えに適している。用いる金属によって発揮する性能も変わってくる。

このほかダイオードと言えば、LED（Light Emitting Diode：発光ダイオード）が有名だが、分類上、後述の光半導体に含める。

▼トランジスタ

Chapter4で触れた通り、トランジスタは1947年に発明され、ICの微細化、高性能化に寄与してきた（93ページ参照）。主な役割は、送られてきた信号を何倍にも増幅させたり、信号で回路のスイッチをオンやオフにしたりする。構造や動作原理によって次ページ上図のように区分けされる。

バイポーラトランジスタ（BJT：Bipolar Junction Transistor）は数あるトランジスタの中で最も古くからある。狭義では、単にトランジスタといった場合、バイポーラを指すことが多い。N型半導体をP型半導体で挟んだPNP型と、逆にP型をN型で挟んだNPN型、2種類の接合構造がある。いずれもベース、エミッタ、コレクタの3つの端子を持ち、サンドイッチ状に挟まれた半導体がベースとなる。つまりPNP型ならベースはNである。

バイポーラトランジスタが電流駆動型であるのに対し、電圧駆動型が「電界効果トランジスタ」（FET：Field Effect Transistor）である。制御に要する電力が少なくて済み、ほとんどのICやLSIに搭載されている。バイポーラトランジスタと同様に3つの端子があるが、呼び名はゲート、ソース、ドレインと異なる。それぞれバイポーラのベース、エミッタ、コレクタに対応する。

このうち、論理回路（157ページ参照）で汎用しているのが、MOS（Metal-Oxide Semiconductor：金属酸化物半導体）の構造を持つMOSFETである。バイポーラトランジスタのNPN型に当たるNチャネルと、PNP型に当たるPチャネルの2種類あり、前者はAC／DC電源、DC／DCコンバータなど、後者はICや回路を保護するロードスイッチなどに使われることが多い。

また、NチャネルとPチャネル、2つのMOSF

トランジスタの種類

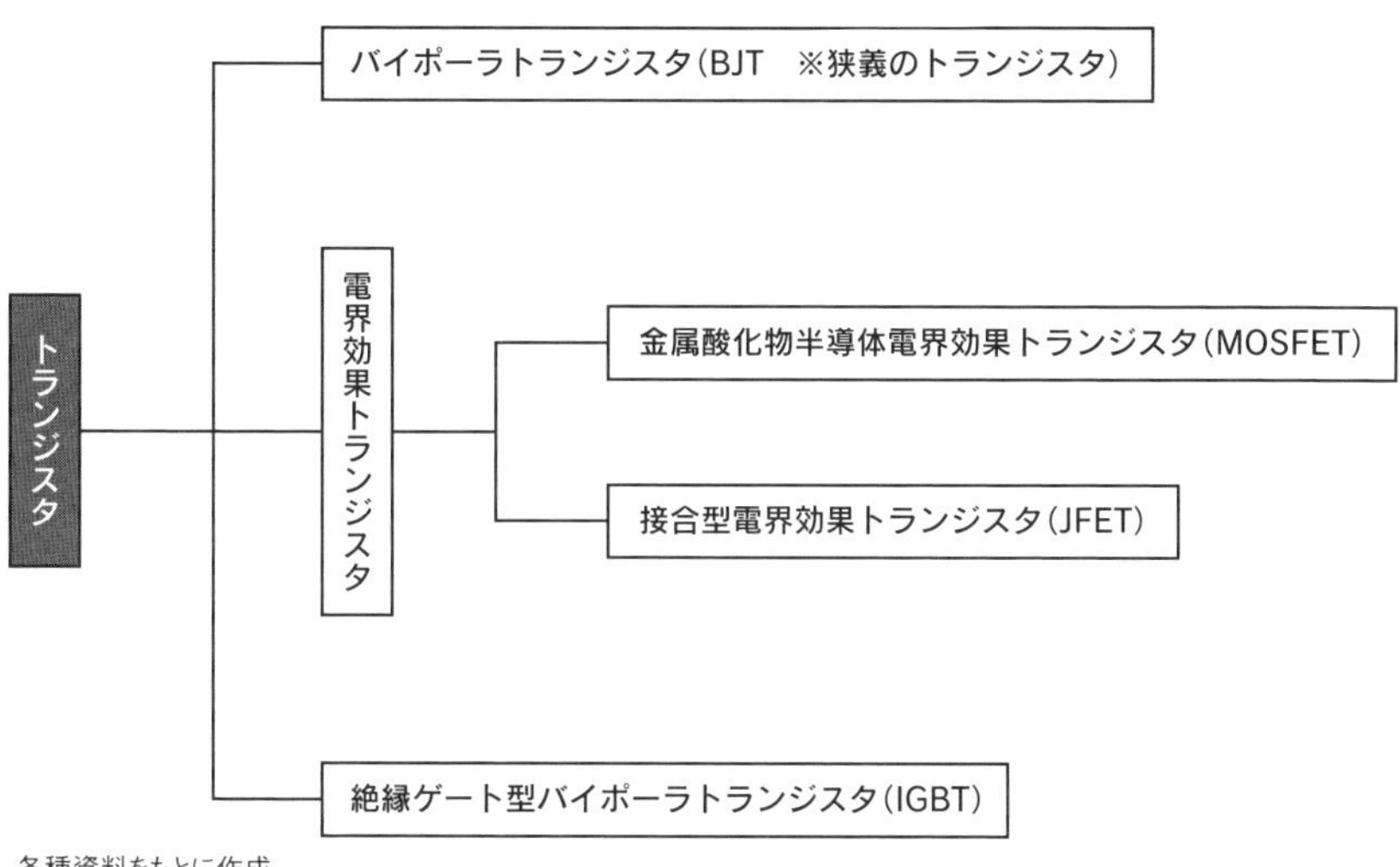

各種資料をもとに作成

主なトランジスタの特徴

	BJT	MOSFET	IGBT
模式図	コレクタ ベース エミッタ （NPN 型）	ドレイン ゲート ソース （N チャネル）	コレクタ ゲート エミッタ
特徴	主に小電力用	電圧駆動で高周波動作にも適する	BJT と MOSFET のいいとこ取り。大電力向け
スイッチング速度	低速	超高速	BJT と MOSFET の中間
安全動作領域	狭い	広い	中間的

各種資料をもとに作成

ETを組み合わせた論理回路を同じチップ上に集積したタイプもある。NとP双方のチャネルが相互補完的（Complementary）に作用し合って回路内の電流を制御することから、CMOS（相補型MOS）と呼ばれる。CPU（157ページ参照）をはじめ、用途は多岐にわたる。

さらに、バイポーラとMOSFETを組み合わせた半導体としてIGBT（Insulated Gate Bipolar Transistor; 絶縁ゲート型バイポーラトランジスタ）がある。入力がMOS構造、出力がバイポーラ構造の複合型で、両方の長所を兼ね備えているのが特徴である。次項で見るパワー半導体の1つで、冷蔵庫や洗濯機といった民生用から、電車を含む車載用や産業機器に至るまで、幅広く使われている。

他のFETに、低周波小信号回路などに用いられるJFET（Junction Field Effect Transistor; 接合型電界効果トランジスタ）もある。

▼サイリスタとパワー半導体

電力を制御するP型とN型の半導体を4つ以上交互につなぎ合わせた素子をサイリスタ（Thyristor）と呼ぶ。サイリスタは商用電源などの交流スイッチとして使い勝手が良い。

一般に、単にサイリスタと言う場合はシリコン制御整流子（SCR; Silicon Controlled Rectifier）の「逆阻止3端子サイリスタ」を指す。P、N、P、Nと連なる。ゲートを制御することによってアノード、カソード間に流れる主電流をコントロールできる。

一方向のオン・オフを制御するSCRに対し、改良して双方向のオン・オフ制御を可能にした製品がトライアック（TRIAC; Triode AC Switch）である。64年に米ゼネラル・エレクトリック（GE）が製品化した。逆阻止3端子サイリスタを逆並列接続して双方向化したものとなる。

サイリスタ自体もGEが、57年に開発した。これがパワー半導体（デバイス）の歴史の始まりとされる。パワー半導体は、大きな電流や電力を扱うデバイスで、モーターや照明などの制御や、電力の変換を行うのに適している。

パワー半導体の市場

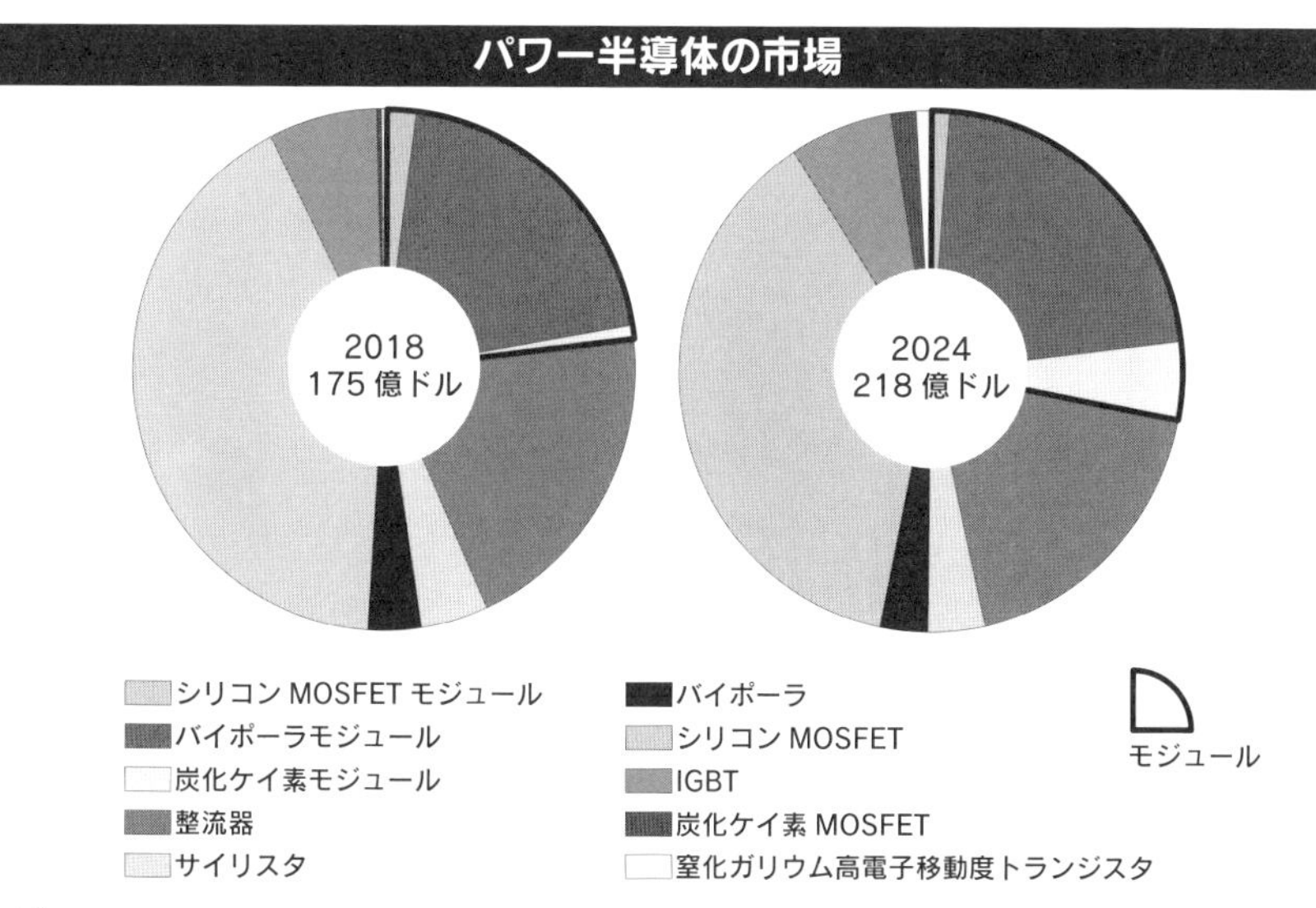

出典：Yole Développement
「Status of the Power Electronics Industry 2019 - Market and Technology Report 2019」

パワー半導体の応用範囲

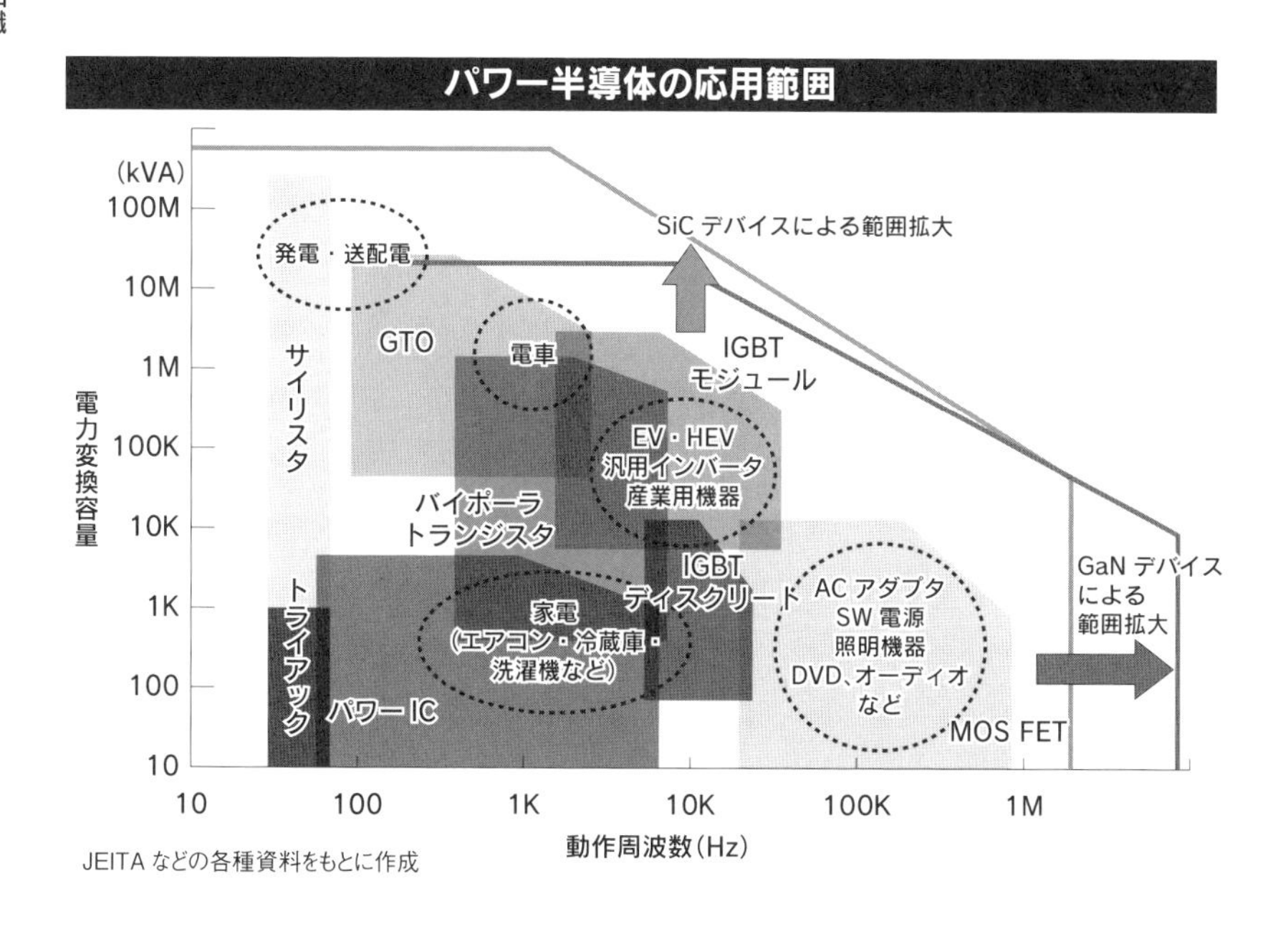

JEITA などの各種資料をもとに作成

アプリケーション別IGBT市場（2016～22年）

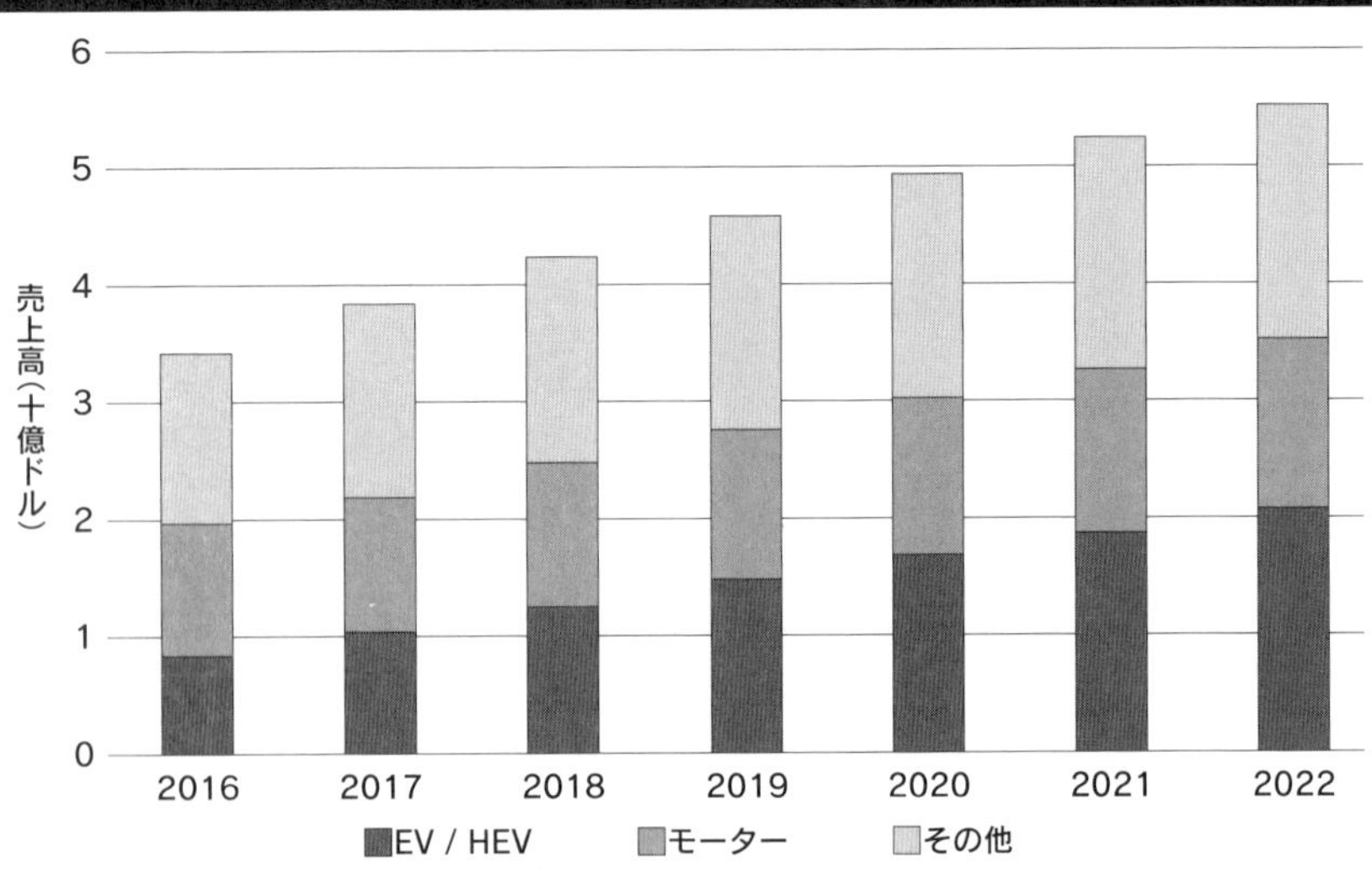

出典：Yole Développement「IGBT Market and Technology Trends 2017 report」

ＩＣなどの市場調査を手掛けるフランスのヨール・デベロップメント（Yole Développement）によると、半導体を使ったパワーエレクトロニクスの市場は、２０１８年の１７５億ドルから、24年に２１８億ドルまで拡大すると見込まれる。

中でも、ＩＧＢＴやSiC（Silicon Carbide; 炭化ケイ素）の分野で日本勢の健闘が目立つ。同じヨール・デベロップメントの調査によれば、三菱電機が首位を走るＩＧＢＴの売上高は、16年の約34億ドルから、22年には50億ドルを上回る規模へと拡大が見込まれる（上図）。特に、「ＥＶ・ＨＥＶ」（電気自動車／ハイブリッド車）の伸びが目覚ましく、10億ドルに満たなかった16年から、22年には2倍強の20億ドル余りに達すると予想される。

既に欧州などで引き合いが強まっているSiCや、20年代に本格的な実用段階に入ると期待される窒化ガリウム（GaN; Gallium Nitride）や酸化ガリウムを応用したデバイスが、市場拡大に寄与していくと見られている。

3

光半導体とセンサー

——存在感を増す日本勢

▼光半導体

ＯＳＤ市場のＯ、オプトエレクトロニクスの応用デバイス、光半導体はＩＣに次ぐ大きな市場である。ＷＳＴＳによると、世界の売上高は２０１９年に前年比７・９％増の４１０億ドルと過去最高に上ると見込まれ、堅調さが目立つ。牽引するのはソニーが強みとするＣＭＯＳイメージセンサーなどである。

光半導体は大きく２つ、電気信号を光に変換する発光素子と、反対に光を電気信号に変える受光素子とに分かれる。一般に、シリコンは発光に向かず、窒化ガリウムなどを使う。その材質から、光半導体は化合物半導体に分類される。

発光素子として有名なのはＬＥＤで、家庭用照明のほか、液晶や自動車、信号機など採用先は幅広い。次ページに図示した通り、ＰＮ接合による化合物半導体に順方向の電流を流すことで発光する。

光の波長はガリウム（Ga）やインジウム（In）など使う化合物によって異なり、エネルギーのバンドギャップ（１３７ページ参照）が大きいほど短い波長、小さいほど長い波長の光となる。テレビリモコンなどに使われる赤外ＬＥＤはガリウムヒ素（GaAs）、警告用ランプなどに使う赤や緑のＬＥＤにはリン化ガリウム（GaP）やアルミニウム・イン

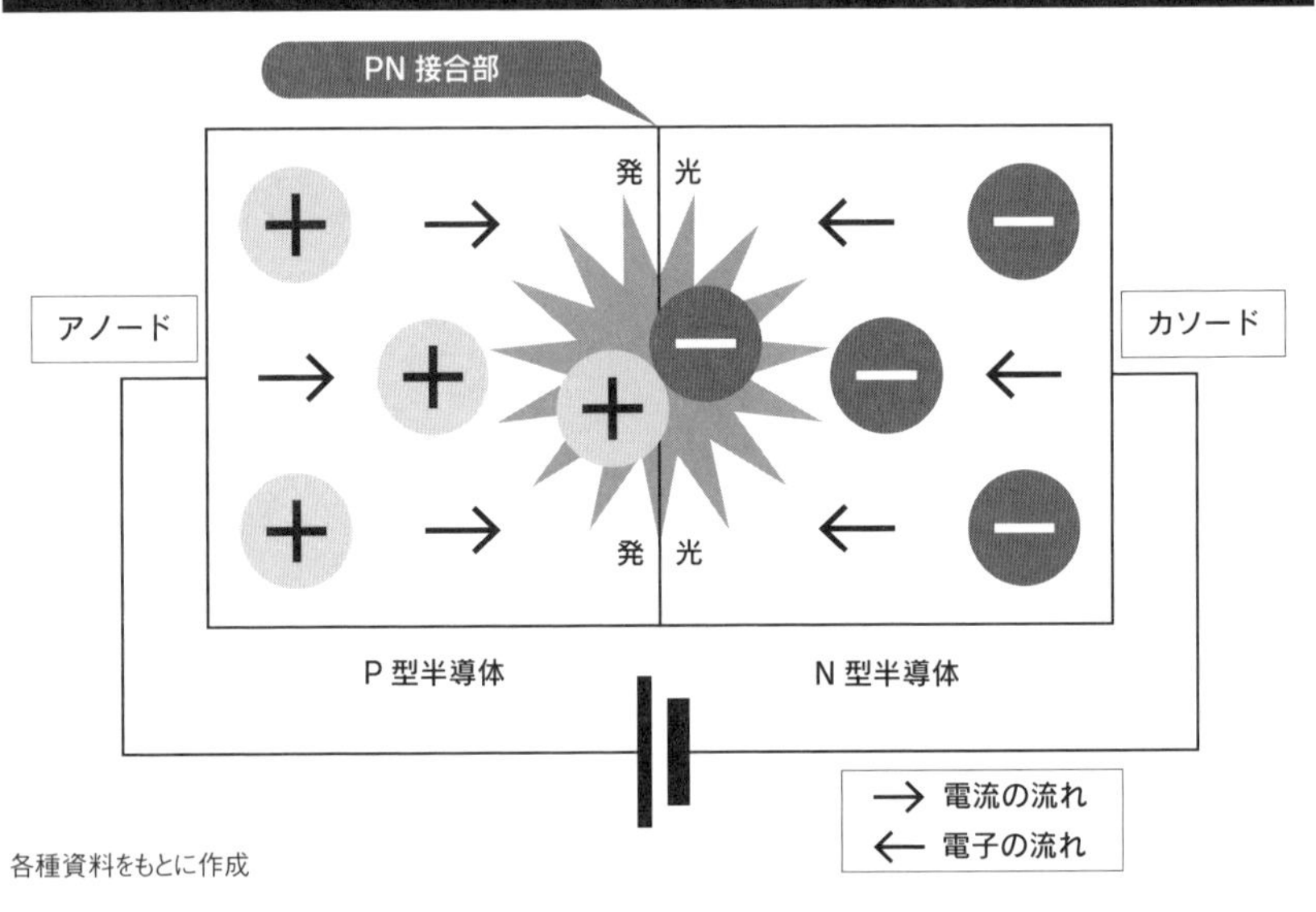

各種資料をもとに作成

ジウム・ガリウム・リン（AlInGaP）、青色LEDには窒化インジウムガリウム（InGaN）や窒化ガリウムが使われる。白色光は複数の光を混ぜ合わせて白く見せる。

他の発光素子としては、レーザーダイオード（LD：Laser Diode）がある。半導体レーザーとも呼ばれ、ディスクの読み込みや記録、光通信、バーコードリーダー、レーザーポインターと用途は多岐に及ぶ。

次に、受光素子の光センサーは、光を電気エネルギーに変換して光の強度などを検出するフォトダイオード光センサーが代表格である。光半導体素子のPN接合部に光を当てると電流や電圧が生じる。人の位置を検知したり、体温を計ったりする赤外線センサーも光センサーの一種である。

フォトダイオードを応用したデバイスにCCD（Charge-Coupled Devices：電荷結合素子）イメージセンサーとCMOSイメージセンサーがある。いずれも、センサーの表面に敷き詰められたフォトダイオードが、光を感知して電気信号に変える。普及型デジタルカメラの撮像素子に採用されてきた。なお、イメージセンサーと撮像素子はほぼ同義として扱われる。

ＣＣＤの技術が先に確立、普及してきたが、省電力化や信号読み出しの高速化が課題だった。それらを改善したのがＬＳＩと同じ構造を持つＣＭＯＳイメージセンサーだった。ＳｏＣでコンパクトに造れ、低電圧、低消費電力にも優れており、大量生産の製造技術も既にある。デジカメ以外にもスマートフォンやパソコン、タブレット端末など、ＣＭＯＳイメージセンサーの需要は大きい。

ヨール・デベロップメントは19年7月、ＣＭＯＳイメージセンサーの世界売上高は18年に前年比11・5％増の１５５億ドルになったと公表、「半導体全体の売上高の３％を超えた」と強調した。19年も約10％の伸びを予想し、24年には２４０億ドルまで市場が広がっていくと見ている。

さらに、発光素子と受光素子を掛け合わせた複合素子として、フォトカプラ（photocoupler）がある。ＬＥＤなどを応用し、発光と受光の両素子を１つのパッケージのデバイスとしてまとめた。「opto coupler」や「opto isolator」とも呼ばれる。

電流を流すと、その光で受光素子が「導通する」、つまりオンになる仕組みである。回路と回路の間の絶縁などに使われる。

なお、広義には太陽電池も受光素子に当てはまる。

▼センサー

センサーは周囲の環境など対象物の情報を集め、電気信号に置き換えて出力する。総じて、物理的、化学的現象を機械的に変換するデバイスである。

人間が視覚や聴覚、味覚、嗅覚、触覚で得た情報に基づいて行動するように、センサーも色や音、味や香り、圧力や振動などさまざまな現象を感知、処理する。

分け方もまた多様で、物理量か化学量かという分類、接触型か非接触型かという分類、能動型か受動型かといった具合である。ＷＳＴＳの統計では、温度や加速度、圧力、磁気、その他の各種センサー、そしてアクチュエーターを「センサー／アクチュ

センサーの電気的変換のイメージ

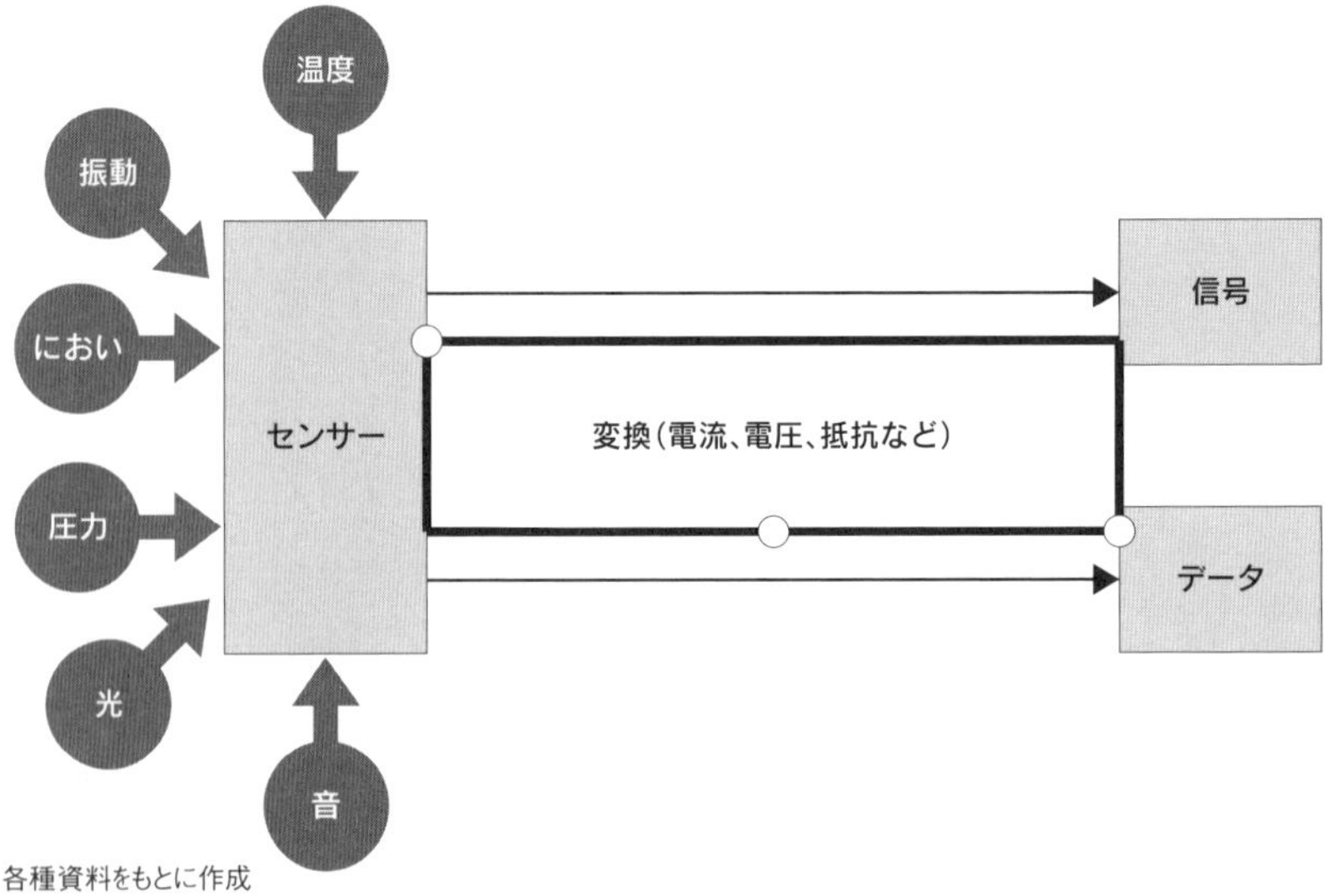

温度
振動
におい
圧力
光
音
センサー
変換（電流、電圧、抵抗など）
信号
データ

各種資料をもとに作成

エーター」と分類して取りまとめている。なお、前述のＣＭＯＳイメージセンサーは光半導体のカテゴリに入る。

　また、自動車やスマートフォンなど、主な採用先ごとに見ても、いかに多くのセンサーが搭載されているかが分かるだろう。さらにＣＡＳＥ（71ページ参照）に象徴される自動車の進化に伴い、採用されるセンサーの数も種類も、さらに増えていくと見込まれる。自動車に限らず、ＩｏＴと５Ｇが普及するにつれ、医療用やオートメーション化する工場など、センサーの需要は一層の伸びが期待される。

　19年５月のＩＣインサイツの発表によると、「センサー・アクチュエーター」の世界売上高は18年の１４７億ドルから、23年には２１１億ドルまで拡大するとされる。13年から18年までの年間平均成長率は９・７％、18年から23年は７・５％とやや鈍化するものの引き続き堅調に推移すると予想している。

人間の五感にちなんだ主なセンサー

	人間の動作		主なセンサー
物理量	物・色を識別する	視覚	赤外線センサー、照度センサー、焦電センサー
	光を感じる		イメージセンサー、カメラ
	音を聞く	聴覚	圧力センサー、超音波センサー、マイクロホン
	温度や圧力、振動を感じる	触覚	温度センサー、圧力センサー、湿度センサー、ひずみセンサー
化学量	味を感じる	味覚	味覚センサー
	臭いをかぐ	嗅覚	においセンサー、ガスセンサー

各種資料をもとに作成

自動車やスマートフォンに搭載されている主なセンサー

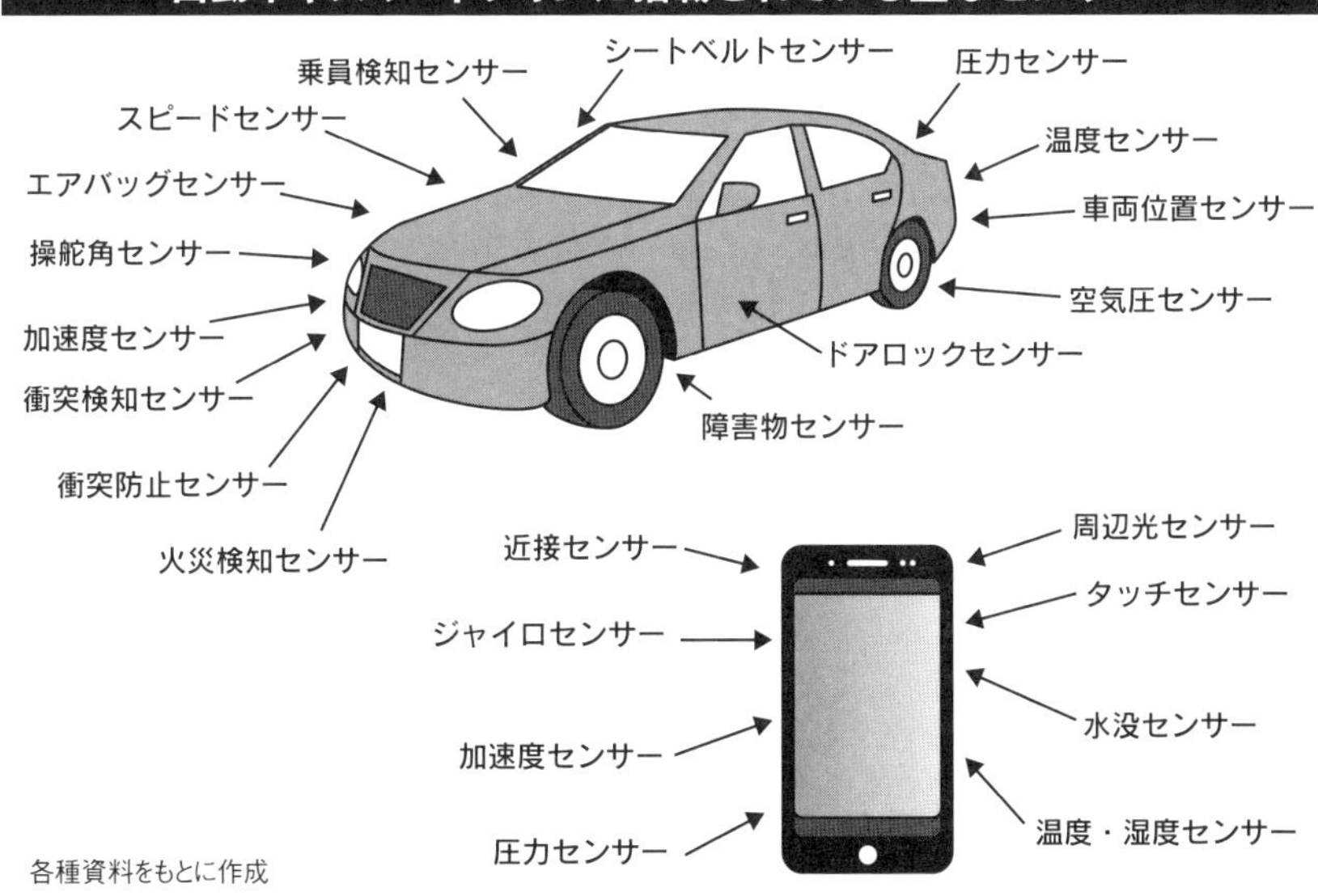

各種資料をもとに作成

4 微細化進むICチップ

――ミリからミクロ、ナノの世界へ

▼誕生は半世紀余り前

次に、半導体の主役とも言えるIC（Integrated Circuit; 集積回路）について見ていく。ディスクリートが1つの単機能の素子であるのに対し、ICは複数の素子が1つのチップに載っている。

複数の部品を基板上に配置、配線するという発想から転換し、1枚の小さな半導体チップの上に、コンデンサや抵抗など回路を構成する部品を集積、接続しようとする試みから始まった。そして1958年、当時テキサス・インスツルメンツの社員だったジャック・キルビー（Jack Kilby）が発明した。キルビーは功績が認められ、2000年にノーベル物理学賞を受賞している。

それほどインパクトのあったICは、1965年のムーアの法則（97ページ参照）を経て微細化の道をひた走る。法則が発表された当時、1チップ当たりのトランジスタの集積度は64個程度だったが、現在の素子は肉眼では見えないナノメートル（10億分の1メートル）レベルまで小さくなった。こうして集積度を高めたICをLSI（Large Scale IC; 大規模集積回路）と呼び、その程度によって次ページの表の通り、VLSI（超大規模IC）やULSI（超々大規模IC）などに分かれる。

集積度に基づくICの呼称			
	略号	意味合い	素子数の目安
Small Scale IC（1958～60年代）	SSI	小規模IC	100以下
Medium Scale IC（～60年代後半）	MSI	中規模IC	100～1000
Large Scale IC（70年代～）	LSI	大規模IC	1000以上
Very Large Scale IC（80年代後半～）	VLSI	超大規模IC	100万以上
Ultra Large Scale IC（90年代～）	ULSI	超々大規模IC	1000万以上

各種資料をもとに作成

さらに進んだ概念として、システムLSIがある。微細化するにつれて電卓や時計、テレビゲーム、パソコン、スマートフォンへと広がっていった。システムLSIはSoCとほぼ同義とされる。

製品の幅も広がり、機能ごとにメモリIC、ロジックIC、マイコン、などと分類され、細分化が進んだ。概ね次ページのように分類できる。

ICは構造上、大まかにモノリシックとハイブリッドとに分けられる。モノリシックICはシリコンチップの上に一体的に構成された集積回路のことで、特に断りなく「集積回路」や「IC」といった場合にはモノリシックを指すことが多い。一方、ハイブリッドICはセラミックの基板上に小型部品を搭載した集積回路を指す。

さらにモノリシックICは、扱う信号ごとにデジタルICとアナログICとに分かれる。デジタル信号とは、音量や光量、温度、時間などの連続したアナログ信号を、1と0で数値化したものを指す。デジタルICはメモリICやロジックIC、それらを組み合わせるマイコンなどが含まれる。順次見てい

ICの分類

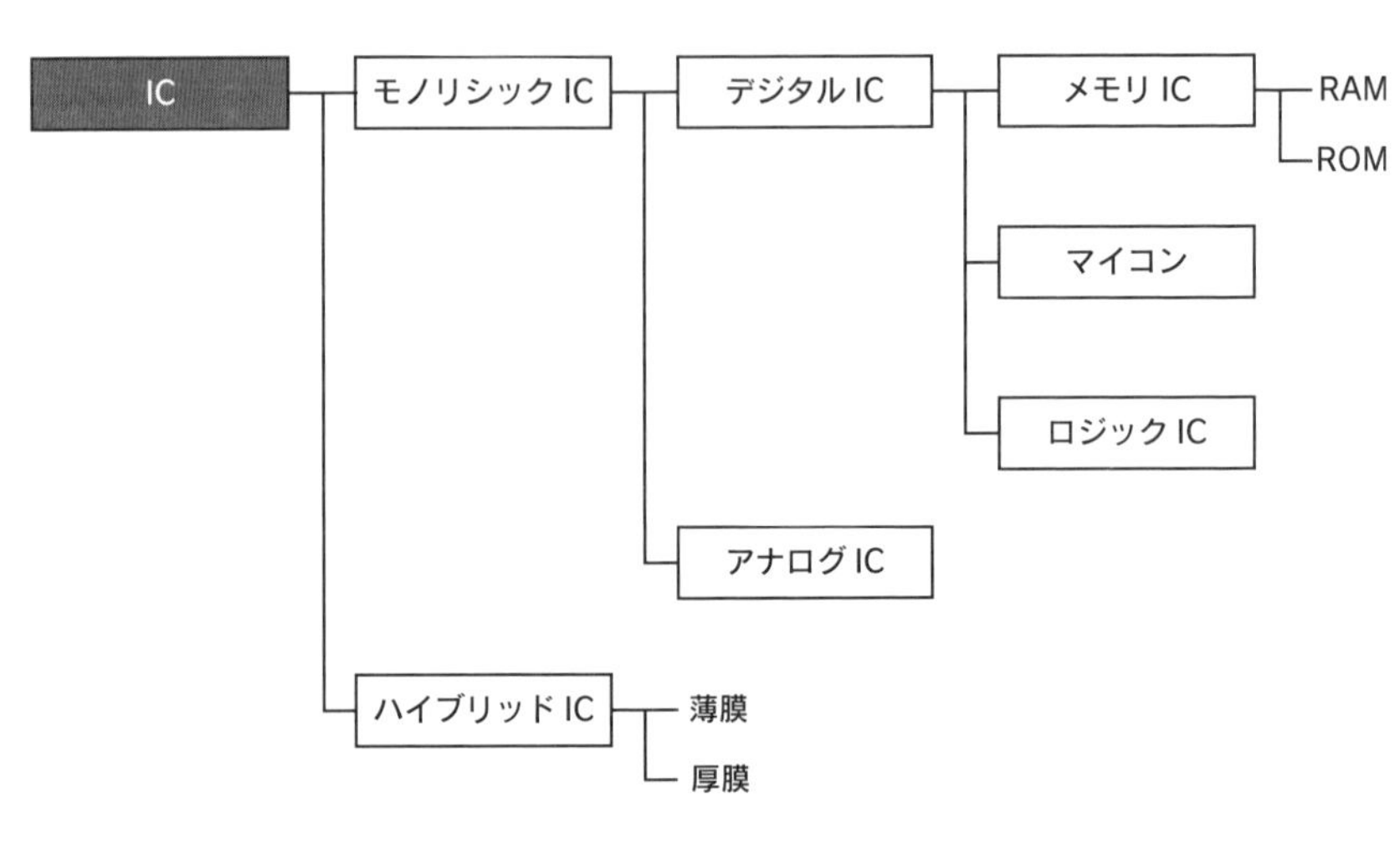

各種資料をもとに作成

くこととする。

なお、ＩＣを構成するトランジスタによって類型が分かれ、ＭＯＳＦＥＴに基づくＩＣをＭＯＳ型ＩＣ、バイポーラトランジスタによるＩＣをバイポーラ型ＩＣと呼ぶ。

▼メモリIC

半導体メモリは、データを電気的に記憶するのに特化したＩＣで、磁気や光学ディスクなどの記憶装置に比べ、省電力やデータの読み書きの速さに優れる。機能別に、自由に読み書きができるＲＡＭ（Random Access Memory）と、読み込み専用のＲＯＭ（Read Only Memory）に大別される。

ＲＡＭはコンピューター処理の過程でデータを一時的に読み出したり書き込んだりできるのが特徴である。代表的なＤＲＡＭ（Dynamic RAM）をはじめ、大半のＲＡＭは、電源を切ると記憶したデータが失われるタイプの揮発性メモリ（volatile memory）に該当する。裏返せば、電源を供給していないと記憶しているデータを保持できない。

主なメモリICと特徴

		RAM		ROM					
		揮発性		不揮発性					
		DRAM	SRAM	FRAM	MRAM	ROM	EPROM	EEPROM	NAND型FLASH
書き換え	回数	無限	無限	1兆～10兆回	無限	書き換え不可	100回	10万～100万回	1万～10万回
書き換え	方法	重ね書き	重ね書き	重ね書き	重ね書き	―	消去＋書き込み	消去＋書き込み	消去＋書き込み
値段		○	×	×	×	○	△	×	◎
データ保持バッテリー		リフレッシュ必要	保持バッテリー必要	不要	不要	不要	不要	不要	不要

各社資料をもとに作成。回数などは目安、値段はビット当たりの比較

一方のROMは、書き込まれたデータが常に保存されており、電源を切ってもデータが消えない不揮発性メモリ（non-volatile memory）である。

主なメモリICをまとめると、上表の通りとなる。DRAMは、一定間隔で内容を再度書き込むリフレッシュという操作をしてデータを保持する。コンデンサによって情報を記憶する。

別の形態として、SRAM（Static RAM）があり、内部に複数のトランジスタによる回路で構成される。リフレッシュの操作が不要な半面、回路はより複雑となる。DRAMのD（ダイナミック）に対し、SRAMのS（スタティック）は「静的な」を意味する。

DRAMはSRAMより単純な構造で集積度が高く、単価も安いという特徴がある。アプリなどを動かすためのメインメモリとして、パソコンのほか、スマホやタブレットに使われている。

対してROMの代表格は、補助記憶装置の記録媒体に使われることの多いフラッシュメモリである。一般のROMは、工場で製造、出荷される段階でメ

モリの内容が決まっており、利用者は書き換えられない読み出し専用タイプである。マスクＲＯＭとも呼ばれる。

一方、専用の装置を使って利用者が書き込みできるＰＲＯＭ（Programmable ROM）がある。

一度しか書き込めないＰＲＯＭに対し、利用者が内容を繰り返し書き換えられるタイプを、ＥＰＲＯＭ（Erasable and Programmable ROM）と呼ぶ。多くは、紫外線（ＵＶ：Ultraviolet）照射により内容を消去する「ＵＶ－ＥＰＲＯＭ」である。

紫外線でなく、電気的にデータを消去するＥＥＰＲＯＭ（Electrically Erasable and Programmable ROM）は、消去に装置は不要である。

単価が安く大容量のＥＰＲＯＭ、装置不要で操作性に優れるＥＥＰＲＯＭ、双方の特性を兼ね備えたのが、84年に東芝が生み出したフラッシュメモリである。その4年前、80年には米インテルが一括消去（フラッシュ）型ＥＥＰＲＯＭを開発していたが、東芝製は専有面積がインテル製の4分の1以下と小さく、大幅なコスト減につながったとされる。東芝はさらに89年に、消去や書き込みが速い新型も創出した。

フラッシュメモリは素子構造や動作の特性によって2つに分かれる。電子回路が行う演算の種別により、84年に開発されたのはＮＯＲ型、89年の新型はＮＡＮＤ型と呼ばれる。ＮＯＲは否定論理和（Not OR）、ＮＡＮＤは否定論理積（Not AND）を表す。ＮＯＲ型はＮＡＮＤ型に比べて読み出しが速い一方、ＮＡＮＤ型は一段と集積度が高めやすく低コスト化できる特徴がある。

特にＮＡＮＤ型フラッシュメモリは、パソコンやサーバ向けにＳＳＤ（Solid State Drive）のほか、ＵＳＢ（Universal Serial Bus）メモリやメモリカードといったリムーバブルメディアに適している。ＪＥＩＴＡも「他の不揮発性メモリに比べて、1年に約2倍のペースで大容量化、10年間で1／50以下の低価格化」が進んだと太鼓判を押していた（２０００年代後半時点）。

なお、冒頭のＲＡＭの説明で、大半は揮発性メモリと述べたが、電源を切ってもデータが消えない不揮発性の特性を併せ持つRAMとして、FRAMもある。Fは「強誘電体」(Ferroelectric)を意味し、FeRAMとも言われる。1兆~10兆回書き換えができる。

さらに、無限に書き換えができて読み込みも速い次世代型の不揮発性メモリとして、MRAMがある。Mは「磁気抵抗」(Magneto-resistive)を意味する。コストが課題だが、00年代に入って量産化が加速してきた。

▼ロジックIC

メモリが情報を記憶する機能をつかさどるのに対し、ロジックICは情報を制御して演算や命令を担う論理回路の半導体素子である。論理回路は論理積(AND)、論理和(OR)、否定(NOT)、3つの基本的な回路を組み合わせることであらゆる複雑な回路をも設計でき、さまざまな機能を編み出させる。コンピューターの中枢に当たるCPU(Central Processing Unit: 中央処理装置)に欠かせないデバイスとなる。

ロジックICの代表格の1つに、多くの論理回路に共通する個別の機能をワンパッケージに集積した小型の回路、「標準ロジックIC」がある。業界標準となっており、「汎用ロジックIC」とも呼ばれる。CPUやメモリなどシステム間のインターフェースの役割を担う。

標準ロジックICは、回路主要部の要素構造別に、バイポーラトランジスタで構成されるTTL(Transistor-Transistor Logic)ICと、CMOSによるCMOSICに大別される。

また、標準ロジックICとは別に、利用者側の意向に沿って専用にカスタマイズを施したASIC(Application Specific Integrated Circuit: 特定用途向け集積回路)などがある。

なお、CPUの同種に、3D画像の描写、処理に優れるGPU(Graphics Processing Unit: 画像処理装置)がある。近年は画像に関する演算以外にも使えるGPGPU(General-Purpose computing on GPU: GPUにおける汎用演算)も普及し、AIやそれを支える機械学習の用途に広く活用され始

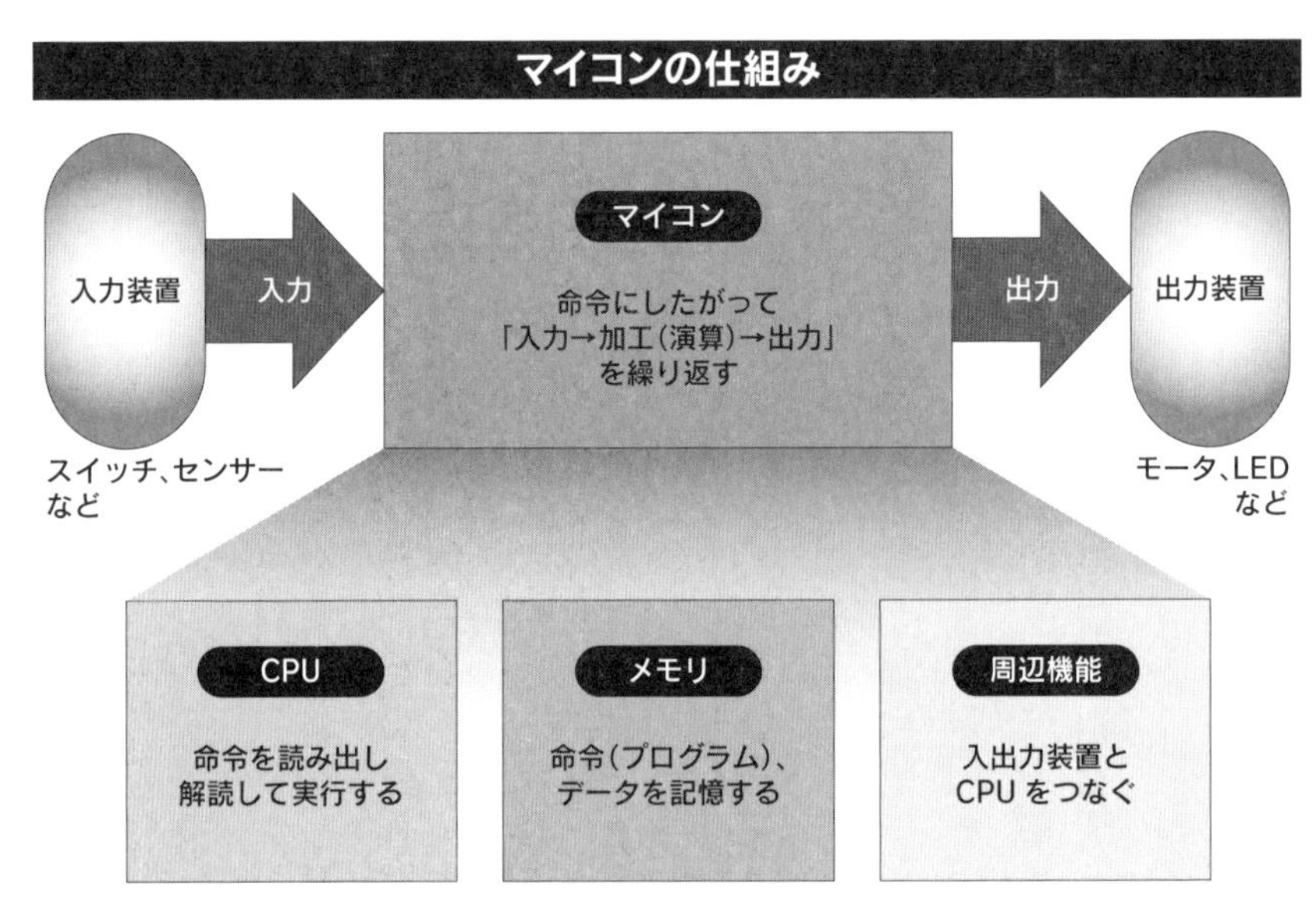

出典：ルネサスエレクトロニクス「マイコン入門」

めている。

▼マイコン

マイコンは、搭載されたCPUによって演算処理するマイクロコントローラの略称で、冷蔵庫や洗濯機といった民生機器や産業機械、自動車などの制御用として幅広く使われている。コンピューターの機能を集約したICチップの形で、電子機器の司令塔、頭脳に相当する役割を果たす。

マイコンには、CPUのほかRAMやROMのメモリ、周辺回路を一体的に組み込んだ半導体デバイスのMCU（Micro Controller Unit）や、より高機能のMPU（Micro Processor Unit）がある。概ねの基準として、MPUは演算ビット数が最低でも32メガビット、MCUはそれよりも小さいとされる。

中でも、例えばWi-Fiやカメラ、GPS（Global Positioning System; 全地球測位システム）といったコンピューターに必要な機能、システムを一まとめにした製品はSoC（System-on-a-Chip）と呼ばれる。システムLSIと同義でもある。

▼アナログIC

音や光、温度といったアナログ信号（153ページ参照）を扱うアナログICは、電源や動力の制御機能を有する。

代表的なデバイスとしてオペアンプ（Operational Amplifier; 演算増幅器）がある。回路に組み込むことで、処理の難しい微弱な信号を増幅して処理することができる。また、フィルタとして機能して特定の周波数の信号だけをキャッチし、他の周波数をノイズとして取り除くことができる。電源の電圧を供給したり監視したりするような機能を持つ、電源ICもアナログICの一種である。役割によって「リニアレギュレータ」や「リセットIC」、「スイッチIC」などに分類される。

なお、ICインサイツはアナログICの世界売上高が17年の545億ドルから22年に748億ドルまで伸び、年平均6・6％の高成長を続けると、18年に予測していた。特に車載向けなどで引き合いが増えていくと見込まれる。

▼ハイブリッドIC

最後に、ハイブリッドICは絶縁体の基板上に抵抗やコンデンサ、トランジスタ、複数のICチップなどを高密度に搭載し、混成集積回路と呼ばれる。

蒸着*などによって素子を形成したガラスなどの基板に半導体チップを搭載した薄膜ICと、スクリーン印刷技術でセラミックス基板などに半導体チップを取り付けた厚膜ICがある。

一般的に、通常のICチップに比べて小型化や軽量化、高密度化につながるといったメリットが期待できる。

＊蒸着
金属や酸化物を加熱、蒸発させ、対象となる素材の表面に薄い膜状に付着させる工法。

5 ＩＣができるまで

―フローは大きく3工程

ＩＣの製造フローは一般的に３つの工程に分けられる。すなわち設計、前工程、後工程である。最も一般的な、シリコンを材料とした半導体を例に見ていく。

▼分業が主流

Ｃｈａｐｔｅｒ４で見てきた通り、以前は日本の総合電機のようにＩＤＭ（Integrated Device Manufacturer: 垂直統合型デバイスメーカー）と呼ばれて1つの企業グループが全て手掛けていたが、現在は各工程を専門に手掛けるメーカーが存在し、棲み分け、分業が進んでいる。例えば、設計に強みを持つファブレスのブロードコムやクアルコム、半導体の受託製造に特化したファウンドリーのＴＳＭＣなどが担う。

そうした分業体制と、大まかな全体工程を次ページに示した。第1工程の設計は、半導体のウエハーの表面に形成するトランジスタなどの素子、回路をデザイン、考案する段階となる。緻密（ちみつ）な作業となり、まずはコンピューター上で効率的な回路構造を追究、シミュレーションしていく。案がまとまったら「フォトマスク」と呼ばれるガラス板に描き写す。

そのガラス板を使って実際に回路を造り込んでいく作業となる前工程は、「ウエハープロセス」とも呼

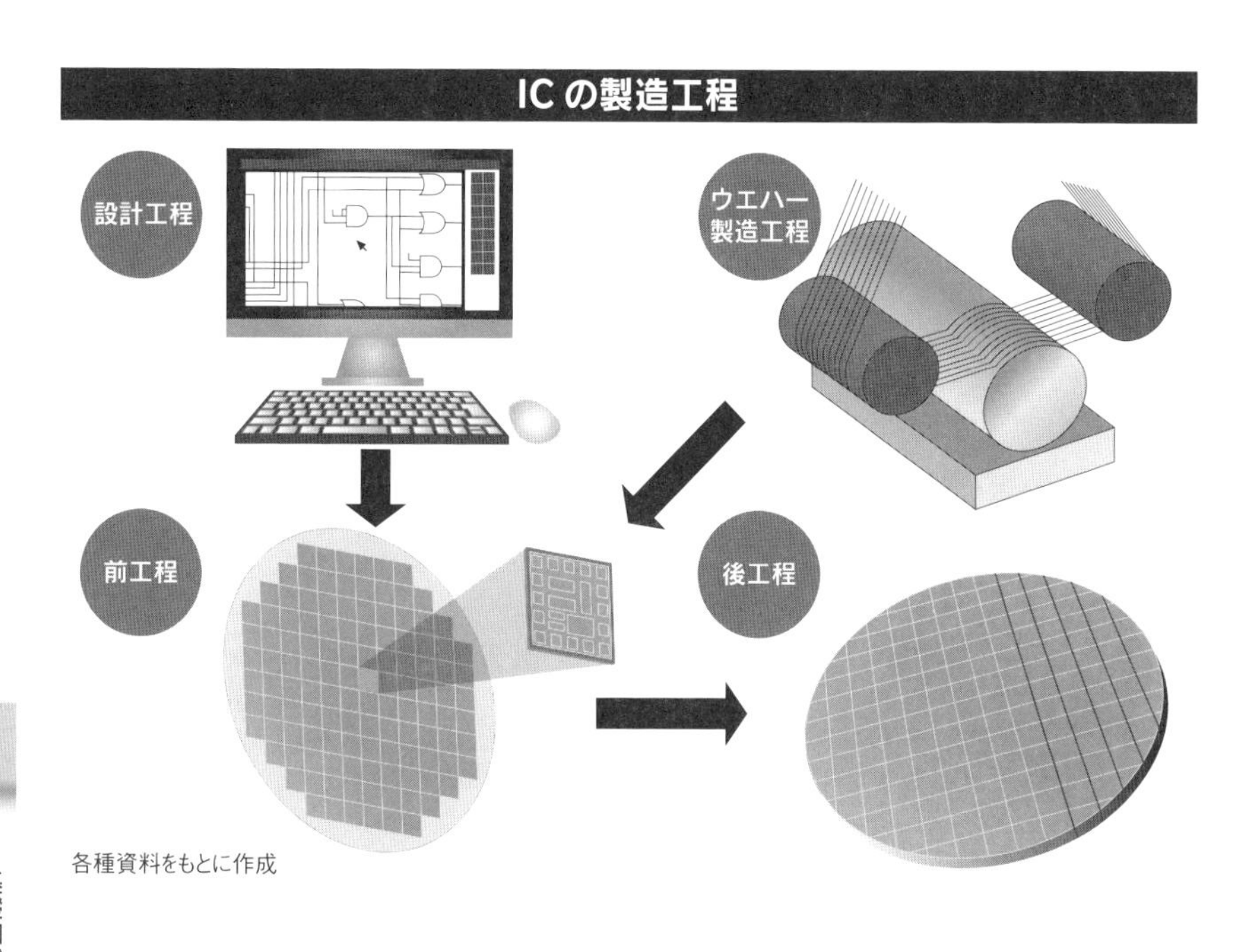

各種資料をもとに作成

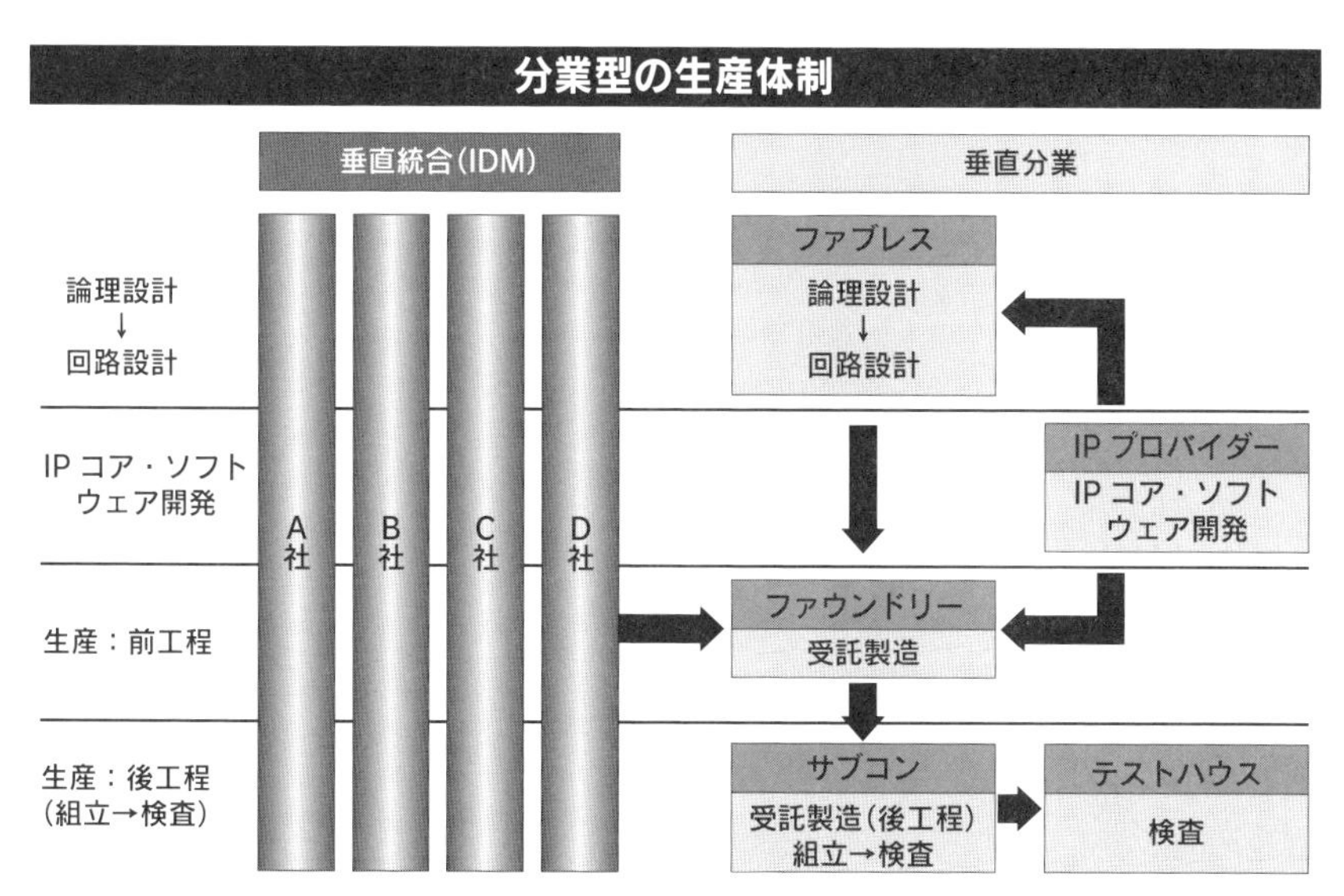

出典：日本政策投資銀行「今月のトピックス No.094-1(2006年1月19日)ファンドリーとファブレスの連携強化によりSoCビジネスへの対応を目指す台湾半導体産業」

ウエハー製造プロセス

①多結晶シリコンを石英るつぼで溶かす

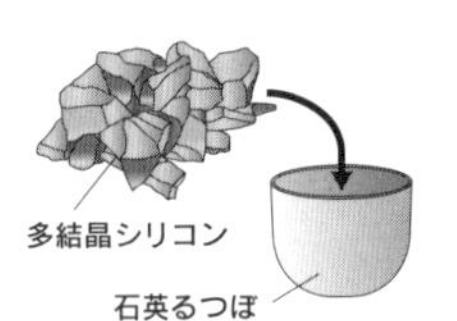

②溶けたシリコンに種結晶棒を浸す

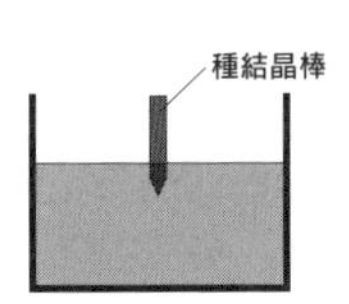

③回転しながら単結晶シリコンのインゴットを引き上げる

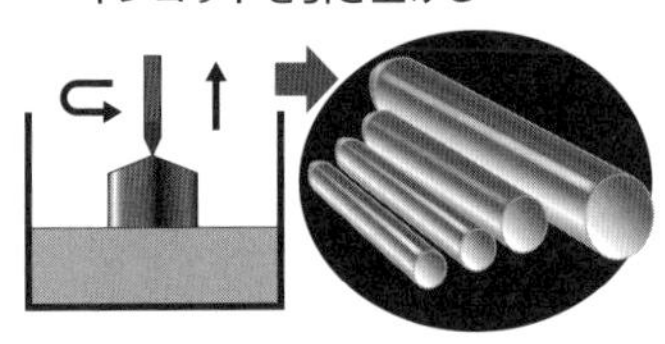

④インゴットをワイヤーソーで円盤状に薄切りにする

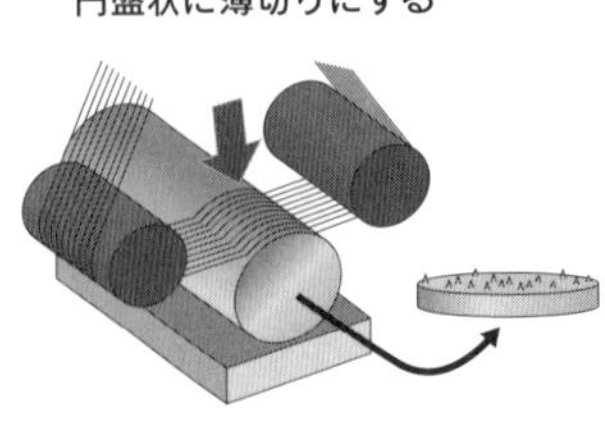

⑤円盤状のシリコンを磨く

⑥洗浄して乾かす

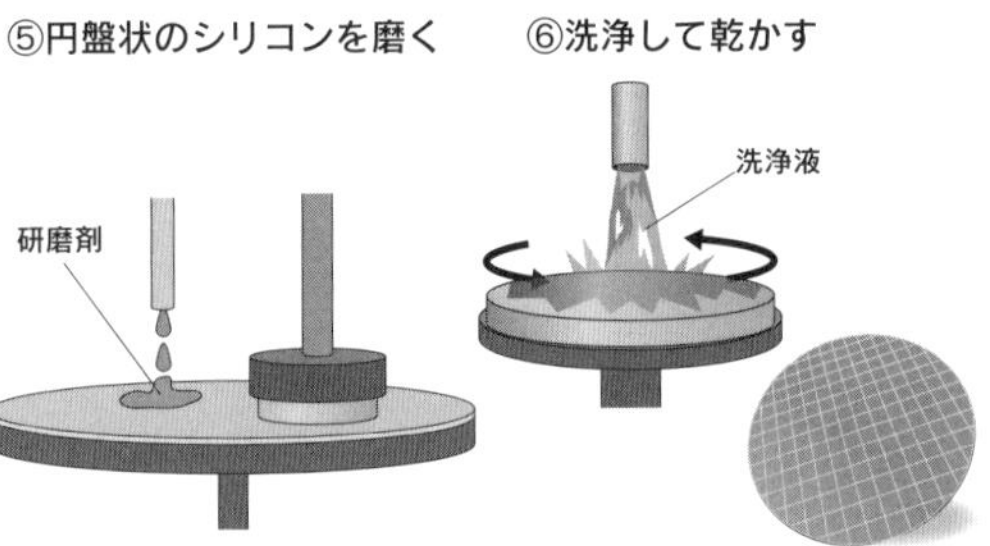

各種資料をもとに作成

ばれる。この時点ではまだチップ同士が1枚のウエハー上で連結している状態である。

後工程は、このウエハーのチップを1つ1つ切り離す「ダイシング」に始まり、組み立ててパッケージ化し、最終的な検査をした上で出荷へと進む。

薬品や化学変化を利用してミクロな処理の多い前工程に比べると、後工程は目に見えやすい作業が多い。加工による形状も、前工程はウエハーのみだが、後工程ではウエハーからチップ、そしてパッケージへと変化に富む。後工程はそれぞれの作業に特化した製造装置、およびそのメーカーがあるのも特徴である。

なお、大本となるウエハーは柱状の「インゴット」を薄くスライスして切り分ける。工程を順に見ていく。

▼ウエハー製造工程

シリコンウエハーは、珪石（けいせき）を調達してシリコンを取り出し、イレブン・ナイン（138ページ参照）の高純度の多結晶シリコンを用いて造り込んでいく。

大まかに言えば、「溶かして固めて切って磨く」作業となる。

①まず多結晶シリコンを石英製の坩堝に、ホウ酸やリンといった不純物を加え、高温で溶融する。添加する不純物を微調整することで半導体の抵抗、つまり電気の通りにくさが変わり、最終的に特性を決定付ける。

②坩堝でどろどろに溶けたシリコンに種結晶棒を浸し、③くるくると回しながら少しずつ引き上げる。すると種結晶と原子配列が同じ単結晶シリコンの塊、インゴットが出来上がる。

④続いてこのインゴットをワイヤーソーで1ミリ程度に薄く輪切りにする。⑤切り出した円盤状のシリコンは表面に凹凸があるため、化学的な研磨剤を使いながら磨き上げる。研磨した後の厚みは、製造装置の業界団体、SEMI（Semiconductor Equipment and Materials International: 国際半導体製造装置材料協会）などの規格で決められている。

⑥さらに、付着している異物を過酸化水素やフッ素といった洗浄液で洗い落とし、超純水で再度洗った上でスピンさせて乾燥させる。

なお、本項で説明した単結晶インゴットの製造法は「CZ（Czochralski: チョクラルスキー）法」に当たる。他に、それを応用した「MCZ（Magnetic field applied CZ）法」や、石英坩堝を用いない「FZ（Floating Zone）法」もある。

▼設計工程

設計工程は次ページの通り、図の上では簡素だが、実際には数カ月、1年かかることもままある。仕上がる半導体製品が何に使われ、どういった性能を満たせばよいか——。時間や費用との兼ね合いも睨みながら、いかに高効率の電子回路を組むか、設計者が日夜シミュレーションを重ね、頭を悩ませる肝心要の工程となる。

①電子回路のレイアウトは半導体専用のCAD（Computer-Aided Design: コンピューター支援設計）を使って設計する。回路に理論的な間違いがないか、求められている性能を満たしているか、バグがないかを繰り返しチェックする。

設計工程

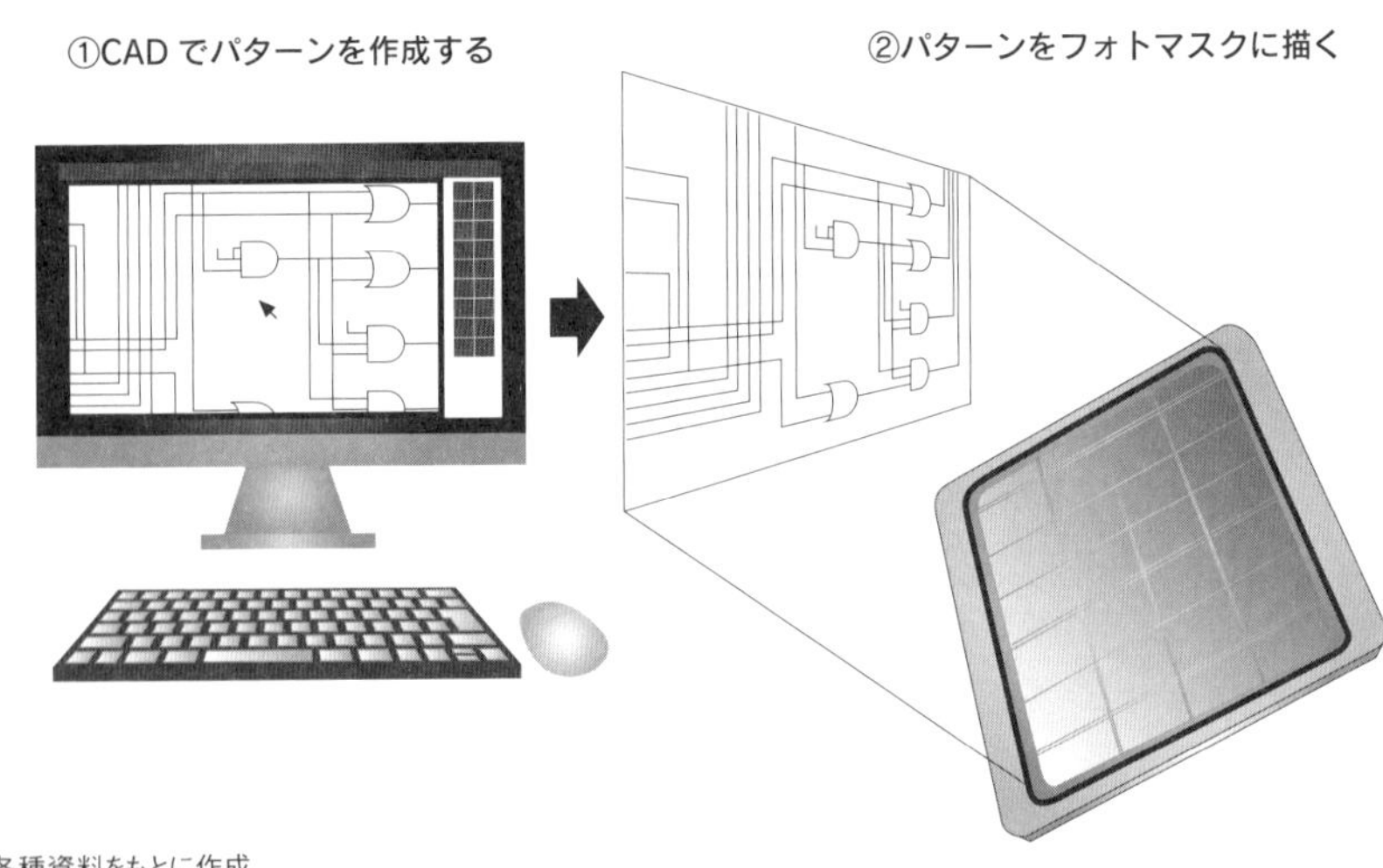

各種資料をもとに作成

②回路パターンが出来たら、透明なガラス板の表面に描き写す。「フォトマスク」（photomask）と呼ばれ、回路をウエハーに焼き付けて転写するための原版となる。通常、フォトマスクに描かれたパターンは実際よりも大きいが、ウエハーには「縮小露光」をすることで稠密（ちゅうみつ）なパターンを形成できる。

▼前工程

ウエハー上に回路を造り込む前工程は、大きく、成膜、レジスト塗布や露光を中心としたフォトリソグラフィー、エッチング、イオン注入、平坦化を繰り返す作業となる。一般的な流れに沿って説明する。

①「成膜」は、回路の素材となる酸化シリコンやアルミニウムによって、トランジスタのゲート絶縁膜などの薄膜を形成する。代表的な方法の1つ、熱酸化法では、1000度前後の高温の炉内にウエハーをセットし、酸素などの混ざったガスをシリコンと反応させてウエハーの表面に酸化膜をつくる。

他に、特殊なガスで化学反応を起こしてウエハーの表面に膜をつくるCVD（Chemical Vapor

前工程（ウエハープロセス）

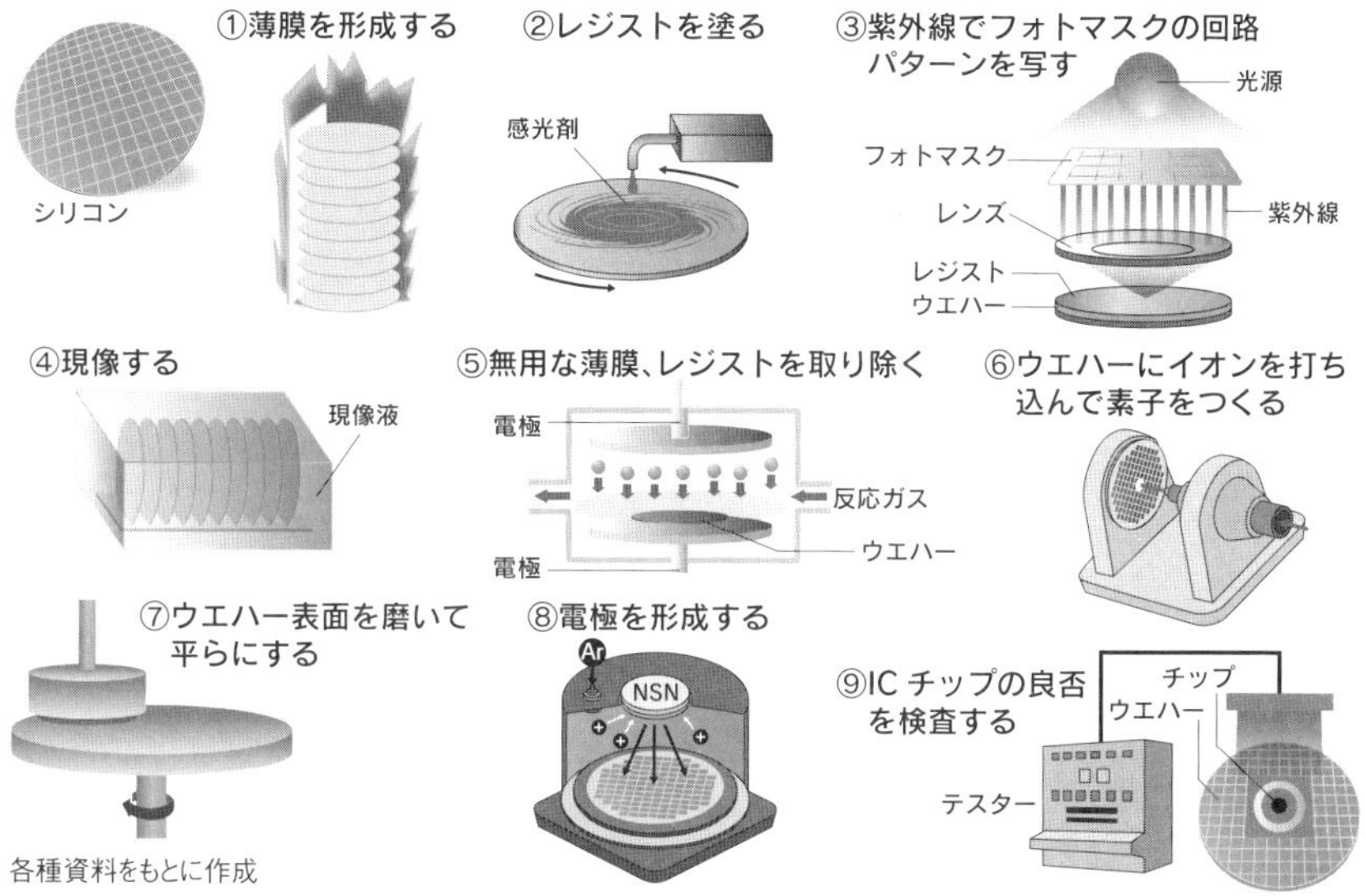
シリコン
①薄膜を形成する
②レジストを塗る
感光剤
③紫外線でフォトマスクの回路パターンを写す
光源
フォトマスク
レンズ
紫外線
レジスト
ウエハー
④現像する
現像液
⑤無用な薄膜、レジストを取り除く
電極
反応ガス
ウエハー
電極
⑥ウエハーにイオンを打ち込んで素子をつくる
⑦ウエハー表面を磨いて平らにする
⑧電極を形成する
Ar
NSN
⑨IC チップの良否を検査する
チップ
ウエハー
テスター
各種資料をもとに作成

Deposition：化学気相蒸着／化学気相成長）、イオンをアルミニウムなどの金属にぶつけて原子を剥落（はくらく）させてウエハー上に堆積させる「スパッタ」などの工法がある。目的に合わせて使い分ける。

これに続くレジスト塗布から露光、エッチングといった一連の作業はフォトリソグラフィーで、単にリソグラフィー（lithography：原義は「石版印刷」）とも呼ばれる。

②「レジスト塗布」はフォトレジスト（photoresist）という感光剤の樹脂を、高速回転させたウエハーの表面全体に薄く均一に塗る。③そこへフォトマスクの位置を合わせ、描かれた電子回路のパターンを紫外線照射などで焼き付ける作業、「露光」を行う。

④続いて「現像」の作業で、露光されていた部分を現像液に入れて溶かすと、薄膜が露出する。

⑤「エッチング」では、露出した薄膜をフッ酸やリン酸といった薬液などを使って腐食、除去する。その後、マスクとして残っている余分なフォトレジストを取り除く。なお、薬液を用いる場合は「ウェッ

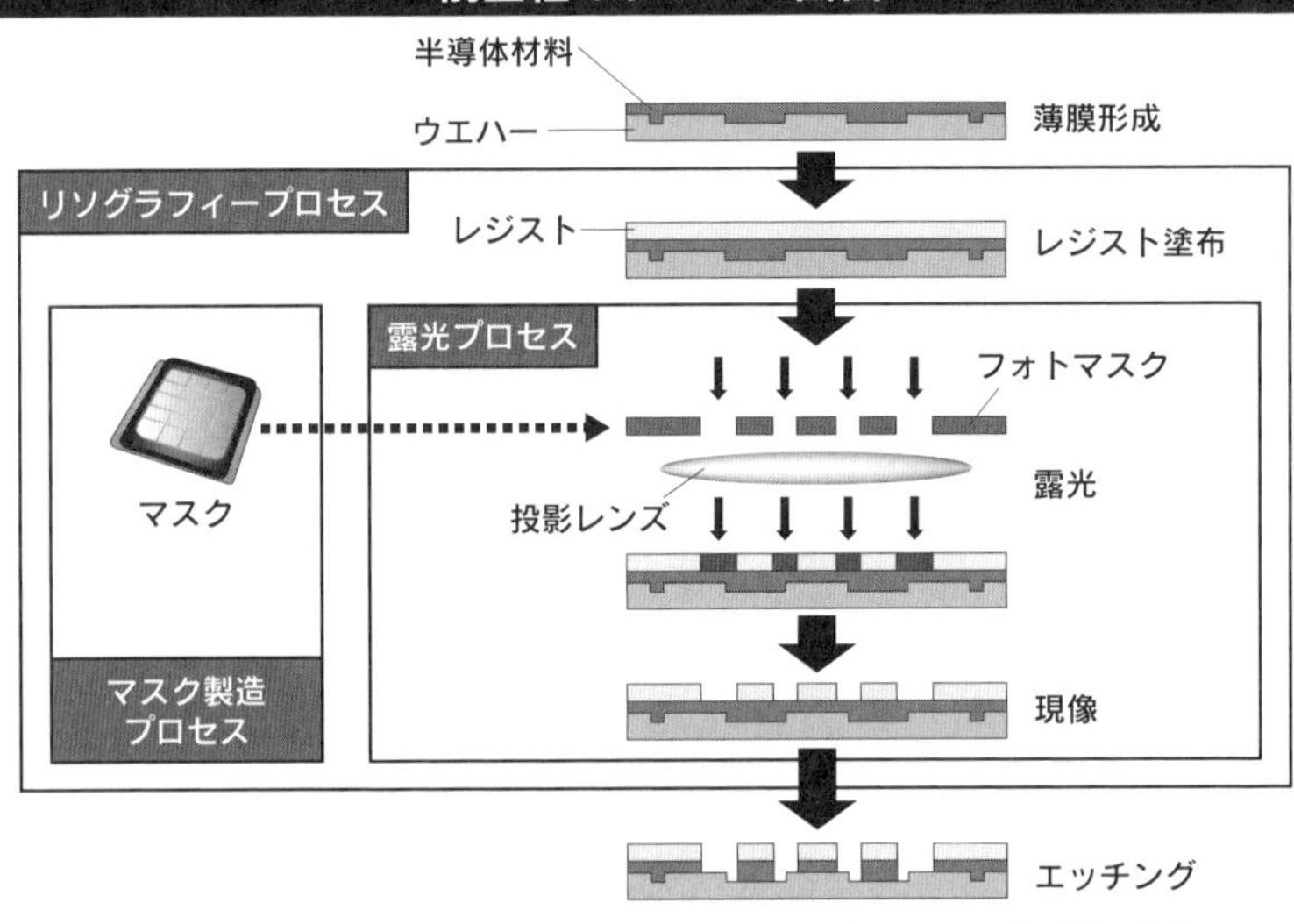

東芝「東芝レビュー Vol.67 No.4(2012) 半導体リソグラフィ技術の動向と東芝の取組み」の図表に加筆

トエッチング」、ガス、イオンを衝突させて薄膜を削り取る場合を「ドライエッチング」と呼ぶ。

⑥続く「イオン注入・活性化」によって、酸化膜にリンなど不純物のイオンを打ち込み、シリコンに半導体の特性を持たせる。注入したイオンを活性化させるため、熱処理を行う。

⑦さらに、「平坦化」はウエハー表面を研磨し、パターンの凸凹を平らにする作業である。

以上のレジスト塗布から平坦化までの作業を繰り返し行い、ウエハー上に必要な素子、回路を何層にもわたって造り込んでいく。

繰り返しの作業が終わったら、⑧「電極形成」に入る。アルミを使い、スパッタにより電極配線のための金属膜を形成する。

⑨前工程最後の「ウエハー検査」は1枚のウエハー上に大量に造られたICチップ全ての電気的特性をテストする。チップの動作が良好か否かを判定し、不良品にはマークを付ける。

なお、成膜からエッチングまでの工程で、半導体の断面を模式的に表したのが上図である。

後工程

①ウエハーのチップを1つずつ切り離す　②チップをフレームに載せる

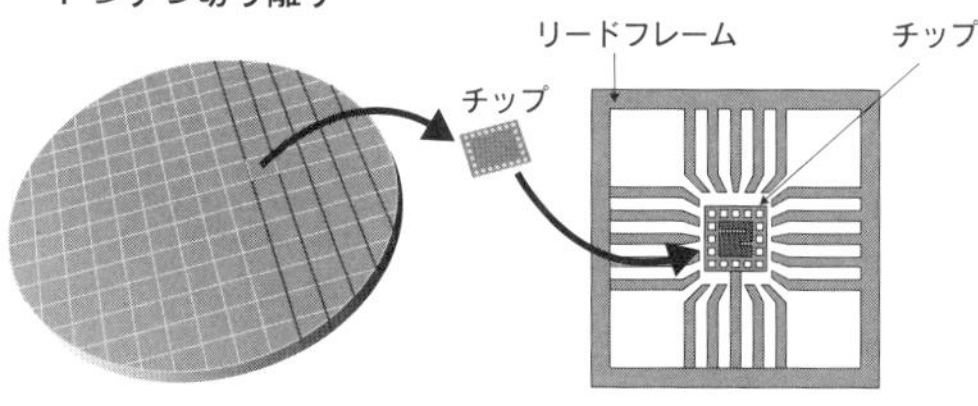

③チップの電極とフレームをワイヤーで結ぶ

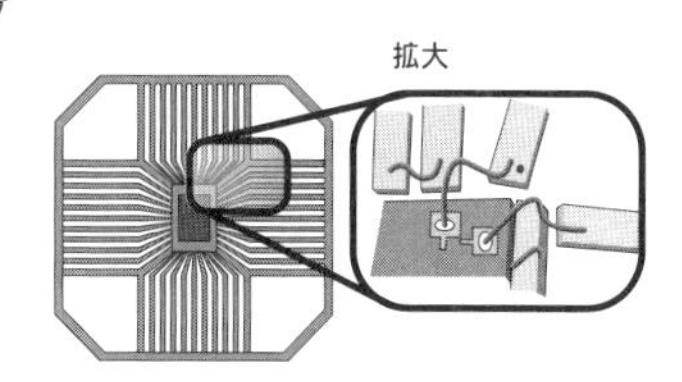

④チップを樹脂などのパッケージに入れる

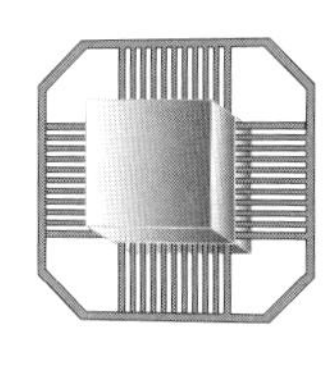

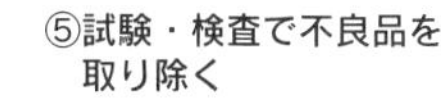

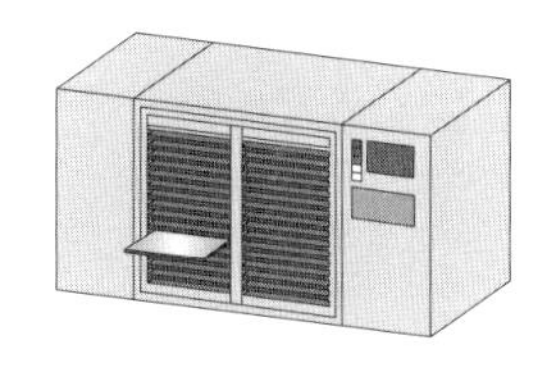

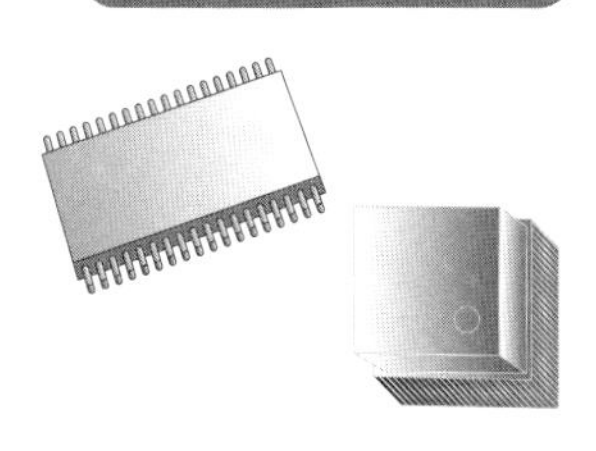

各種資料をもとに作成

▼後工程

後工程は、前工程のウエハーを個々のチップに切り分け、パッケージ化して製品に仕上げていく工程となる。

①最初の作業「ダイシング」は、碁盤目状に電子回路の「ダイ」(die)が並んだウエハーを切断する。ダイとは「ダイス」(dice: サイコロ)の単数形で、エッチングなどの各工程を経て切り出した個別ICデバイスの最小単位を指す。一般的に、硬いダイヤモンドの刃で切り分ける作業が行われる。より細かく精密に切り分けるために、レーザーによる切断方法も開発されている。

以降、切り出したチップを個別にパッケージ化していく組み立ての段階に入る。②まず「マウンティング」で、ICを支えて固定するための部品、「リードフレーム」(lead frame)の中央部、ダイパッドに載せる。銀ペーストなどで接着する。

③次の「ワイヤーボンディング」は、リードフレームから中央部に延びる極細の金線などのワイヤーと、

チップの電極を接続する。
④続いて「モールディング」では、ＩＣをキズや腐食、衝撃から保護するために、セラミックや合成樹脂のパッケージに封入する。その上でＩＣとつながっているフレームの不要な部分を切り落とし、個々のパッケージに分離する。外に飛び出しているリード部分は決まった形状に整えていく。この作業は「トリミング」や「トリム＆フォーム」と呼ばれる。

⑤最後は、製品として出荷される前に、不良品がないかなどの「最終試験・検査」を行う。信頼性検査の「バーンインテスト」では、専用装置のボードにパッケージをセットし、高温環境下で一定時間通電して作動を確かめる。欠陥や規格外の不良品を短時間で見極めるいわゆる「加速試験」である。さらに、電気的特性や外観など種々の製品検査、長期寿命試験を経て、基準に満たない製品は、不良品として選別、破棄される。

検査をクリアしたＩＣパッケージは製品名や型名を印字して完成となる。印字にはレーザーが使われることが多い。

Chapter 7

AI・IC産業の主要企業

1 東芝

▼キオクシアを分社、残るストレージ事業

東芝関連の半導体企業はキオクシア（旧東芝メモリ）と東芝デバイス＆ストレージ（D＆S）がある。

１９８０年代に開発したＮＡＮＤフラッシュメモリ（１５６ページ参照）が近年まで収益の柱だった。だが、原発事業の不振に伴う巨額損失を穴埋めすべく、虎の子ともドル箱とも言えるメモリ事業を切り離し、２０１７年4月に分社化した東芝メモリに移管、同社の売却手続きを進めた。買収したのは米投資ファンド、ベインキャピタル率いる日米韓連合で、再編を経て19年10月に社名を「Ｋｉｏｘｉａ」に改めた。メモリを表す「記憶」と、ギリシャ語で「価値」を意味する「ａｘｉａ」を掛け合わせたという。ＮＡＮＤフラッシュは世界シェア2位に入る。

社名から東芝の名前は消え、連結対象からも外れた。ただ、初代社長は前身の東芝メモリ時代から継続して東芝出身の成毛康雄氏、そして20年1月に交代した2代目は再び東芝生え抜きの早坂伸夫氏だった。持分法適用会社として東芝は40％余りのキオクシア株を保有し、一定の影響力は残る。

ただ、キオクシアの持ち株会社の直近、20年3月期連結業績は振るわない。売上高は９８７２億円、純損益は主力のメモリ需要が低迷したため１６６７

億円の赤字だった。新型コロナウイルスの影響で、製造の一部を委託している海外の工場が休止したなどの逆風もあり、経営の厳しさは増している。

　国内では岩手県北上市や三重県四日市市に主力工場がある。目下、生産を最適化してこの危機を乗り越え、早期の新規株式公開（ＩＰＯ）に漕ぎ着けるか注目される。

　一方、東芝本体に残ったメモリ以外の半導体とＨＤＤの「電子デバイス事業」を手掛ける東芝Ｄ＆Ｓは、東芝の連結子会社として中核を担う。ディスクリート半導体やモバイル用で首位となるＨＤＤを手掛け、24年3月期までに売上高1兆円の目標を掲げる。20年3月期の売上高は７４５６億円、営業利益は１３４億円で、22年3月期は売上高９９００億円、営業利益８８０億円を目指している。

東芝 D&S の売上高

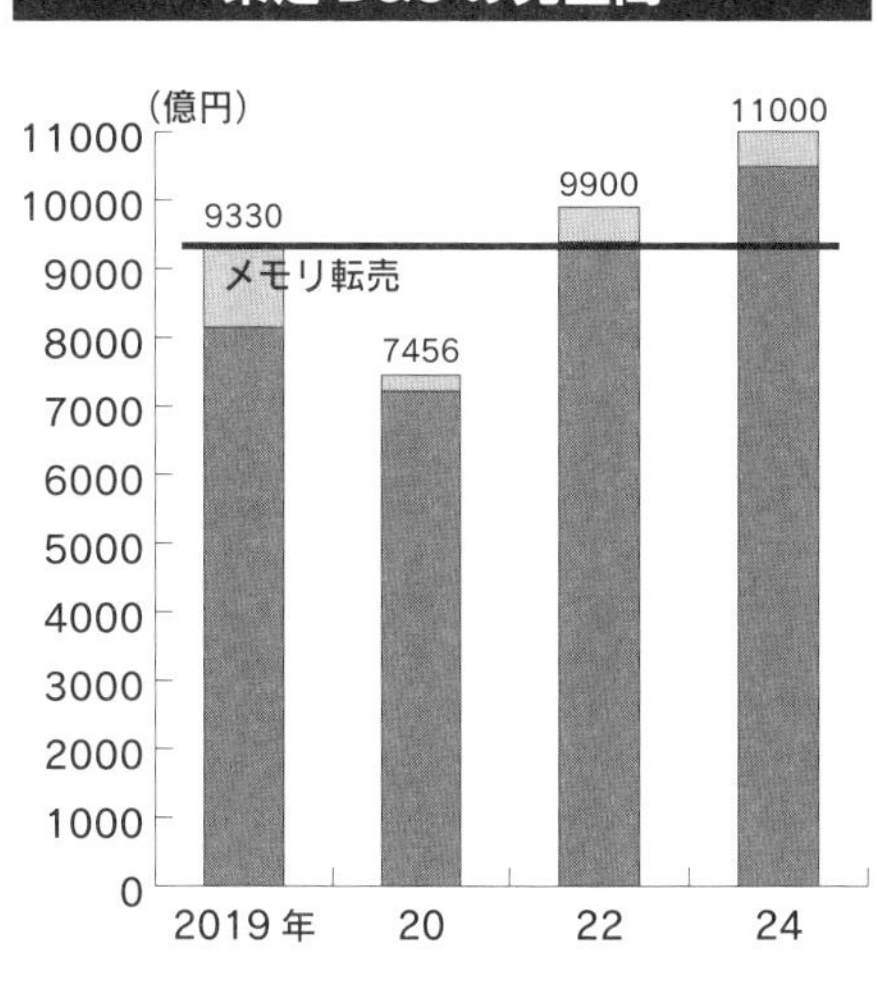

東芝の資料をもとに作成。各年３月期。
22年以降は19年11月時点見通し

▼ＡＩで手塚治虫の新作

　東芝は、Ｄ＆Ｓと並ぶ主力部門のデジタルソリューション事業を中心に、ＡＩやＩｏＴの活用を推し進める。東京大学とのＡＩ技術者教育プログラム（28ページ参照）を通じた人材確保のほか、少ない学習データで高精度な推論が可能というＡＩ分析サービス「ＳＡＴＬＹＳ（サトリス）」は、千葉大との共同研究などによる医療現場での活用を探っている。

　キオクシアは慶応義塾大などと共同で、「鉄腕アトム」や「ブラック・ジャック」といった作品のテイストを学習したＡＩを使い、「手塚治虫風」の新作マンガを制作して話題を呼んだ。同社の画像認識のＡＩが使われた。

2 ソニー

▼イメージセンサー強みに国内首位へ

ＮＥＣや東芝、日立製作所など半導体を手掛ける日系企業が名を馳せていた1980年代、売上高の世界ランキング10社の過半数を日本勢が占める中、ソニーの名前はそこになかった。しかしイメージセンサーという揺るぎない強みを得た今、孤高の躍進を遂げている。

2020年3月期連結決算で、売上高は前期比4・7％減の8兆2598億円、純利益は36・5％減の5821億円だった。減収減益となる一方、イメージセンサーを含む半導体分野は堅調で、売上高は22％増の1兆706億円となり、1兆円の大台を突破した。イメージセンサーのみで1兆円近い売上だった。半導体分野の営業利益も64％増と大幅に伸び、2356億円となった。

この期から、ソニーセミコンダクタソリューションズを擁する従来の「半導体」分野を「イメージング＆センシング・ソリューション」（Ｉ＆ＳＳ）分野と名称を変え、看板事業として一層注力していく姿勢を鮮明にした。

21年3月期業績予想は、新型コロナウイルスの影響で合理的な算定ができないとして、未定とした。パンデミック以前の計画では、イメージセンサーへの設備投資は19年3月期から21年3月期までに7000億円程度と見ていた。ソニーはイメージセンサー市場で半分ほどのシェアを握り、26年3月期には60%まで高める目標を掲げ、車載用や産業用を一層強化する方針を示していた。

▼元祖はＡＩＢＯ

そのＩ＆ＳＳが力を入れるのは、やはりＡＩを活用したサービス、商品である。イメージセンサーの役割はこれまでの「人の眼で見る世界」から「ＡＩが見る世界」に対し、「クリーンなデータをつくり出す」ことへと目指す方向性が変わってくると見る。

ソフトバンクの「Ｐｅｐｐｅｒ（ペッパー）」やシャープの「ＲｏＢｏＨｏＮ（ロボホン）」といったＡＩ搭載型のロボットが次第に活躍の場を広げるが、中でも草分け的存在は1999年発売で15万台のヒットとなったソニーのＡＩＢＯ（アイボ）（34ページ参照）だろう。

このほど立ち上げた「Ｓｏｎｙ ＡＩ」は「ＡＩで人類の想像力とクリエイティビティを解き放つ」と掲げ、ＡＩの研究開発を加速させる。イメージング＆センシングやロボティクス、エンタテインメントの資産を掛け合わせ、事業領域の変革と新たな事業創出を探る。

具体的な成果として、2020年3月にはソニーコンピュータサイエンス研究所が、ＡＩによる作曲支援サービス「Flow Machines」を始めた。著作権に抵触しない形で楽曲の機械学習をし、ＡＩが新たなメロディーの提供に一役買う。

I&SS（半導体）分野の業績

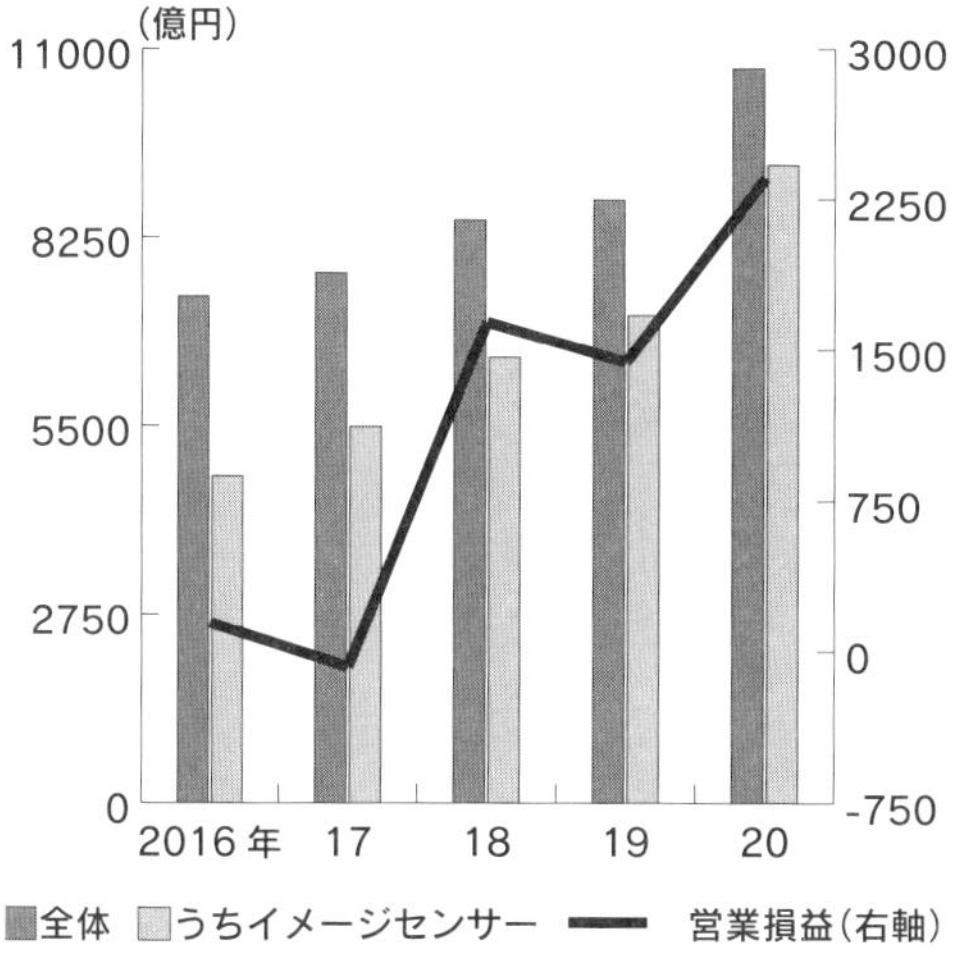

(億円)
11000 / 8250 / 5500 / 2750 / 0
3000 / 2250 / 1500 / 750 / 0 / -750
2016年 17 18 19 20
■全体　□うちイメージセンサー　━ 営業損益（右軸）

各年3月期。19年までは半導体分野

3 日立製作所

▼製造装置とパワー半導体で存在感

日立製作所は1980〜90年代、世界の半導体売上高ランキングで5位前後に名を連ねる常連の大手だったが、2000年前後に相次いでDRAMとマイコンの事業を分離した。それぞれ後のエルピーダメモリ、ルネサスエレクトロニクスとなった。

現在、半導体に関連する日立グループの企業としては、連結対象の「日立ハイテク」がある。半導体装置や医療装置を手掛ける上場子会社で、半導体製造装置の世界シェアでは19年に9位だった。19年3月期連結決算は売上高が前期比6・3%増の7311億円、純利益が18・4%増の484億円だった。

そのうち半導体のエッチング装置や品質検査・評価に必要なSEM（Scanning Electron Microscope; 走査電子顕微鏡）を扱う「電子デバイスシステム」分野は8・5%増の1471億円、EBIT（イービット）（次ページ図の注参照）は6・3%増の336億円と堅調だった。

19年4月からはセグメントを4つから3つに見直し、電子顕微鏡を含む「ナノテクノロジー・ソリューション」に再編された。22年3月期までの3カ年の中期経営計画では、「ハイテクプロセスをシンプルに」を掲げ、デジタルトランスフォーメーション（13ページ参照）を推進、「加工・計測・解析を持つ唯一の装置メーカー」として多様なニーズに応える。目下、「5G／AI／自動運転などが半導体デバイス市場の成長を牽引」すると見る。

なお、20年1月末には日立本体が日立ハイテクの完全子会社化を発表した。

一方、別の連結子会社「日立パワーデバイス」はパワー半導体を手掛ける。鉄道や風力発電などの用途に高耐圧のIGBTを量産し、同分野の市場シェアでは世界の五指に入る。19年3月期の純利益は30億円だった。

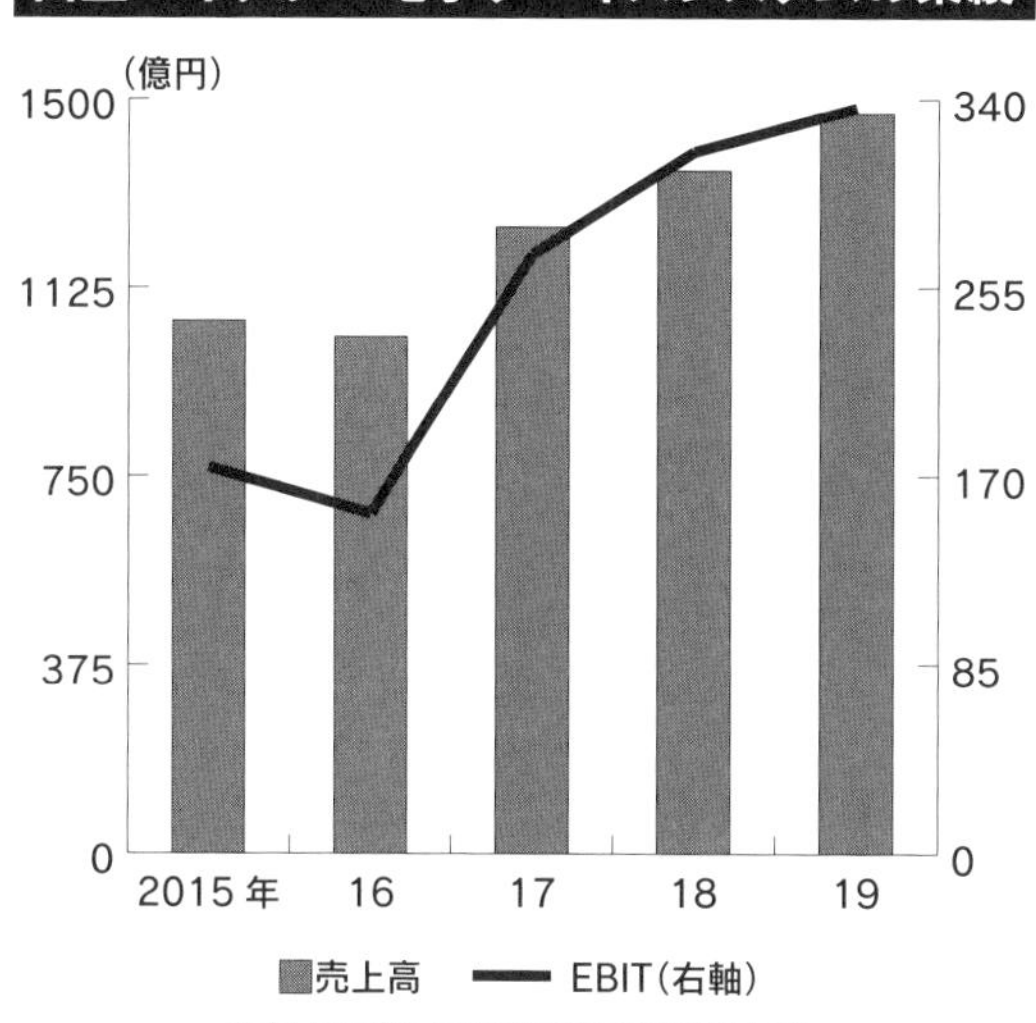

各年3月期。EBITは税引前利益から受取利息と支払利息を除外した利益

▼XAIやOTを有効活用

AIに関し、日立は20年1月にグループの日立コンサルティングと協力し、機械学習によって得られた予測や判断の根拠を定量的に示すサービスを始めた。AIによる需要予測などの活用が実際のビジネスで広がる半面、その予測に辿り着いた過程、確からしさが不明という課題が指摘されてきた（47ページ参照）。その不透明だった解までの過程を可視化するXAI（Explainable AI: 説明可能なAI）を応用し、それぞれの特徴量に基づいて学習した内容がどの程度妥当だったかを示す。

日立はまた、エネルギーや鉄道、交通といった社会インフラの事業も幅広く手掛けてきた実績を生かし、装置などの機器を制御、管理する技術、OT（Operational Technology）とITを融合させたAIの開発に力を入れている。

4 ルネサスエレクトロニクス

19年12月期連結決算は、売上高（収益）が前期比5・1％減の7182億円、純損益は59億円の赤字だった。車の自動運転に欠かせないマイコンなどを含む「自動車」分野が売上の過半を占めるが、需要の大きい中国で自動車販売が低迷したことが響き、同分野は4・8％減の3711億円と振るわなかった。一方、5G向け半導体を含む「産業・インフラ・IoT」分野は産業機器向けなどの低調を受け、4・9％減の3297億円だった。19年に約7000億円で買収した米IDT（Integrated Device Technology）が手掛けるデータセンター用半導体などで、今後収益の積み増しを図る。

▼再編の成否を占う

車載用マイコンを手掛けるNECエレクトロニクスと、日立製作所と三菱電機のマイコン事業を統合してできたルネサステクノロジの2社が2010年に経営統合して誕生したルネサスエレクトロニクスは、正念場が続いている。長く純損益赤字が続いた後、15年に黒字転換、相次いで外資を買収して反転攻勢に出ていたが、足もとでは再び赤字に転落した。新型コロナウイルスの感染拡大に伴い、中国にある工場が一時操業停止に追い込まれるなど、先行きに不透明感が漂う。

本来の予定から1年ほど遅れて20年2月に中期戦略を公表した。主軸に据えるのはやはり車載用製品である。CASEに象徴される自動車の高機能化を踏まえ、車載の市場は大きな伸びが見込まれる分野の1つで、19年のルネサスの世界シェアはオランダのNVXセミコンダクターズ、ドイツのインフィニオンテクノロジーズに続いて3位に食い込んでいる。中長期で車載用分野の年平均成長率を8%とし、中でもxEV関連は18%、ADASは17%と高い目標値を置いた。「産業・インフラ・IoT」は年7%の成長を見込む。

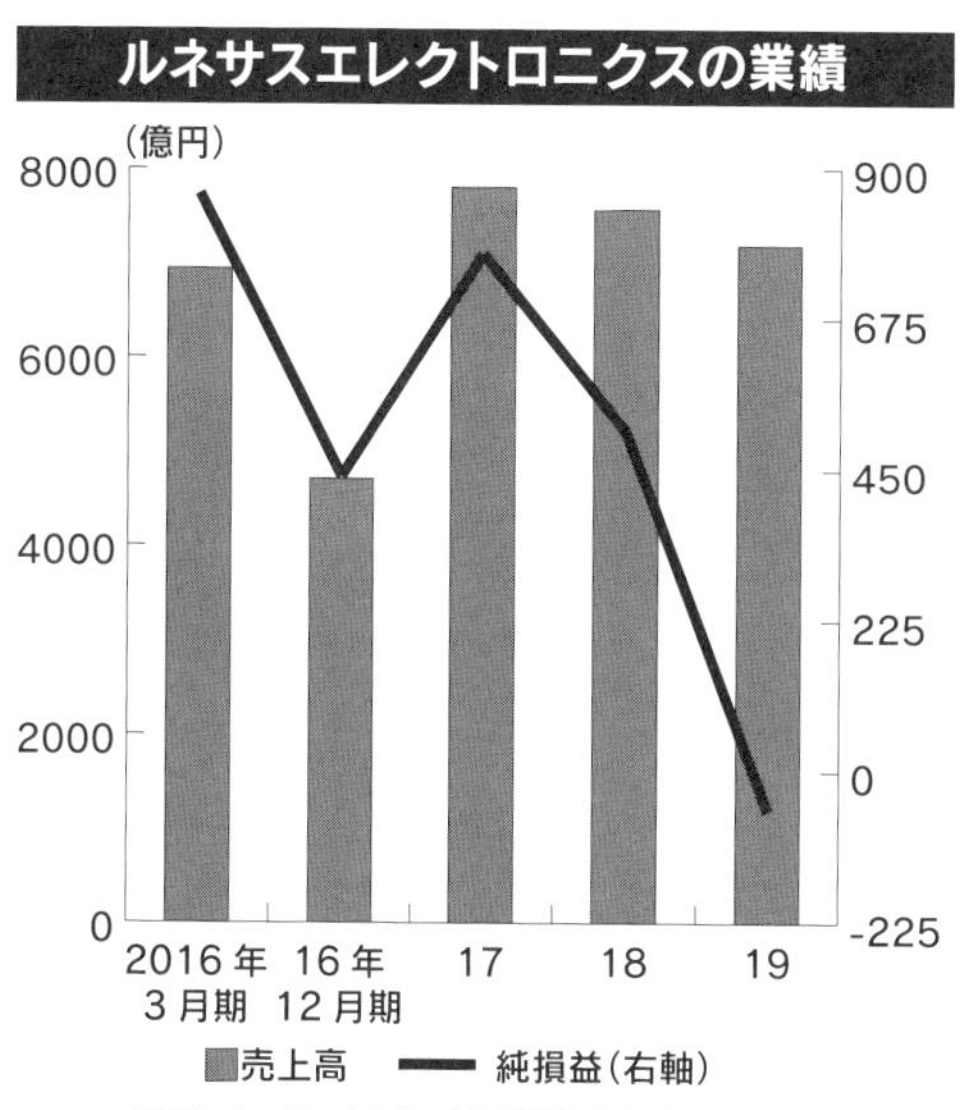

連結ベース、16年12月期は9カ月のみ、以降の決算期は12月。18、19両年は国際会計基準

▼組み込み型AIを提唱

ルネサスの中期戦略にもAIや5G、ビッグデータの言葉が多数躍っている。特徴的なのは、独自に提唱している「e-AI」(embedded-AI)で組み込み技術と融合させたAIのサービスである。日立と同様、OT(175ページ参照)と組み合わせてAIを活用する発想で、ユニークなのはリアルタイムのデータを活用する点である。

既にさまざまな実証を行っており、例えばヘルスケアに生かす例として、歯ブラシのような身近な日用品に実装して脈波や心電といった生体情報を取得し、利用者が家に居ながら手軽に健康状態をチェックして正常を保てるような使い方ができる。こうしたスマートホーム向けのほか、インフラ、駐車場管理など幅広い用途が見込めるとして売り込みを図っていく。

5 東京エレクトロン

▼売上高2兆円視野に

半導体製造装置業界において国内トップ、世界3位のメーカーで、成長分野をさらに伸ばすことにより前工程製造装置（WFE：Wafer fab equipment）の世界シェアを順調に拡大している。新型コロナウイルスの感染拡大に伴う世界的な景気減速はあるものの、中長期的に半導体需要は底堅いとの見方から、楽観視する市場関係者も少なくないようだ。

2019年3月期連結決算は、売上高が前期比13・0％増の1兆2782億円、純利益が21・5％増の2482億円でいずれも過去最高だった。売上の9割を占める製造装置部門は、データセンター向け需要増で、WFEのシェアは初めて15％を超えた。

19年5月に公表した中期経営計画では、従来21年3月期に売上高1兆7000億円としていた目標について、「実現時期を5年以内」と見直した。一方、営業利益率30％以上を達成した場合、売上高は2兆円に上るとの財務モデルを示した。半導体製造装置に関し、「3D　NANDフラッシュメモリ」の用途に合わせたエッチング工程で差別化を図るなど、特定の成長分野に一段と注力していく。

20年3月期連結決算は、メモリ投資の一服感を背景に、売上高が前期比11・8％減の1兆1272億円、純利益は25・4％減の1852億円だった。

21年3月期業績予想は、新型コロナウイルスの影響に伴う不確定性を踏まえ、公表を見送った。以前の計画では、堅調な半導体需要を見越し、18年には宮城工場のエッチング装置の新開発棟が竣工したほか、20年は山梨事業所と東北事業所でそれぞれ新生産棟ができ、設備投資は当面、年400億～500億円を充てるとしていた。

なお、かつては同業で世界最大手の米アプライドマテリアルズ（Applied Materials, Inc.）との経営統合が、実現する直前で白紙化したこともあった。

東京エレクトロンの業績

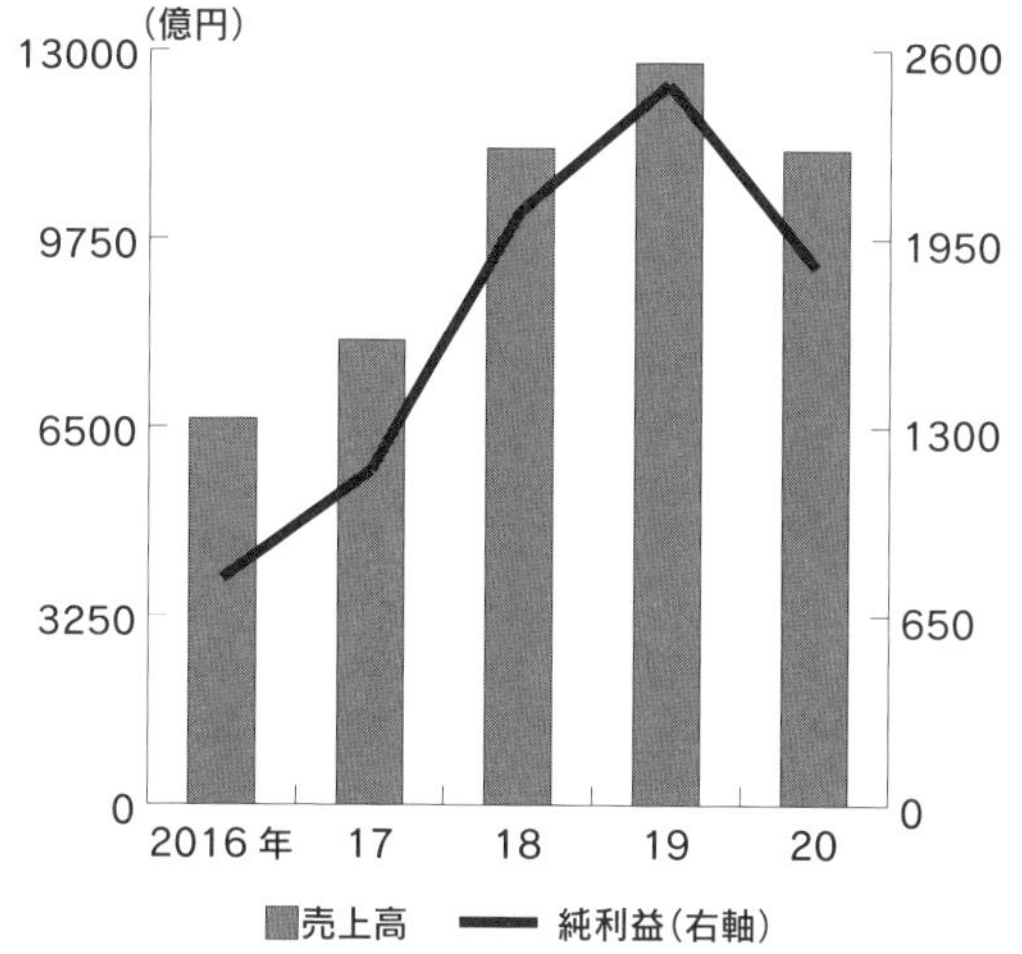

連結ベース、各年３月期

▼現場で実用段階のAI

東京エレクトロンはAIを活用し、半導体製造装置の稼働データをリアルタイムで解析し、装置のパフォーマンスの維持、向上や、ウエハー加工精度の均一化につなげている。17年にはAI専門部署を新設、18年はAIに関する最新技術動向の共有やワークショップを開くなど、取り組みを順次強化している。

子会社の東京エレクトロンデバイスは半導体専門商社でありメーカーでもある。事業の多角化戦略で、19年にはロボット分野に参入、省人化や省エネ化を掲げて製品の自社開発に力を入れる。画像処理のAIを組み込んだロボット「TriMath（トリマス）」は、箱形や袋状などさまざまな形状の物を自動で認識し、積んだり降ろしたりする。工場や物流などの現場で引き合いが高まっている。

6 インテル（米国・Intel Corporation）

▼首位返り咲き

半導体の世界最大手で、1990年代からテレビコマーシャルで流れていた「インテル、入ってる」のフレーズは聞き覚えのある人も少なくないだろう。世界の売上シェアは92年以降、四半世紀にわたって世界首位を独走した。2017、18両年はサムスン電子にお株を奪われる形で2位に甘んじたが、19年には再び首位に返り咲いた。業績は堅調を維持しており、AIやビッグデータの普及に応じた半導体製品のラインアップを増やし、成長分野を一段と強化していく。

19年12月期連結決算は、売上高が前期比1・6％増の719億6500万ドル、純利益がほぼ横ばいの210億4800万ドルだった。パソコンやタブレット端末向けICを製造し、売上全体の過半を占める稼ぎ頭「クライアント・コンピューティング」部門は0・4％と微増の371億4600万ドル、「データセンター」部門は2・1％増の234億8100万ドルだった。

創業者の1人の名を冠した「ムーアの法則」（97ページ参照）が長く業界の指標となってきたことに象徴されるように、創業以来、半導体の歴史を体現するかのような道を歩んできた。1980年代、日本勢の猛攻を前に苦戦が続いた際、85年にＤＲＡＭ事業からの撤退を決め、当時のＣＯＯ（最高執行責任者）は「インテルだけでなく、業界にとっても良い決断だった」と振り返った。以降、同社はマイクロプロセッサー事業に経営資源を集中させていく。

そうした思い切った経営判断は今も脈々と受け継がれる。２０１９年７月にはスマホ向け半導体事業を、２０００人超の従業員もろともアップルに約10億ドルで売却すると発表した。ＩＣの提供先がデータ分野へと向かう傾向が鮮明となった。

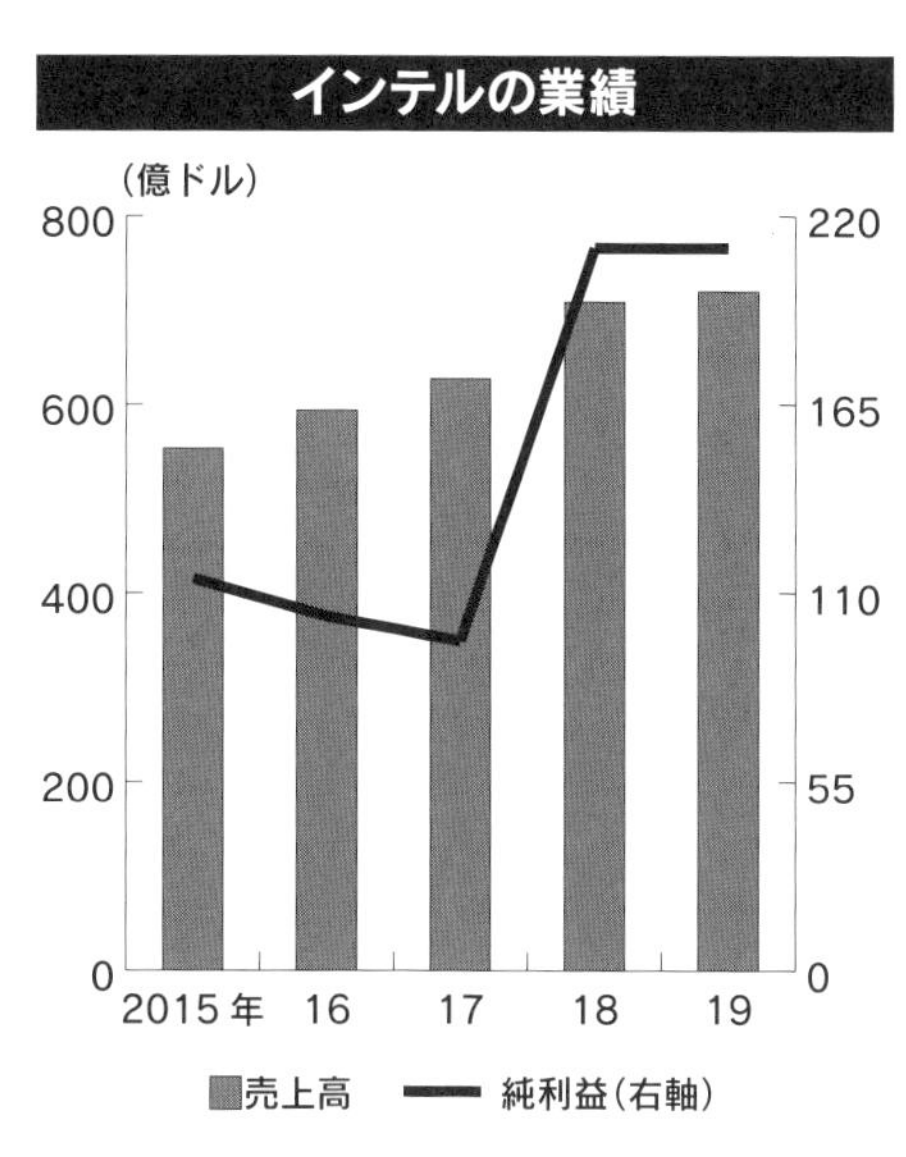

連結ベース、各年12月期

▼脳を模したチップ

「ＡＩを組み入れてデータセンターを高速化。実現できるのはインテルだけ」。そんな強気なメッセージも似つかわしいほど、同社はＡＩ、ＩｏＴ向けを得意分野としている。設備投資の額も桁違いに多く、20年は過去最高の約１７０億ドルを見込む。

先進的な取り組みとして、神経組織、特に脳の構造を模した「ニューロモーフィック・コンピューティング」（neuromorphic computing）がある。従来のコンピューターと違い、「人間の脳のように機能するチップを創り出す」ことを目指しており、20年３月には高次の演算能力システム「Pohoiki Springs（ポホイキ）」が披露された。「特定領域における負荷の高いワークロード処理を、従来型のプロセッサーと比較して最大１０００倍高速に、且つ1万倍高効率に行うことが可能」な高性能チップ「Loihi（ロイヒ）」を７６８基搭載した。大幅にパフォーマンスを向上させる次世代システムとして期待される。

7 サムスン電子（韓国・Samsung Electronics Co., Ltd.）

▼韓国最大の財閥企業

メモリ事業を武器に、2017、18と2年にわたって半導体の覇者インテルから世界シェア1位の座を勝ち取った。サムスン電子の売上だけで韓国のGDPの15％前後を稼ぐ同国最大の財閥系総合電機・電子部品メーカー。ただ19年は市況の悪化を受け急失速し、苦戦が目立った。

19年12月期連結決算は、売上高が前期比5・5％減の230兆4000億ウォン（19年末現在1ウォンは約0・095円）、純利益は51・0％減の21兆7400億ウォンだった。収益の柱の1つは半導体部門だが、「メモリバブル」とも称され活況だった17、18両年から一転、19年はまさにシリコンサイクルの不況期にはまり、メモリ価格が急落して収益に苦しんだ。日本が世界需要の大部分を生産するフォトレジストなど半導体原材料3品目の輸出管理を強化したことも、影を落とした。

半導体部門の売上高は前期比24・7％減の64兆9400億ウォン、営業利益は68・5％減の14兆200億ウォンの大幅減益に見舞われた。もう1本の柱、通信部門は日本よりも早く19年から始まった5Gの需要を取り込んだが、落ち込みの激しい半導体が全体の収益を押し下げた。

サムスンが世界シェア首位のＤＲＡＭも、市況は19年の最悪期を脱して20年に好転するとの見方があったが、新型コロナウイルスにより先行きは見通せなくなった。従来の計画によると、各社が攻勢を強める中、サムスンは特に大きな額を投じる。海外唯一の工場がある中国・西安には、約80億ドルを投じて第２製造棟を整備し、ＮＡＮＤフラッシュの量産体制を築く。５Ｇ特需に伴う華為技術など中国系スマホの販売好調を受け、受注を伸ばしたいと睨む。ＤＲＡＭを製造する韓国・平沢工場も増産に動いている。

サムスン電子の業績

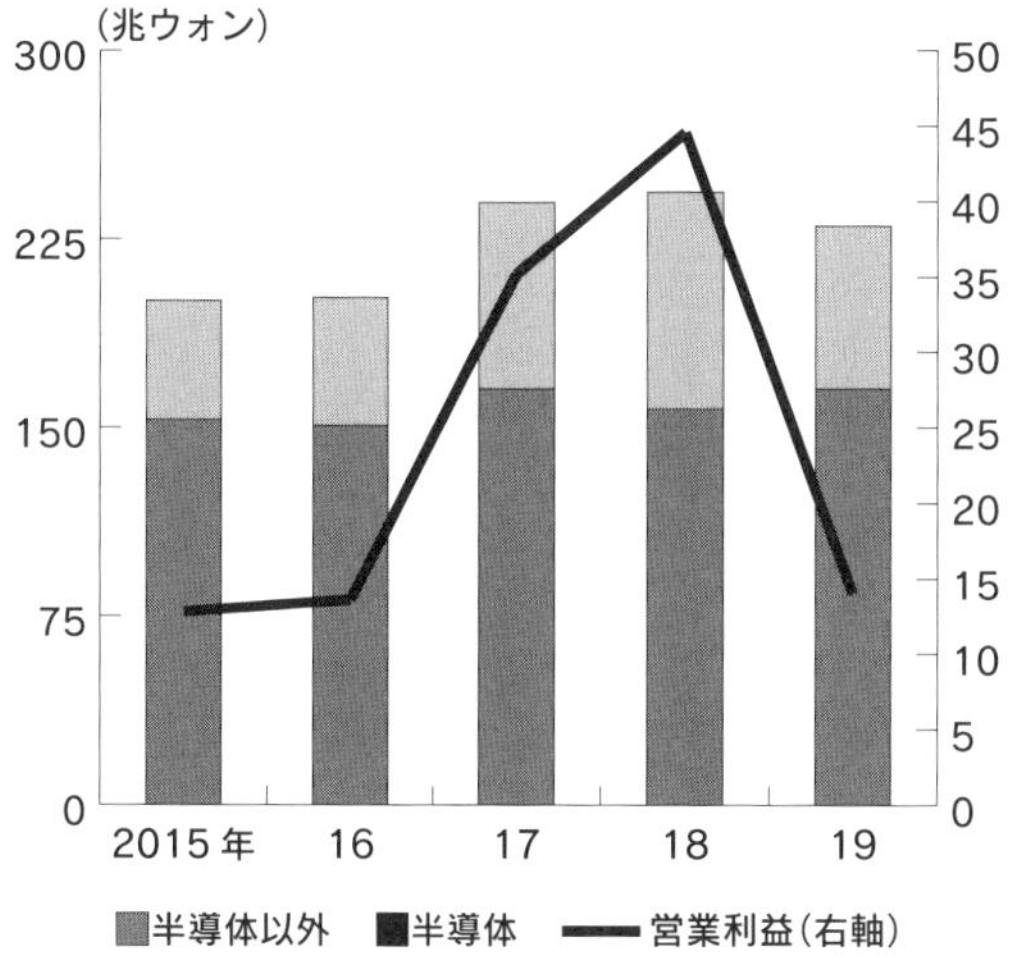

連結ベース、各年12月期

▼人工人間「NEON」

サムスンが20年のＣＥＳで紹介したＡＩの研究開発成果は聴衆を驚かせた。コンピューターが映像を通じて生成した人工人間（Artificial Human）の「ＮＥＯＮ」と称し、「人間のような容姿」をしている。その動きの滑らかさ、表情の豊かさは一見、本物の人間と遜色がないように映る。服装のバリエーションも豊富で教師や客室乗務員、ニュースアンカーなどさまざまな場面での活用が期待される。

手掛けたのはサムスンの研究開発部門「STAR Labs.」だが、同社は全社的にＡＩの取り組みに力を入れている。ホームページには「ＡＩニュース」と題し、ＡＩとつながるスマートホームの取り組みや、スマホのギャラクシーシリーズに搭載された独自のＡＩアシスタントシステム「Ｂｉｘｂｙ」などを紹介している。

8 TSMC
（台湾・Taiwan Semiconductor Manufacturing Co., Ltd.）

▼世界最大ファウンドリー

和訳すれば、「台湾半導体製造」とシンプルで分かりやすいその会社は、台湾有数のグローバル企業として知られる。半導体の売上ランキング世界3位にして世界最大のファウンドリーで、特にロジックＩＣに強みを持つ。世界の半導体製造の潮流が、垂直統合から水平分業に向かう波にうまく乗り、右肩上がりの成長を続けてきた。クアルコムやＮＶＩＤＩＡといったファブレス企業を多く顧客に持ち、そうした取引先の隆盛と表裏一体の面もある。

２０１９年12月期連結決算は、売上高が前期比３・７％増の１兆６９９億台湾ドル（19年末現在1台湾ドルは約３・60円）、純利益は１・７％減の３４５３億台湾ドルだった。アップルや華為技術といった大手の最新版スマホに使われる半導体の製造を受注したほか、世界的な5Ｇの導入拡大を見据えたチップの需要増を取り込んだ。

急速にＩＣの微細化を進めていることでも知られ、業界に先駆けて始めた7㎚プロセスの量産化とＥＵＶリソグラフィー技術による商用生産が、成長の原動力となっている。７㎚の製品はスマホやコンピューター向けに工場のフル稼働が続く。20年には5㎚プロセス技術を提供する計画で、引き合いが強まる。

台湾のほか、米国、中国に工場があり、設備投資にも余念がない。19年に100億ドルを超えた設備投資は、20年はさらにそれを上回る最大160億ドルまで積み増す考えを示す。一方でサムスン電子がファウンドリー分野に進出してきており、競争が激しさを増す。

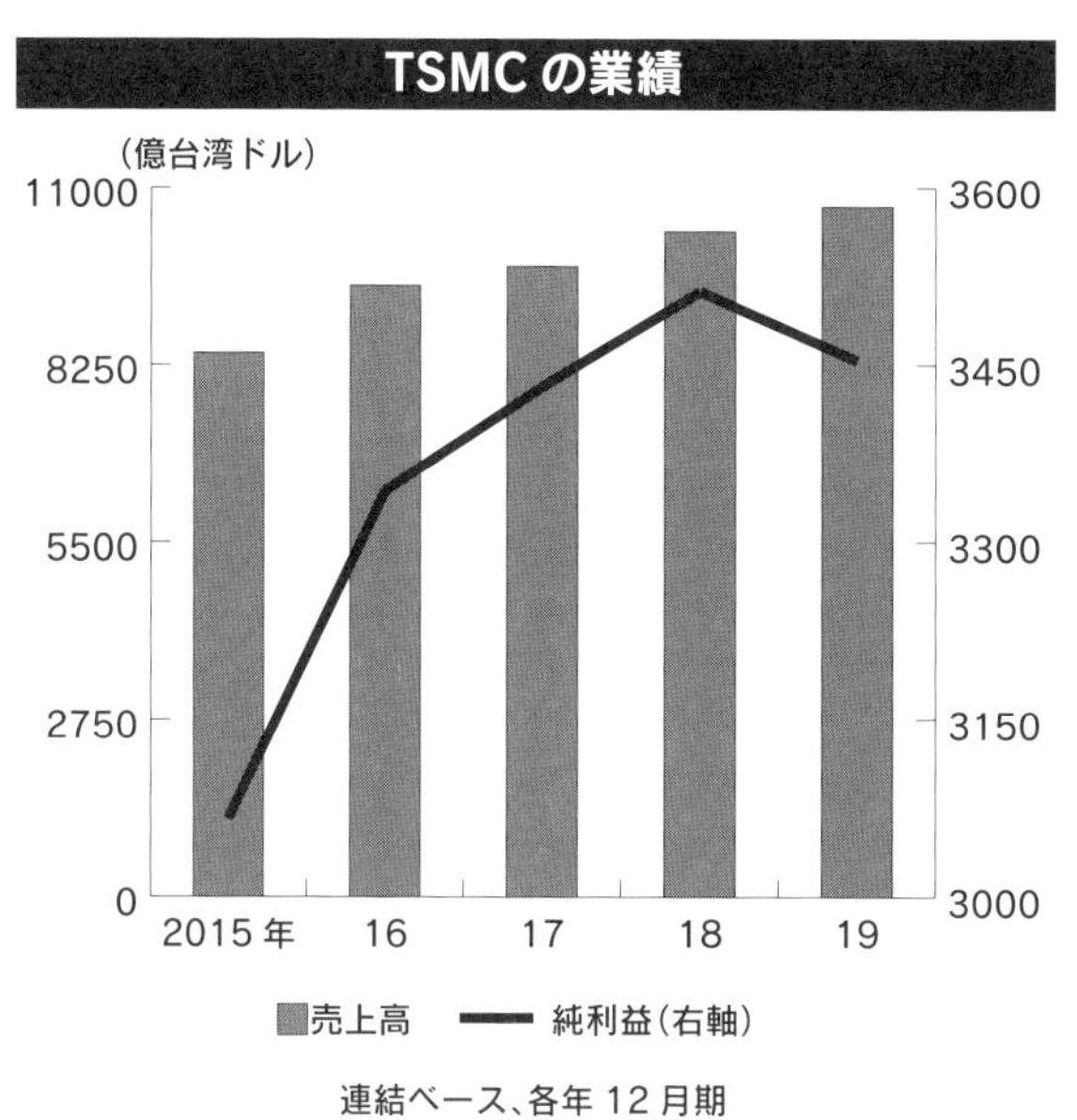

▼AIの人材確保急ぐ

オフィスも日本を含む世界中にあるほか、19年11月には東京大学との先進半導体分野での提携を発表した。AIを通じたデータ駆動型システムのデザインと製造を共同で追究していく。東京大学の五神真総長は「（TSMCの）世界最先端の半導体製造工場と繋がることは、ソサエティ5・0のいち早い実現に資する」と期待を込めた。「プロセスを3㎚、2㎚と進化させ、その先の未来の半導体を切り拓いていくため」の連携という。

微細化をはじめとしたICの高機能化を加速させる中、専門の知識や技術を有する人材の確保も急務となっている。19年には、AIや5Gに明るい人材3000人超の新規採用に乗り出した。台湾で、研究開発や製造、設備の職種の技術者らを募り、7㎚の次、5㎚プロセスの量産化に向けた大量採用となる。3㎚も見据えており、超微細加工プロセスの技術を磨く。

9 SKハイニックス（韓国・SK hynix Inc.）

▼メモリに強みの韓国2位

半導体の売上高で世界4位、韓国においてはサムスン電子に次ぐ2位の大手メーカーで、石油精製や通信を手掛ける韓国財閥SKグループの中核会社の1つである。特に、収益の大半を占めるDRAM事業に強みを持ち、メモリ事業はサムスンに次ぐ世界2位のシェアを誇っている。

2019年12月期決算は、売上高が前期比33・3％減の26兆9910億ウォン（19年末現在1ウォンは約0・095円）、純利益は87・0％減の2兆160億ウォンと大幅な減収減益となった。サムスンと同様、メモリ市場の値崩れにより、主力の汎用製品が振るわなかった。

同社は、市場の低迷に底打ち感が出ているとして20年は需要回復の兆しが見えると予測していた。ただ、世界的な新型コロナウイルスの感染拡大を受け、先行きの不透明感は払拭できない。

「世界最大半導体市場である中国でDRAM部門1位」などと謳（うた）い、グローバル展開していることを強調する。韓国国内のほか、中国・無錫（むしゃく）、重慶（じゅうけい）両市で生産を行っている。東芝のメモリ事業売却の際にはコンソーシアムを率いて応札した。

「半導体は、IT産業の動力であり未来です」といった触れ込みの、流暢な日本語ウェブサイトも用意している。日本にも19年9月にCMOSイメージセンサーの技術開発拠点を東京に新設するなど、メモリ以外への事業の多角化を加速させていく。

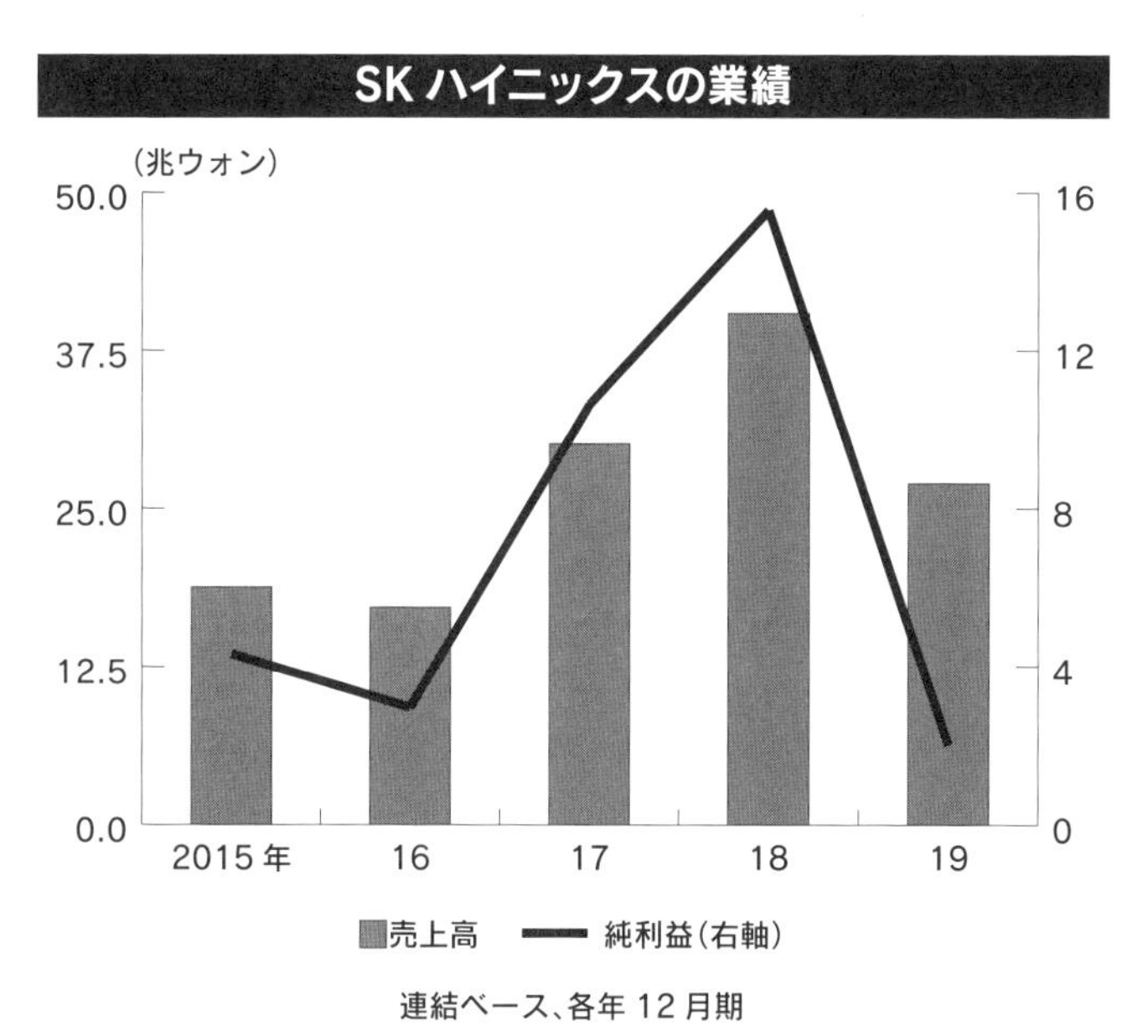

▼AIと5Gに期待

日本をはじめ、世界中で5Gのサービスが本格化することから、メモリの引き合いは強まるとSKハイニックスは期待感を示す。

並んでAIへの期待も大きい。特に力を入れるのが、伝送効率の高いDDR（Double Data Rate）SDRAM（Synchronous DRAM）だ。クロック信号に同期（シンクロ）して作動するDRAMで、DDR2、3、4と改良が重ねられ、DDR5の技術開発にSKハイニックスが成功したという。ビッグデータや機械学習などのAIへの活用が期待される。

また、1秒当たり460GBのデータを処理するパフォーマンス能力を持つ、超高速を実現するメモリ半導体の新製品「HBM（High Bandwidth Memory：広帯域メモリ）2E」も19年に開発した。3・7GB程度のフルハイビジョンの映画124本分のデータを1秒で処理できるといい、やはりAIやスーパーコンピューター、5Gなど幅広い使い道が見込まれる。

10 マイクロン・テクノロジー（米国・Micron Technology, Inc.）

▼世界シェア5位の半導体大手

サムスン電子と同様、ＤＲＡＭやＮＡＮＤフラッシュなどのメモリを手掛ける世界シェア5位の半導体大手で、米アイダホ州にある歯科医院の地下室で創業してから40年余りが経つ。米中貿易摩擦の煽りを受け、上客の中国・華為技術への製品出荷が難しくなるなど、２０１９年は試練の時だった。ＤＲＡＭ価格下落の一服感を見計らって投資攻勢を強める構えだが、新型コロナウイルスの影響が動きを鈍らせそうだ。

19年8月期連結決算は、売上高が前期比23・０％減の２３４億６００万ドル、純利益が55・３％減の63億１３００万ドルだった。米中貿易摩擦を背景に、マイクロンが中国企業のＤＲＡＭ特許を侵害しているとして、18年に中国の裁判所から生産・販売の中止が命じられるなど、国家間の対立が早くから同社のビジネスに暗い影を落としていた。メモリの市況悪化も響き、大幅な減収減益となった。

４つあるビジネスユニット（ＢＵ）別では、「コンピューター&ネットワーキングＢＵ」が売上全体の半分ほどを占めるが、19年は99億ドルと前期の１５２億ドルから大きく低下した。他のモバイルＢＵ、ＳＳＤを手掛けるストレージＢＵ、組み込みＢＵのいずれも減収だった。

19年後半以降、5Gによる需要増でメモリ価格が上向く兆しを踏まえて反転攻勢に出ている。台湾の現地法人が持つ工場の近隣に、DRAMの新工場を建設する計画で20年に完成予定という。

日本の旧エルピーダメモリを買収したことでも知られ、同社の呼称は現在「マイクロンメモリジャパン」となっている。広島工場では19年に、次世代ICを手掛ける「先端技術DRAMセンター・オブ・エクセレンス」の拡張に伴う新棟が完成した。

マイクロン・テクノロジーの業績

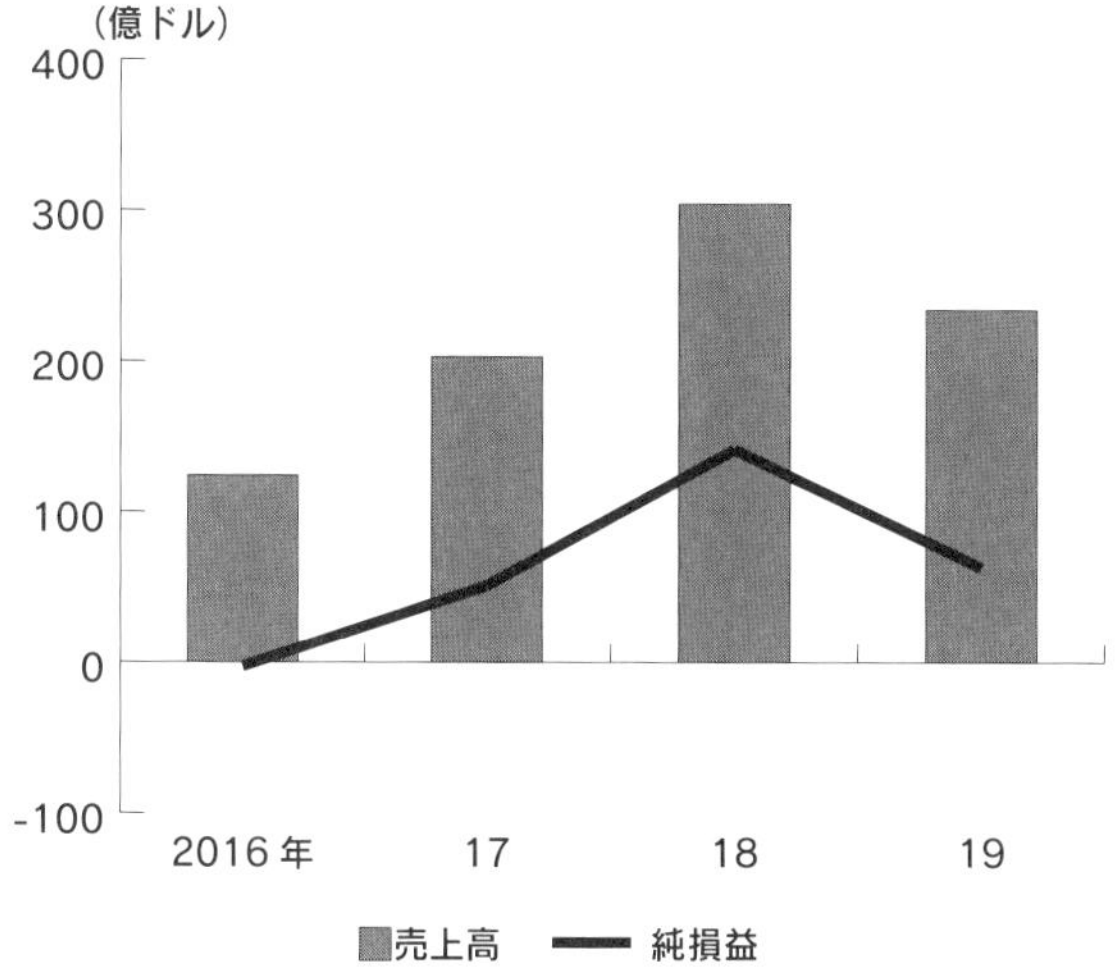

連携ベース、各年8月期

▼AI分野で提携・買収

世界的なAIのブーム、関連製品の需要増を踏まえ、マイクロンは提携や買収を加速させている。

20年2月にはドイツの自動車部品大手、コンチネンタルと次世代の機械学習分野での業務提携を発表、マイクロンの「ディープラーニングアクセラレーター」を車載用に活用し、情報と娯楽を提供する「インフォテインメント」の高度化を図っていく。インフォテインメントの分野ではファブレスのクアルコムとも協働している。

また、19年10月には、ソフトとハード両面でAI技術を持つスタートアップ「FWDNXT」の買収により、IoTやエッジコンピューティングのデータ解析に必要なソリューションを開発できるプラットフォームの環境を整備した。

11 ブロードコム（米国・Broadcom Inc.）

▼買収攻勢の世界最大ファブレス

　半導体の売上は世界6位、最大のファブレスで、売上高の大半を占める半導体部門とインフラソフトウェア部門から主に構成される。米ヒューレット・パッカードなどの半導体事業を起源に持つアバゴ・テクノロジーズが２０１６年に旧ブロードコム（Broadcom Corp.）を買収し、アバゴは自社ごとブロードコム（Broadcom Inc.）に改名した。

　かつて米クアルコムの買収構想が浮上、世界3位の巨大半導体メーカー誕生が現実味を帯びたが、政治的「待った」がかかり頓挫した。一方、ソフトウェア部門強化に動くなど、多角化経営を推し進める。

　19年10月期連結決算は、売上高が前期比８・４％増の２２５億９７００万ドルと伸びた一方、純利益は78・４％減の27億２４００万ドルと苦戦した。売上の８割近くが半導体ソリューション事業で、その内訳は大きく有線、無線、ストレージ、産業・車載の４つに大別される。産業ロボット用やＥＶ向けＩＣの需要は底堅かったが、米中貿易摩擦に起因する中国企業からの受注減が響いた。

　ブロードコムの社是の１つに「M&Aで企業を強くしていく」があり、17年には１１７０億ドルでクアルコムを傘下に収めようとする巨額買収案が持ち上がった。ただ、ここでも米中の対立がネックとなる。買収によってブロードコムは「国家安全保障を損なう行動をとる可能性がある」とする旨の懸念をトランプ米政権が表明、買収を禁じる大統領令を出し、ブロードコムは従った。背景には５Ｇをめぐる米中間の覇権争いがあったとされる。

一方、インフラソフトウェア部門で、19年にセキュリティソフト大手シマンテック（Symantec Corporation）から、ハッカー対策などに当たる法人向け事業を１０７億ドルで買い取った。18年にも米ソフト大手のＣＡテクノロジーズを買収、同分野を強化している。

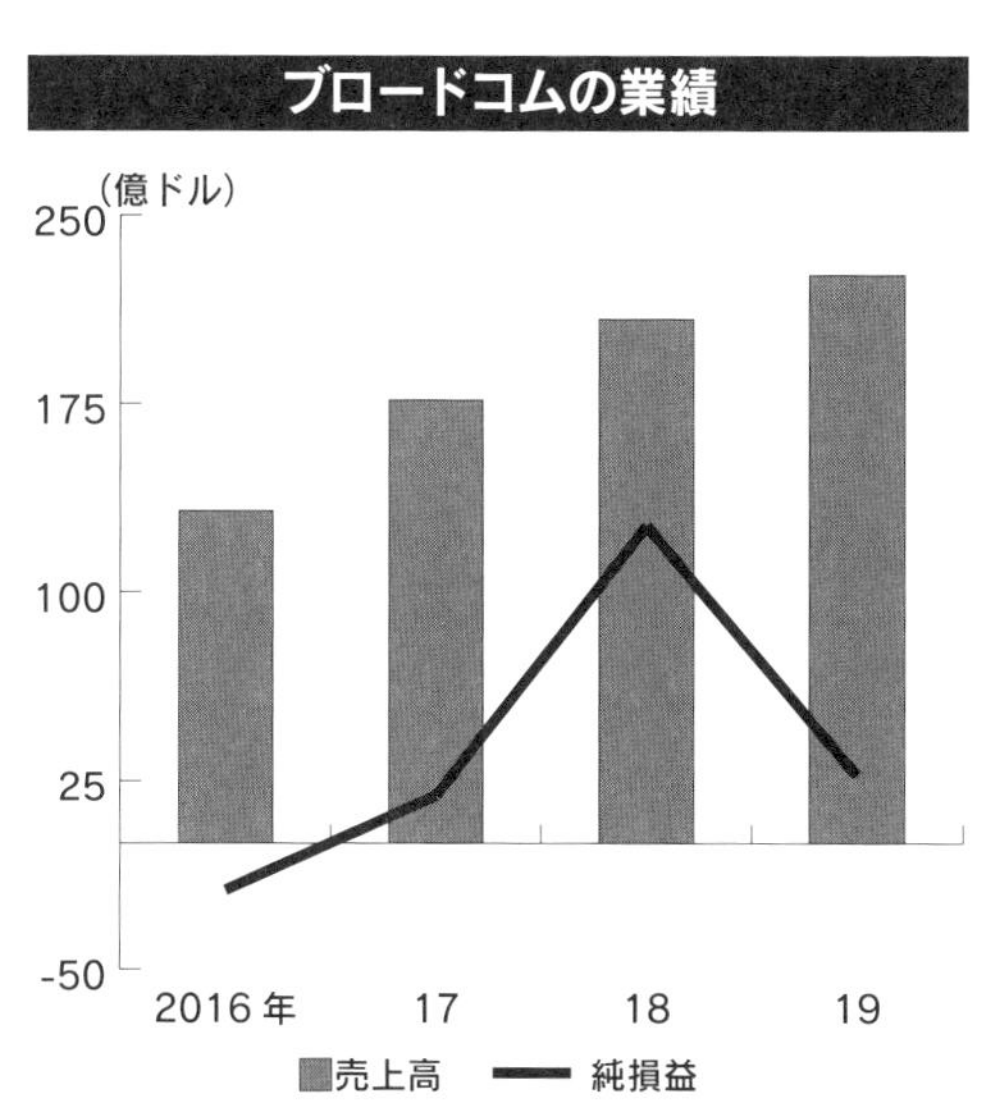

連結ベース、各年10月期。
うち半導体部門は19年で売上高全体の75%程度

▼「オートメーションＡＩ」始動

ＡＩに関し、ブロードコムは19年12月、満を持して「オートメーションＡＩ」のサービスを公表、サイトを公開した。職場、ビジネスがますますデジタル化する中、意思決定などを機械的に最適化するためのＡＩ主導型プラットフォームを用意した。

また、買収や提携を通じたＡＩ戦略の強化も目立つ。先述のシマンテック買収後は、同社とブロードコムの共同ドメインのウェブサイトで「人工知能を使用したマルウェア対策」などＡＩに関する情報を発信、日本語でも読めるようになっている。

また、提携先のＴＳＭＣとはＡＩや５Ｇの用途に向く５㎚プロセスのＩＣ製造で協力を深めていく。

主要企業

12 クアルコム（米国・Qualcomm Incorporated）

▼ファブレス世界2位

　ワイヤレス通信向けのＩＣを強みとする半導体世界7位の大手、ファブレスとしては世界2位でブロードコムに続く。３Ｇから5Ｇまで幅広く手掛け、5Ｇ対応型スマホの販売が本格化する２０２０年以降、収益の押し上げ効果が期待される。

　19年9月期連結決算は、売上高が前期比7・4％増の２４２億７３００万ドル、純損益は43億８６００万ドルの黒字で前期の49億６４００万ドルの赤字から転換した。売上の内訳を見ると、大まかに「モバイル・ハンドセット・プラットフォーム」が過半を占め、特許の「ライセンシング」が2割強、ＩｏＴなどその他プラットフォームが2割弱といった割合だった。地域別では、中国向け販売が5割弱だったほか、米国と韓国がそれぞれ1割前後だった。

　頭打ちのスマホの出荷台数は19年に底入れし、20年には増加に転じると見る。3Ｇ、４Ｇ、５Ｇ対応デバイスの出荷台数は、全世界で計18億台程度だった18年から19年には17億台まで低下、20年には持ち直して17億５０００万～18億５０００万台になるとの見方を示していた（19年11月6日時点）。

　目下成長のドライビングフォース、５Ｇに対応するデバイスのうち、クアルコムのＩＣが搭載された

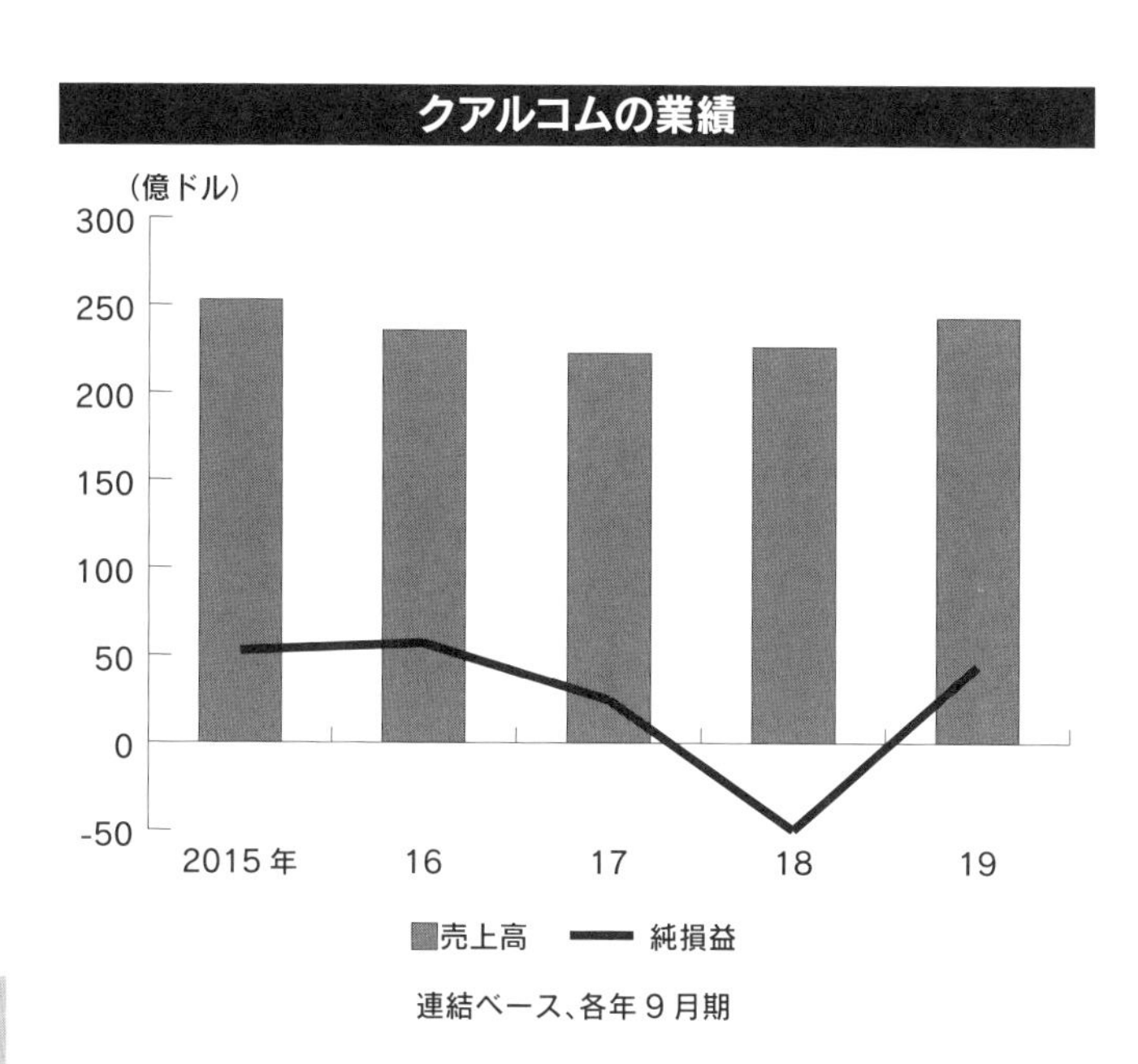

スマホは１００種、２００種と徐々に採用が広がっている。話題を呼んだサムスン電子の折り畳み式スマホ「Galaxy Fold」「Galaxy Z Flip」シリーズにも使われている。

５Ｇ、ＩｏＴの変革は従来の電気機器に加え、家財や衣類など生活の隅々に恩恵をもたらす。随所に商機があり、ワイヤレスイヤホンやスマートスピーカーにもクアルコムのチップが搭載されている。同社の主力、ＳｏＣ「Snapdragon（スナップドラゴン）」には「Adreno（アドレノ）」と呼ばれるＧＰＵが組み込まれている。

▼最新製品の展開

そのチップの最新版の１つ「Snapdragon865」が19年12月に発表された。５Ｇ時代には超低遅延の向上などによって、スマホでのゲーミング利用が一層増えると見込まれる。この新製品はそうした需要に応えるため、画像処理や顔認識、自動翻訳などの面で優れた性能を発揮する。

また、同年4月には推論を行うデータセンター向けＡＩチップを20年から量産すると発表した。同様の目的の一般的な製品に比べ、電力使用量を抑えられるのが特徴という。同社はこうしたＡＩによる電力消費の効率化のほか、個々人に応じたＡＩの適用を重視している。

13 テキサス・インスツルメンツ（米国・Texas Instruments Inc.）

▼IC産業の発展支えた古豪

1930年に前身となる石油探査会社が創業、エレクトロニクス部門の再編で54年に現社名となり、TIの略称で通っている。58年にICを世界で初めて開発（152ページ参照）し、半導体産業の飛躍に大きく貢献した古豪である。世界に約3万の従業員を擁し、車載用や産業用といった勢いのある市場から、スマートフォンやPC、ゲーム、通信機器に至る幅広い分野で10万種以上のチップを提供している。

2019年12月期連結決算は、売上高が前期比8・9％減の143億8300万ドル、純利益は10・1％減の50億1700万ドルで減収減益だった。大きく2つのセグメントがあり、売上の7割余りを占める「アナログ」部門は5％減、約2割の「組み込みプロセス」部門は17％減となり、営業利益もそれぞれ2桁の減益で苦戦した。ただ、10〜19年の年間平均成長率は6％と堅調な伸びを示している。

顧客の市場別では、注力する産業用と車載用がそれぞれ売上高全体の36％と21％の割合で、両分野で過半を占める。「ファクトリー・オートメーションと制御システムに関して豊富なノウハウを蓄積している」と強調し、製造現場の機器や装置を全てつながる状態にしてOT（175ページ参照）を活用し、第4次産業革命を後押ししていくとしている。

多岐にわたり、且つ事細かにそれぞれの仕様に合ったICの供給体制が整っているのが特徴である。例えば、産業用の中でも「電化製品」とか「ビル・オートメーション」とか「ライティング」（照明）などに分かれ、「電化製品」はさらに、「コーヒーメーカー」「コードレス掃除機」などの「小型家電製品」や、「ヒューマノイド」「ロボット芝刈り機」などの「サービス・ロボット」と細分化されている。かゆいところに手が届くきめ細かな品揃えは抜きん出ている。

テキサス・インスツルメンツの業績

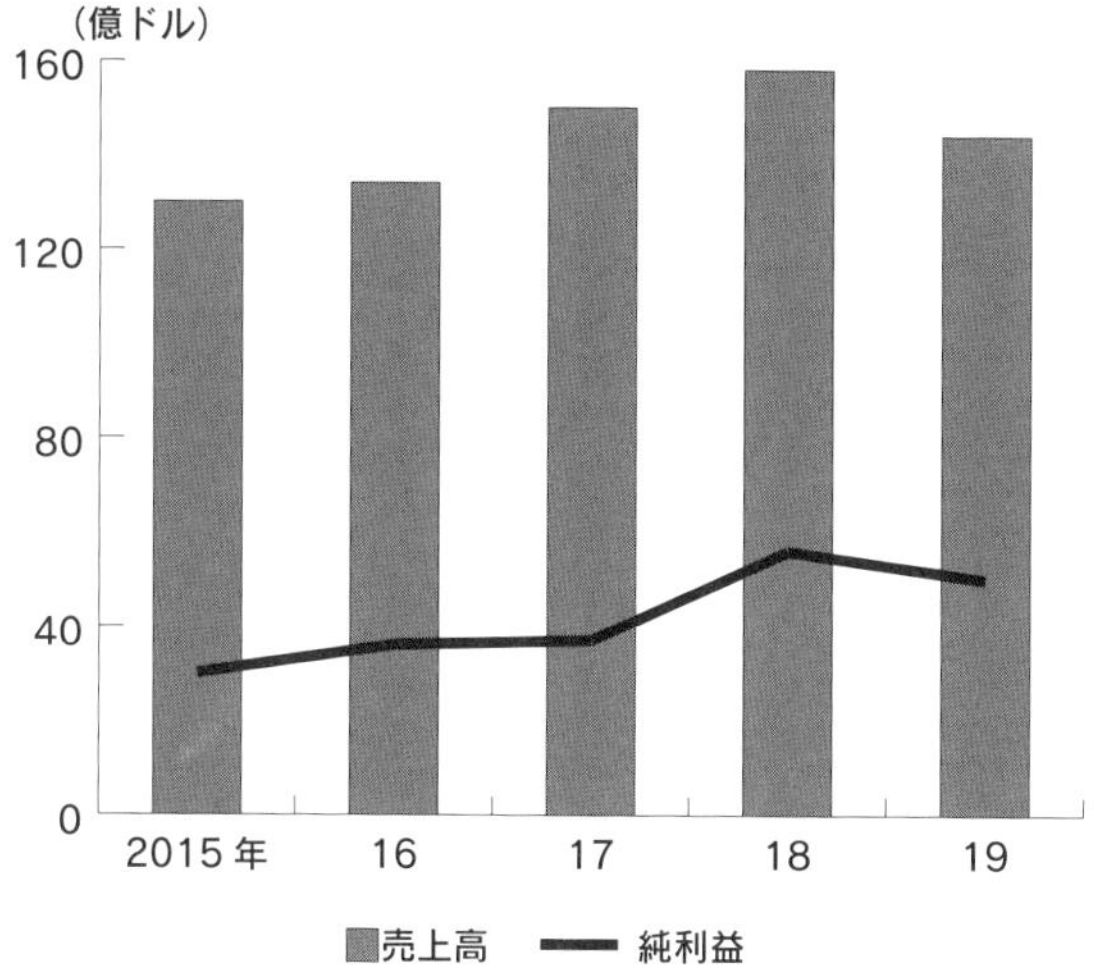

(億ドル)
160
120
80
40
0
2015年　16　17　18　19

売上高　純利益

連結ベース、各年12月期

▼独自のTIDL

高まるAIやIoTの需要を背景に、TIは推論部分に対応するTIDL（Deep Learning）の動画を教材用として公開している。売り込みを図るのは「Sitaraプロセッサ」で、先述のOT、すなわち現場に近い機器類「エッジデバイス」向けのAIチップとして組み込む。

TIDLの特徴として、発熱性の高いICを搭載できない、低消費電力のデジタル信号（Digital Signal）処理に特化したマイクロプロセッサー（DSP）のようなデバイスに適しているという。

また、スマートファクトリーの用途に限らず、車載用でADASにインフォテインメントにと、利用者に近いインターフェイス向けに採用される余地は大きい。

14 NVIDIA（米国・NVIDIA Corporation）

▼成長目覚ましい新星

ＡＩや高度な画像処理に使うＧＰＵの分野に強みを持つ世界10位の半導体大手で、ファブレスメーカーの一角を占める。ＮＶＩＤＩＡ（エヌビディア）の代名詞とも言えるＧＰＵは長らく同社が市場を形成してきた。ただ、ここにきてインテルやＡＭＤ（Advanced Micro Devices）などのライバルが参入し始めており、新たな顧客、市場の開拓が求められている。

２０２０年1月期連結決算は、売上高が前期比６・8％減の１０９億１８００万ドル、純利益は32・５％減の27億９６０００万ドルの減収減益だった。ただ、データセンター関連の売上は四半期ベースで過去最高となり、台湾系米国人の黄仁勳（ジェンスン・ファン）ＣＥＯ（最高経営責任者）は「ＮＶＩＤＩＡのイニシアティブが大成功を収めつつある」と総括した。

黄氏は１９９３年に会社を立ち上げた創業者の１人で、「コンピューターを、未来が見える、創り出せるタイムマシーンのようにしたい」と夢を語る。

ＮＶＩＤＩＡは98年に多年度に及ぶ戦略的パートナーシップをＴＳＭＣと結び、その翌99年にＧＰＵを開発し、マーケットリーダーとしての地位を築いてきた。同年、米ナスダックに上場し、２０２０年5月には上場来高値を更新して勢いに乗っている。

近年はグラフィックス、画像処理に強いというイメージの枠を超え、AI全般をカバーするチップサプライヤー、フロントランナーとして認知されつつある。

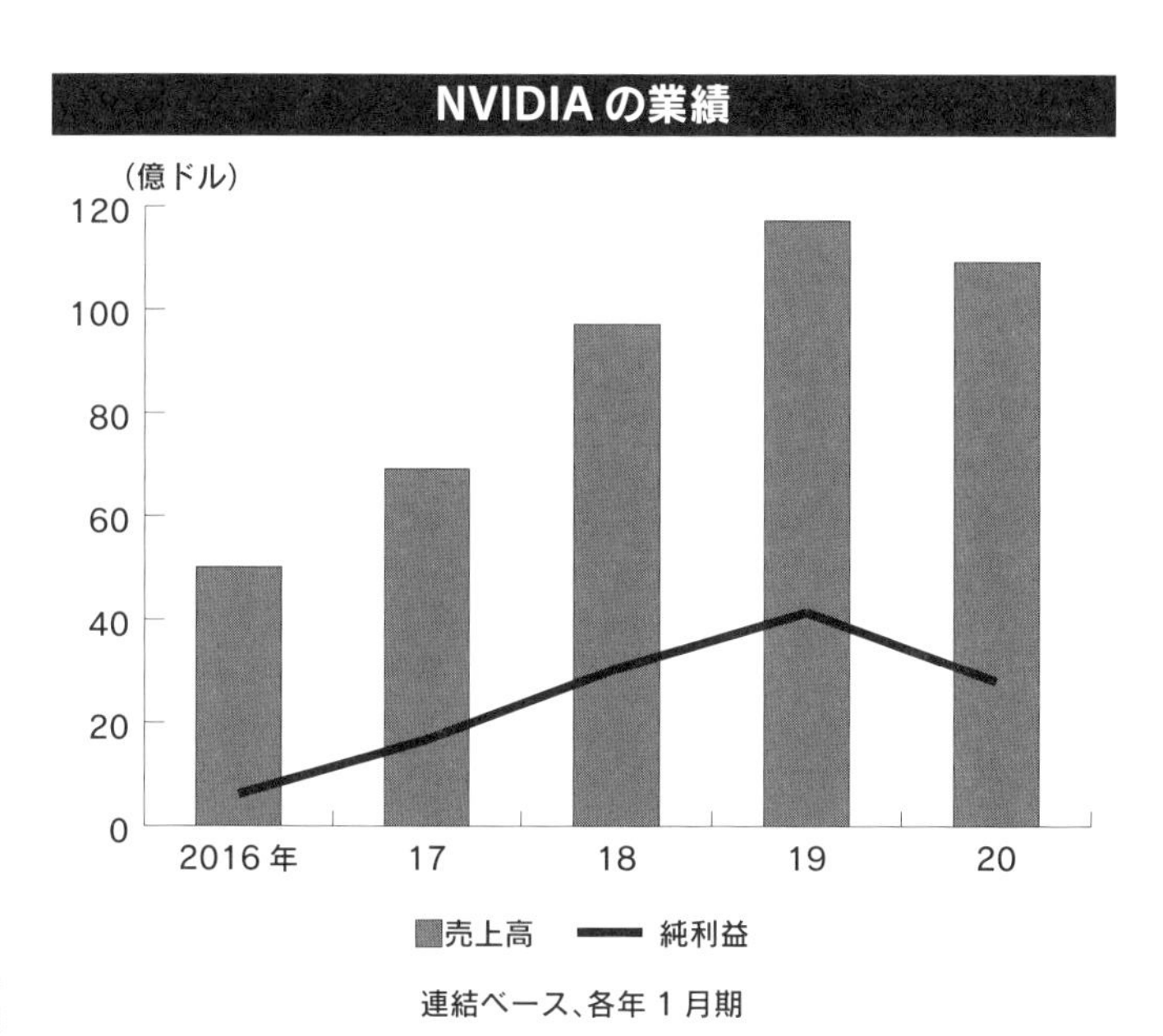

また、GPUとCPUを搭載した半導体チップ「Tegra（テグラ）」はタブレットやスマホをはじめ、ゲーミング、自律型ロボットやドローン、CASEなどの用途に適する。身近なところでは、17年に任天堂が発売した人気ゲーム機「ニンテンドースイッチ」に採用された。

▼CGを再定義

「AIビッグバンを引き起こす」「AI時代だ」「AIのカンブリア大爆発」——。

NVIDIAの会社紹介にはAIという言葉が随所に登場する。医療用や自動運転など多種多様なAIにNVIDIAの製品は使われる。GPUはAI、特にディープラーニングと関係が深く、GPUの性能如何が学習の精度を左右するとも言われる。

目下力を入れるのが、映画並み、迫真の画質を可能にする「Ray Tracing（レイトレーシング）」（RTX）の技術である。ゲーミングやVRといった映像表現の場で活用が広がっており、「CGを再定義するもの」（黄CEO）と期待される。

Column

昭和を生きた理系男子たちの機械の話②
「積算苦闘今昔物語」

手回し式計算機

団塊世代の爺（じじい）である。大学で土木工学を学び、就職期は高度経済成長の絶頂期だった。晴れて社会人になった翌1972年、平民宰相と人気を博した田中角栄内閣が誕生した。

田中は「日本列島改造論」をぶち上げ、さらなる景気浮揚を図った。すなわち、全国に高速道路網を張り巡らせ、新幹線や本四連絡橋を建設するというもの。地方の工業化を促進し、過疎と過密の不均衡と公害問題を同時に解決すると謳った。

建設業界の一角、道路会社に身を置く小生は、10年の現場経験を経て、高速道路の舗装工事を担当して全国を巡った。当時の日本道路公団（現NEXCO）が発注する工事は、工区が1件10 ～ 20kmもあり、請負金額も30億～ 40億円という大型工事が主流だった。その分、入札対応の積算や見積もり計算には、膨大な労力と時間を要した。当時の計算機器と言えば､計算尺(対数原理を応用したアナログ計算機)と手回し式計算機（小型のタイプライター様の形)、そして算盤しかなかったのだから。急ぎのそれには数人がかりで、徹夜で汗を流した。誤算も多かった。

それから数年、シャープや東京芝浦電気（現東芝)、日立製作所、キヤノン、カシオ計算機などが競って小型電卓を開発、価格競争が起きた。手頃な値段で手に入るようになり、計算業務の省力化・スピード化が一気に進んだ。

さらに時代が下り､世間ではOA（オフィス･オートメーション）化が叫ばれ､オフィス業務のデータ化や自動化、効率化が求められた。いつからかははっきり覚えていないが、それまで手書きだった日報や計画書、各種帳票などの提出書類は全て、ワープロ書きが要求された。当時の技術革新のスピードは目覚ましく、日進月歩どころか秒速分歩の進化を遂げた。ドッグイヤー（犬は人間の7倍のスピードで成長する）という言葉が流行ったのもこの頃である。

やがて社内では、オフコン（オフィス向けコンピューター）からパソコンへと、1人1台の時代になった。小生も遅ればせながら、「五十」の手習いでようやくパソコンに触わる。若手社員に教わりつつ、Word、Excel、PowerPointまでは何とか使えるようになった。

しかし現在は3DプリンターやGPU、バーチャルリアリティーやらAIやら……とてもついていけない。こういうのをデジタルデバイドとかいうのだろう（苦笑)。

ペンネーム=龍角書士（70代）

Chapter 8

海外情勢

1 米国

――IT各分野をリード、深まる中国との対立

▼世界最高、最大が集積

AI、5G、IC、いずれの分野も米国が世界をリードし、その技術や産業の発展に大きく貢献してきた。失敗を恐れず、次に生かすチャレンジャー精神が根付き、失敗の教訓から新技術が生まれ、そうした風土に魅了された優秀な人材が世界各国から集まる――。この国にはそんな好循環が生まれて久しい。

Chapter2で登場したアルファ碁やワトソンなど世界の耳目を集める話題は米国発が多い。巨大なGAFAから、続々と誕生する新進気鋭のスタートアップに至るまで、多種多様な企業が犇めく。新技術や新製品、買収、合併、提携、解消、訴訟、和解など、ITをめぐる話題に事欠かない。

IT企業が集まる地として有名なシリコンバレー（138ページ参照）に掛けた、「シリコンアレー」（「alley」は路地の意味）もニューヨーク市にある。1995年ごろからそう呼ばれ始めた。エンジニアを呼び込もうという動きと、投資先に目を光らすウォール街のニーズがマッチし、ITベンチャーが育ちやすい環境が培われてきた。スタートアップにとっての仕事のしやすさなどの観点で、サンフランシスコを抜いてニューヨークがトップに躍り出たとする調査結果もある。マンハッタンを中心にグーグ

ルが、アマゾンが、フェイスブックが、こぞってニューヨークに新拠点を設けている。

ＡＩの分野では、79年に設立された世界で最も古い学会の１つ、ＡＡＡＩ（Association for the Advancement of AI: 米国人工知能学会）がある。毎年開催のカンファレンスには、世界各国から一線の研究者らが集い、成果を披露し合う。ＡＡＡＩは、一般にも分かりやすいＡＩの基本知識や最新技術を紹介するサイトの運営など、手広く活動している。

２０１６年にはアマゾンやグーグル、ＩＢＭ、マイクロソフトなどが、ＡＩの普及や成功法の共有を図る企業主導の非営利団体「Partnership on AI」を立ち上げた。後にアップルも参加し、ＧＡＦＡ各社が名を連ねる米国きっての先進ＡＩ組織となった。

▼中国との軋轢

さまざまな功績を残している米国だが、80年代の日本の半導体産業や、韓国サムスン電子の台頭など、地位を脅かす存在も少なくない。

近年特に危機感を強めている相手が中国である。２０１９年春から夏にかけて米中貿易摩擦が激化し、トランプ米政権は中国の華為技術に対し、政府に無許可で米企業から部品などを調達するのを禁じた。事実上の禁輸措置である。20年5月には新型コロナウイルスをめぐる中国への不満を背景にこの措置を強化、米国製の製造装置を使った場合、外国で造られた製品も許可なしには華為に輸出できなくした。

米国が華為を「狙い撃ち」したのは競合分野、すなわち5Gでの覇権を握りたいというのが理由の１つだった。19年、先行して5Gを始めたのは米国、韓国だが、中国も実施時期を前倒しして猛追する構えを見せていた。5Gをはじめ通信産業などの強化を謳った「中国製造２０２５」（次ページ参照）という長期戦略の存在も、米国の懸念を一層強めたとみられる。

ＡＩの分野では、地理空間画像の自動分析用に設計されたソフトウェアを、新たな輸出管理対象とする規制を20年初頭に商務省が定めた。安全保障上の観点から、主に中国を念頭に置いた措置だが、カナダを除く国々にあまねく影響が及ぶ。

2 中国

――5Gの覇権に野心、AI国家戦略で描く成長

▼世界の工場、今は通信業界を先導

「輸出規制措置を濫用する間違ったやり方」――。

先述の米商務省のAIソフトの輸出管理をめぐり、中国商務部はすかさず不信感を露（あら）わにした。

貿易摩擦に象徴される米中間の対立は、経済、政治、軍事など多岐にわたって表面化してきている。

摩擦が深まる一方だった2019年、一歩も引かずに関税を引き上げ合う両国の応酬に、関係国は肝を冷やした。中国は輸出減という形で負の影響が明確に数字に表れ、内需の冷え込みも背景に、19年4～6月の国内総生産（GDP）は前年同期比6・2％増にとどまった。四半期ごとのデータで遡（さかのぼ）れる1992年以降で最低である。中国の景気減速は、ひいては日本を含むアジアなど世界経済へも暗い影を落とす。

そこに新型コロナウイルスが追い打ちをかけた。2020年1～3月のGDPは同6・8％減となり、1992年以降初のマイナスとなった。影響がどこまで広がるか、いつまで続くか、不透明感が漂っている。

▼AI戦略と中国製造2025

この世界的感染の危機にAIで立ち向かおうとする企業の試みもある。電子商取引大手、阿里巴巴（アリババ）集

団傘下の阿里雲（アリババクラウド）はＡＩによる新型肺炎の診断技術を、世界の医療機関に無償提供している。感染が疑われる場合に医師が行うＣＴ画像解析を支援し、治療の迅速化につながるとされ、中国では既に１００超の医療機関で活用されている。

阿里巴巴のほか、中国最大の検索エンジンを手掛ける百度（バイドゥ）、ＳＮＳサービス騰訊（テンセント）のＩＴ大手３社をＢＡＴ、さらに華為技術を加えてＢＡＴＨ（バス）と総称し、ＧＡＦＡになぞらえられる向きもある。ＩＴ業界は移ろいやすく、今後台頭するのは動画共有サービス「ＴｉｋＴｏｋ」の北京字節跳動科技（バイトダンス）、食事のデリバリーを手掛ける美団点評、配車アプリの滴滴出行（ディディ）の３社「ＴＭＤ」との呼び声も高い。

中国製造2025の重点領域

次世代情報技術産業（5Gなど）	先端制御工作機械・ロボット
航空宇宙設備	海洋エンジニアリング設備・ハイテク船舶
先進軌道交通設備	省エネ・新エネ自動車
電力設備	農業設備
新材料	バイオ医薬・高性能医療器械

中国政府ウェブサイトをもとに作成

「世界の工場」と呼ばれ、一方で巨大な人口を背景にＩＴ産業が急成長する中国は、製造の競争力強化を掲げた国家戦略「中国製造２０２５」を２０１５年に打ち出した。課題とされる製造の効率化や省エネ化を進め、世界の工場としての従来の「製造大国」から、25年に「世界の製造強国」の１国へと脱皮することを目標としている。重点分野として、５Ｇに代表される「次世代情報技術」や「電力設備」、「新素材」など10分野を挙げている。

17年にはこの国家戦略を補完する「新一代人工知能発展計画」（次世代ＡＩ発展計画）を打ち出した。計画は3段階で、20年までに世界水準のＡＩが経済の新たな成長エンジンになり、25年までに国内の一部技術が世界をリードし、30年までに中国が世界の「ＡＩイノベーションセンター」となる目標を掲げる。実現に向け、ＢＡＴのほか、音声認識の科大訊飛、顔認識の商湯科技が指定された。ＡＩの国内産業規模は30年に間接も含め１７０兆円と見込む。

3 韓国

——5G軸に成長、際立つ巨人サムスンの存在感

▼先行する5Gを一層強化

世界に先駆けて2019年4月に韓国で始まった5Gのサービスは、スマホやデータ通信の分野はもちろん、着実にその活用領域を広めてきている。

5G仕様のスマートフォンがサムスン電子、LGから相次いで発売され、活況を呈している。低遅延を生かし、野球などのスポーツやコンサートの中継、VR・AR活用型のゲーム、eスポーツといった分野で、まずはBtoC向け利用が広がっている。

今後、中長期的にはBtoB、またはBtoBtoC向け事業の機会拡大に貢献するとの期待が大きい。

その1つに医療分野があり、LGグループや通信大手のKTが相次いで病院と5G活用による医療現場の効率化「スマート病院」を打ち出した。LGは21年開設予定の病院で、VRを通じた看護実習や隔離患者との面会のほか、ビッグデータやロボットも活用して医療現場を支援する。KTは病理データや治療計画をデジタルに管理し、離れていてもリアルタイムで共同診察ができる体制の構築に取り組む。

工場の省力化や無人化で最適な生産体制を構築する「スマートファクトリー」も加速する。日本貿易振興機構のソウル事務所知的財産チームが18年11月に公表したまとめによると、スマートファクトリー

関連の特許出願が近年急増している。年間の出願件数は従来10件未満だったが、16年に89件に激増、18年9月までに52件と増加が目立つ。分野別では、制御システムが50件と最多で、ビッグデータ47件が続いた。ロボット自動化審査課という専門部署もある韓国特許庁は、知的財産権の競争力強化を掲げている。

身近なところでは、焼き肉文化が盛んな韓国とあって、温度調節可能なＩｏＴを組み込んだ自動販売機で精肉を扱えるよう、18年に法改正された。

▼静止画から動画生成

こうした取り組みを後押しする5Ｇに関し、直接的、間接的に大きな影響を及ぼすのがサムスン電子である。スマートフォンは出荷台数で世界の約2割とトップのシェアを誇り、他にもＤＲＡＭやＮＡＮＤフラッシュメモリ、薄型テレビで世界一を維持している。同社の連結売上高は２０００億ドルを超え、1社で韓国のＧＤＰの15％前後を稼ぎ出す。

積極的な研究開発でも知られ、先述したＮＥＯＮ（ネオン）（１８３ページ参照）もさることながら、19年５月にモスクワにあるサムスンのＡＩセンターの研究者らが公表した、顔の写った数枚の静止画をもとに、人が話しているように見える動画製作技術が世間を驚かせた。輪郭や目、口元といった特徴をＡＩが捉え、静止画から滑らかな動画が生み出される。この技術を使えば、微笑みを浮かべる「モナリザ」が喋りだすといった一見、奇妙とも取れる映像が生まれる。

このような技術を乱用した「ディープフェイク*」が年を追うごとに高度化、巧妙化している。韓国のアイドルの画像がポルノ動画に悪用されるなど、タレントや政治家が被害に遭うケースが目立つようになっている。

ディープフェイクを作成するのはもってのほかだが、見る側も騙されず冷静に対処するような姿勢が求められる。まさにＡＩのリテラシーが問われている。

＊ディープフェイク
「ディープラーニング」と「フェイク」を掛け合わせた言葉で、ＡＩによる顔などの画像合成技術。多種多様な表情を比較して最も真実らしい顔を選出するＧＡＮ（Generative Adversarial Networks; 敵対的生成ネットワーク）を利用、既存の画像と映像を、元の素材に重ね合わせて作られる。

4 台湾

——人材育成や投資はAIにシフト

▼EMSとファウンドリーとファブレス

台湾と言えば、２０１６年に経営危機にあったシャープを傘下に収め、17年には東芝メモリの売却に応札したことでも知られる鴻海（ホンハイ）精密工業が名を馳せている。その創業者、テリー・ゴウこと郭台銘（かくたいめい）は一代で売上高20兆円に迫る巨大企業を築き上げた。米アップルのアイフォーンの製造を請け負うことで成長し、従業員を10万、１００万と増やしてきた。

鴻海の製造スタイルは、ＥＭＳ（Electronics Manufacturing Service; 電子機器受託製造）と呼ばれ、鴻海が世界最大手である。

ＥＭＳと似た概念の「ファウンドリー」は専ら半導体の受託製造に当たる。同分野では売上高が４兆円に迫るＴＳＭＣが世界首位で頭一つ抜けている（１８４ページ参照）。他にも、ＵＭＣ（United Microelectronics Corporation; 聯華電子）、ＰＴＣ（Powerchip Technology Corporation; 力晶科技）など上位10社に台湾系が名を連ねる。

それらファウンドリーに製造を委託するのがファブレス（Fabless）で、台湾ではＭｅｄｉａＴｅｋ（メディアテック）（聯發科技）が世界的に有名である。19年５月には同社初の５Ｇ向けＳｏＣを披露、次世代への備えを着々と整えている姿勢をアピールした。

　5Gをめぐっては、台湾政府が19年6月、同分野の発展に向けて204億台湾ドル（19年末現在1台湾ドルは約3・60円）余りを22年までに投じていく4カ年の「台湾5Gアクションプラン」を発表した。規制緩和や実証実験を推し進め、物流網の最適化などを図り、5G関連産業で年間500億台湾ドルの生産額を生みだす計画のほか、5Gの普及に対応できるよう4000人規模の人材育成を予定している。

　なお、米中貿易摩擦の余波が押し寄せ、台湾は中国の出荷減を補う代替地としての側面がある。特に19年に入って中国の対米輸出が減少する一方、台湾からの輸出は増加傾向にある。

▼20年にAIビジネスパーク誕生

　見てきたように台湾は従来、ハードウェアの製造を受託する工場の集積地となっており、域内には優秀な技術人材が多いとされる。ただ、近年は成長著しいAI分野に有能な人材をより振り向けようとする動きが盛んとなっている。

　台湾には既にグーグルやマイクロソフトなどがAIの開発拠点を構え、ポテンシャルは相当に高い。AIを活用した医療診断システムを手掛ける「Dep01」は、脳卒中の症状を調べる新システムを開発し、数分はかかるのが一般的な診断で、30秒と大幅な短縮を実現したという。科技部傘下の研究機関が主導して台湾大哥大（台湾モバイル）など3社と連携して立ち上げた、台湾初のAIクラウドサービス「台湾AI雲（クラウド）」（TWCC：Taiwan Computing Cloud）も昨年から運転が始まっている。

　そうした動きをさらに後押ししようと、政府は1万人のAI人材の育成を計画している。20年秋には台湾北西部に、AIに特化したビジネスパーク「新竹県国際AI智慧園区」をオープンさせる。広さは約12万6000平方メートル、19年末に着工し、約5億台湾ドルをかけて整備する。世界中から企業を誘致したい考えで、総面積の大半はAI関連企業に振り向けられる。

　この構想のモデルとなった、約40年前に開設の「新竹サイエンスパーク」は、TSMCなど入居企業が500を超える。

【著者紹介】
南 龍太（みなみ・りゅうた）
1983年新潟県生まれ。
東京外国語大学外国語学部ペルシア語専攻卒業。
政府系エネルギー機関から経済産業省資源エネルギー庁出向を経て、
共同通信社記者として盛岡支局、大阪支社と本社経済部で勤務。
電機やエネルギー、流通、交通、金融など幅広い業界を取材。
国際NGO「世界未来学連盟」日本支部を通じ、未来学（Futures Studies）の普及に携わる。
『エネルギー業界大研究』、『電子部品業界大研究』（ともに産学社）、
共著『世界年鑑2018』（共同通信社）のほか、『Futures Thinking Playbook』邦訳

AI・5G・IC業界大研究［最新］

初版１刷発行●2020年７月30日

著　者
南 龍太

発行者
薗部良徳

発行所
㈱産学社
〒101-0061 東京都千代田区神田三崎町2-20-7
Tel.03(6272)9313　Fax.03(3515)3660
http://sangakusha.jp

印刷所
㈱ティーケー出版印刷

ISBN 978-4-7825-3552-3　C0036